Le Club des Baby-Sitters

Ce volume regroupe trois titres de la série
Le Club des Baby-Sitters d'Ann M. Martin

Les nouveaux voisins de Kristy (Titre original : *Kristy and the snobs*)
Édition originale publiée par Scholastic Inc., New York, 1988
Traduit de l'anglais par Dominique Laplier et Camille Weil

Les malheurs de Jessica (Titre original : *Jessi Ramsey, pet-sitter*)
Traduit de l'anglais par Marie-Laure Goupil et Camille Weil
Édition originale publiée par Scholastic Inc., New York, 1989

Mary Anne cherche son chat (Titre original : *Mary Ann and the search for Tigger*)
Traduit de l'anglais par Hélène Charles-Kroës
Édition originale publiée par Scholastic Inc., New York, 1989

Le Club des Baby-Sitters

Chats, chiens et compagnie

Ann M. Martin

Traduit de l'anglais
par Dominique Laplier, Camille Weil,
Marie-Laure Goupil et Hélène Charles-Kroës

Illustrations d'Émile Bravo

GALLIMARD JEUNESSE

La lettre de KRISTY

Présidente du Club des Baby-Sitters

Le Club des Baby-Sitters, c'est une histoire de famille. On se sent tellement proches les unes des autres... comme si on était sœurs. Dans ce livre, nous allons vous raconter les aventures émouvantes, amusantes ou étonnantes qui nous sont arrivées avec nos amis les animaux : chiens, chats, hamster et même serpent ! Mais avant de commencer, nous allons nous présenter. Même si nous sommes tout le temps ensemble et que nous nous ressemblons beaucoup, nous avons chacune notre personnalité et nos goûts, dans lesquels vous allez peut-être d'ailleurs vous retrouver. Alors pour mieux nous connaître, lisez attentivement nos petits portraits. Je vous souhaite de vous amuser autant que nous...

Bonne lecture à toutes !

Kristy

Comme promis, voici le portrait des sept membres du

Club des Baby-Sitters...

NOM : Kristy Parker, présidente du club
ÂGE : 13 ans – en 4[e]
SA TENUE PRÉFÉRÉE : jean, baskets et casquette.
ELLE EST... fonceuse, énergique, déterminée.
ELLE DIT TOUJOURS : « J'ai une idée géniale... »
ELLE ADORE... le sport, surtout le base-ball.

NOM : Mary Anne Cook,
secrétaire du club
ÂGE : 13 ans – en 4[e]
SA TENUE PRÉFÉRÉE :
toujours très classique,
mais elle fait des efforts !
ELLE EST... timide,
très attentive aux autres
et un peu trop sensible.
ELLE DIT TOUJOURS :
« Je crois que je vais pleurer. »
ELLE ADORE... son chat,
Tigrou, et son petit ami, Logan.

NOM : Lucy MacDouglas,
trésorière du club
ÂGE : 13 ans – en 4[e]
SA TENUE PRÉFÉRÉE : tout,
du moment que c'est à la mode...
ELLE EST... new-yorkaise
jusqu'au bout des ongles,
parfois même un peu snob !
ELLE DIT TOUJOURS :
« J'♥ New York. »
ELLE ADORE... la mode,
la mode, la mode !

NOM : Carla Schafer, suppléante
ÂGE : 13 ans – en 4ᵉ
SA TENUE PRÉFÉRÉE :
un maillot de bain pour bronzer sur les plages de Californie.
ELLE EST... végétarienne, cool et vraiment très jolie.
ELLE DIT TOUJOURS :
« Chacun fait ce qu'il lui plaît. »
ELLE ADORE... le soleil, le sable et la mer.

NOM : Claudia Koshi, vice-présidente du club
ÂGE : 13 ans – en 4ᵉ
SA TENUE PRÉFÉRÉE :
artiste, elle crée ses propres vêtements et bijoux.
ELLE EST... créative, inventive, pleine de bonnes idées.
ELLE DIT TOUJOURS :
« Où sont cachés mes bonbons ? »
ELLE ADORE... le dessin, la peinture, la sculpture (et elle déteste l'école).

NOM : Jessica Ramsey,
membre junior du club
ÂGE : 11 ans – en 6e
SA TENUE PRÉFÉRÉE :
collants, justaucorps
et chaussons de danse.
ELLE EST... sérieuse,
persévérante et fidèle en amitié.
ELLE DIT TOUJOURS :
« J'irai jusqu'au bout de mon
rêve. »
ELLE ADORE... la danse
classique et son petit frère,
P'tit Bout.

NOM : Mallory Pike,
membre junior du club
ÂGE : 11 ans – en 6e
SA TENUE PRÉFÉRÉE : aucune
pour l'instant, elle rêve juste
de se débarrasser de ses lunettes
et de son appareil dentaire.
ELLE EST... dynamique et très
organisée. Normal quand on a sept
frères et sœurs !
ELLE DIT TOUJOURS : « Vous
allez ranger votre chambre ! »
ELLE ADORE... lire, écrire. Elle
voudrait même devenir écrivain.

SOMMAIRE

LE CLUB DES BABY-SITTERS

Les nouveaux voisins de KRISTY

1

S'il existe une chose que je ne peux absolument pas supporter, c'est bien les gens snobs. En fait, il y a beaucoup d'autres choses que je déteste, comme le chou, le sang, les écureuils ou les gens qui mangent la bouche ouverte.

Mais les snobs arrivent en première position.

C'est dommage car je viens d'emménager dans un quartier chic de Stonebrook qui est truffé de snobs. En effet, ma mère, qui était divorcée, s'est remariée avec Jim Lelland, un homme très riche. Comme nous étions six dans une petite maison (maman, moi, mes trois frères et notre chien Foxy) et que Jim vivait seul dans sa grande maison (ses deux enfants, Karen et Andrew, ne viennent qu'un week-end sur deux), il était donc logique que la famille Parker aille habiter chez Jim.

Sa maison est si vaste que mes frères, Karen, Andrew et moi, nous avons chacun notre chambre. Maman et Jim ont bien sûr la leur et elle est aussi grande qu'une piste d'atterrissage.

Toujours est-il que je suis entourée de gens qui étalent leur argent. Dans le coin, il n'y a que ça. Tous les jeunes ont leur voiture (cabriolet dernier modèle avec toutes les options, bien sûr) dès qu'ils obtiennent leur permis de conduire. Ils filent à toute allure, habillés et coiffés comme des top models, la radio à fond. Je suis vraiment contente que mes grands frères Samuel et Charlie ne soient pas comme ça. Samuel a passé son permis, mais il ne conduit que le vieux break déglingué de maman. Tous les trois, nous allons toujours au collège ou au lycée publics et non dans des écoles privées au prix exorbitant. Devinez ce que nos voisins possèdent, tous sans exception : a) une piscine, b) des courts de tennis, c) des domestiques, ou d) tout ça à la fois. La réponse est d) évidemment...

Jusqu'à présent, Jim, lui, ne possède rien de tout ça, et c'est l'un des côtés que j'apprécie chez lui. Il parle d'installer une piscine maintenant que Karen et Andrew sont assez grands, mais ce n'est pas sûr.

Je ne connais pratiquement personne par ici. Lorsque nous sommes arrivés chez Jim, au début du mois de juillet, c'était l'été. La plupart des jeunes de mon âge étaient partis en vacances. De plus, comme je suis présidente du Club des baby-sitters et que toutes mes amies en font partie, cet été, j'ai passé pas mal de temps avec elles, de l'autre côté de la ville, là où j'habitais avant. Enfin bref, je n'ai rencontré les gens de mon quartier qu'après la rentrée des classes.

C'est un lundi matin qu'a eu lieu le premier contact. Comme d'habitude, mon réveil a sonné à sept heures moins le quart et je me suis retournée de l'autre côté pour essayer de l'ignorer.

– Tais-toi ! ai-je marmonné.

Mais le réveil n'obéissait pas et continuait à sonner.

– Bon, d'accord, tu as gagné…

J'ai tendu le bras pour l'arrêter, et je me suis assise tout en me frottant les yeux.

– Foxy ! me suis-je exclamée.

Notre vieux chien était allongé au pied de mon lit. En principe, il dort avec David Michael mais, ces derniers temps, il vient nous voir chacun notre tour, même Karen et Andrew quand ils sont là. Je trouve qu'il est sympa de faire ça !

– Quel brave chien tu fais, lui ai-je murmuré en me penchant vers lui.

Je lui ai caressé la tête, entre les oreilles. C'est presque aussi doux que de la fourrure de lapin. Puis, je lui ai pris la patte.

– Oh, comme tes pattes sont froides, lui ai-je dit en frottant ses coussinets. Il doit faire frisquet la nuit, pauvre vieux Foxy.

Il m'a léché la main et m'a fait un sourire de chien.

Je me suis levée pour chercher ce que je pourrais bien mettre, comme s'il s'agissait d'une décision capitale.

Depuis que je vais à l'école, je porte le même style de vêtements presque tous les jours – col roulé, jean et baskets. Je n'attache pas la même importance à l'apparence que mes amies Claudia et Lucy. Elles ont toujours des tenues bien assorties et à la mode, pas moi.

Une fois prête, j'ai dévalé le grand escalier pour aller dans la cuisine au rez-de-chaussée.

Maman et Jim s'y trouvaient avec Samuel et Charlie. (David Michael, mon frère de sept ans traîne et descend toujours le dernier.)

Jim a aussi une grande qualité : il aide à la maison pour la cuisine, le ménage, le jardinage, tout. Je suppose que c'est parce que, après son divorce, il a vécu seul avant de rencontrer maman. Ils se répartissent les tâches équitablement. Ils travaillent tous les deux, cuisinent ensemble (Jim se débrouille d'ailleurs mieux que maman), font les courses ensemble, etc. Deux fois par semaine, une dame vient faire le ménage et mes frères et moi avons certaines responsabilités, mais c'est maman et Jim qui font marcher la maison.

Je n'étais donc pas étonnée ce matin-là de trouver maman en train de préparer le café et Jim les œufs brouillés. Samuel mettait la table et Charlie servait le jus d'orange.

– Bonjour ! ai-je lancé.

– Bonjour ! ont-ils répondu.

– Kristy, tu ne pourrais pas t'habiller autrement de temps en temps ? m'a demandé Samuel en regardant mon jean et mon pull.

– Depuis quand ça te préoccupe ? ai-je répliqué en

connaissant parfaitement la raison : il a quinze ans et ne pense pratiquement qu'aux filles.

Il se prend pour l'expert universel en la matière et il est très déçu que je ne me soucie absolument pas de la mode. En plus, il s'intéresse beaucoup à une fille qui habite au bout de la rue (le genre piscine-tennis-vêtements de marque et école privée) et il voudrait que notre famille s'inspire de cette Albane avec ses grands airs.

– Je trouve Kristy ravissante, a dit Jim.

– Moi aussi, a renchéri maman en m'embrassant sur le front.

– Mais, a poursuivi Jim, si jamais tu veux de nouveaux vêtements, tu n'as qu'à demander.

– Merci, j'y penserai, ai-je répondu.

J'adore vraiment la cuisine de Jim. Bien qu'elle soit équipée de tous les meubles et appareils ménagers modernes, elle ressemble à une cuisine de campagne. Nous prenons nos repas sur une grande table avec deux bancs sur toute sa longueur. (Jim et maman l'ont achetée quand ils se sont mariés.) Le plan de travail est décoré de carreaux de faïence bleu et blanc. Des pots et des casseroles en cuivre sont suspendus aux murs. Et il y a des rideaux à petites fleurs aux fenêtres. C'est une pièce très chaleureuse.

Je me suis laissée tomber sur un banc alors que maman me demandait d'appeler David Michael.

– David Michael ! ai-je hurlé.

– Kristy, a soupiré maman, d'un ton de reproche.

– Oui, oui, je sais.

Je me suis relevée pour l'appeler du bas de l'escalier.

– Kristy, tu peux venir, s'il te plaît ? m'a-t-il répondu.

Je suis montée en courant dans sa chambre.

– Qu'est-ce qui se passe ?

David Michael était assis par terre à côté de Foxy.

– Appelle-le, a-t-il dit.

– Mais pourquoi ?

– Appelle-le juste.

Je me suis mise à genoux.

– Hé ! Foxy ! Viens un peu par ici ! ai-je fait en claquant des mains.

Il s'est traîné jusqu'à moi en boitant.

– Hum, je vois…

– J'ai examiné toutes ses pattes, m'a expliqué mon frère, mais je n'ai rien vu, ni coupure, ni piqûre d'insecte ou écharde.

– Pauvre vieux Foxy. Ne t'inquiète pas, David Michael, on va en parler à maman, ça ne doit pas être bien grave.

Bien que Foxy soit arrivé chez nous juste après ma naissance, c'est surtout son chien. Nous l'aimons tous beaucoup, mais David Michael l'adore depuis qu'il est tout petit et il s'en est toujours occupé. Il ne s'est jamais plaint des odeurs des boîtes de pâtée ou des colliers antipuces. Un des premiers mots qu'il a prononcés était « Fossy » (et maintenant encore Foxy répond quand on l'appelle comme ça). Et Foxy lui est très attaché, c'est son petit maître préféré. Peut-être a-t-il senti qu'il était le seul de la famille à ne pas avoir vraiment eu de père puisque nos parents se sont séparés peu après sa naissance. Qui sait ?

Foxy nous a suivis dans la cuisine.

– Maman, ai-je expliqué, Foxy boite.

Cependant, sa gêne semblait déjà moins perceptible.

– Mm, a-t-elle murmuré en le regardant. C'est difficile à dire. Il faut le surveiller.

Une fois le petit déjeuner terminé, Charlie et Samuel se sont engouffrés dans le vieux break de maman pour se rendre au lycée. Maman et Jim sont partis au travail, chacun dans leur voiture, et David Michael et moi, nous avons attendu le car de ramassage scolaire au bout de l'allée. Il n'était que huit heures moins le quart, mais j'avais l'impression d'être levée depuis une éternité.

Le bus de David Michael est arrivé juste à l'heure. Il est monté tout au fond et m'a fait signe à travers la fenêtre. Mon bus aurait dû suivre. Il était huit heures moins cinq, jamais il n'était passé aussi tard. « Il devrait se presser, ai-je pensé, j'ai cours à huit heures et demie, ça va être juste. »

Pendant un moment, je me suis demandé ce qu'il faudrait faire si le bus ne venait pas. Téléphoner chez Lucy ? Sa mère serait peut-être là puisqu'elle ne travaille pas... Combien de temps faudrait-il attendre avant d'appeler quelqu'un ?

Tandis que je me posais toutes ces questions, une fille de mon âge est sortie de la maison d'en face avec un sac à dos. Elle portait une robe écossaise sur une chemise blanche à manches courtes. Elle s'est avancée dans l'allée et s'est arrêtée de l'autre côté de la route.

Elle devait attendre un autre bus, car j'étais la seule du quartier à prendre celui du collège public de Stonebrook. Nous nous sommes regardées sans échanger le moindre mot.

Peu après, trois autres filles l'ont rejointe. Elles avaient exactement le même uniforme, celui de l'école privée. Elles étaient toutes minces, maquillées et bien coiffées. Sûres d'elles, elles chuchotaient et gloussaient en jetant de temps à autre un coup d'œil vers moi.

Mais où était donc mon bus ?

Je faisais semblant d'admirer la couverture de mon cahier comme si je ne les avais pas remarquées.

Mais elles n'avaient pas l'intention que je les ignore. Une blonde aux longs cheveux bouclés m'a crié :

– Tu es la belle-fille de M. Lelland, n'est-ce pas ?

– Oui, ai-je acquiescé.

– C'est toi qui as déposé ces prospectus pour un club de baby-sitters ?

– Oui, ai-je répété.

(De temps à autre, nous faisons de la publicité pour le club. Nous avons fait le tour des boîtes aux lettres du quartier.)

– Qu'est-ce que vous faites de beau dans votre club ? a demandé une autre blonde.

– À ton avis ? ai-je rétorqué, irritée. Du baby-sitting, tiens.

– Comme c'est mignon ! s'est exclamée la blonde bouclée.

Les autres ont pouffé de rire.

– Ravissante tenue, a crié la seule brune.

J'ai rougi. Dommage, ce jour-là, j'avais justement choisi mon jean troué au genou.

S'il y a une chose que l'on peut dire de moi, c'est que j'ai la langue bien pendue. Il en a toujours été ainsi. Je me contrôle mieux maintenant, mais n'ai pas peur de dire ce que je pense.

– Vous n'êtes pas mal non plus. On dirait des clones. Des clones de filles à papa.

Par chance, mon bus est arrivé juste à ce moment.

Je me suis assise de manière à les voir, j'ai baissé la vitre et leur ai lancé :

– Salut, les fifilles !

– Salut, garçon manqué ! a répondu la blonde bouclée.

Je lui ai tiré la langue puis le bus a tourné et elles ont disparu de ma vue.

2

– Merci, Samuel ! À plus tard ! Salut ! ai-je lancé en claquant la portière de la voiture.

Il a fait demi-tour dans l'allée des Koshi alors que je courais sonner à la porte.

Nous étions lundi après-midi, et c'était l'heure de la réunion de notre Club des baby-sitters.

Jane Koshi, la sœur aînée de Claudia, m'a ouvert. J'ai un peu de mal à la supporter, je l'avoue, mais elle semble s'être un peu améliorée ces derniers temps. Le problème c'est qu'elle croit tout savoir. Elle passe son temps à reprendre tout le monde.

– Entre, Kristy. Claudia est en haut avec Carla et Mary Anne.

– Merci, ai-je répondu poliment.

Avant de monter, je suis passée à la cuisine saluer Mimi, la grand-mère de Claudia. Elle a eu une attaque, cet été, mais elle va beaucoup mieux. Elle ne peut plus se servir de sa main droite, alors elle a dû apprendre à faire les choses d'une seule main. Elle était en train de remuer quelque chose sur le feu.

– Bonjour, Mimi !

– Kristy ! Comme c'est gentil. Bonjour.

La langue maternelle de Mimi est le japonais et son attaque lui a laissé des séquelles, aussi a-t-elle un peu de mal à s'exprimer.

– Comment ça se passe dans ton nouveau quartier ?

– Ça va, mais je ne connais pas encore beaucoup de monde.

Je ne voulais pas lui raconter ce qui s'était passé ce matin à l'arrêt d'autobus.

– Tu vas te faire de nouveaux amis, a-t-elle assuré, je ne m'inquiète pas pour toi.

– Merci, Mimi, ai-je dit avant de monter l'escalier en courant.

La sonnette a retenti. Ce devait être Lucy. Elle était pile à l'heure, nous pouvions donc commencer notre réunion.

– Salut, les filles ! me suis-je écriée en entrant dans la chambre de Claudia.

– Salut !

Claudia, Carla et Mary Anne étaient allongées par terre, en train de feuilleter notre journal de bord. Dès que Lucy est arrivée, chacun a pris sa place habituelle.

Claudia et Lucy se sont jetées sur le lit, Carla et Mary Anne sont restées par terre, quant à moi, je me suis installée sur mon fauteuil de présidente en glissant un stylo derrière mon oreille. Je m'assois toujours à cette place.

Normal, je suis la présidente.

Les membres du Club des baby-sitters étaient au complet. Claudia Koshi, Mary Anne Cook, Lucy MacDouglas et Carla Schafer : tout le monde était là. Peut-être devrais-je vous les présenter, mais je voudrais d'abord vous expliquer comment fonctionne notre club. Nous nous réunissons le lundi, le mercredi et le vendredi de cinq heures et demie à six heures, et les gens savent qu'ils peuvent nous joindre chez Claudia à ces heures-là. Ils appellent s'ils ont besoin d'une baby-sitter et ils ont presque toujours la garantie de trouver quelqu'un de disponible. Naturellement, nous avons maintenant un nombre impressionnant de clients (nous faisons ça depuis un an) et parfois nous sommes tellement sollicitées qu'aucune d'entre nous n'est libre. Nous faisons alors appel à Logan Rinaldi. Logan est une sorte de membre associé et il nous dépanne. Il n'assiste pas aux réunions, mais il a l'habitude des enfants. C'est le petit ami de Mary Anne.

Le club comprend donc Claudia, notre vice-présidente ; Mary Anne, notre secrétaire ; Lucy, notre trésorière ; et Carla, qui est suppléante. Claudia a été nommée vice-présidente car elle possède un téléphone et une ligne personnels. C'est pourquoi nous avons décidé de nous réunir dans sa chambre. Elle travaille beaucoup pour le club car elle répond également aux appels téléphoniques en dehors des réunions. Claudia aime l'art, les romans policiers, le baby-sitting et les garçons. En revanche, elle déteste l'école. Elle est très jolie, brune aux cheveux longs avec de grands yeux en amande. Elle porte des vêtements à la mode, souvent extravagants. Elle est assez décontractée, mais elle ressent parfois un sentiment d'infériorité par rapport à Jane, son génie de sœur (on la comprend !).

Mary Anne, notre secrétaire, est ma meilleure amie. Nous avons été voisines pendant des années avant que j'emménage chez Jim. Nous avons grandi ensemble. En ce moment, elle change. J'ai l'impression qu'elle mûrit un peu plus vite que moi. Et elle a une autre meilleure amie, Carla. Nous avons beaucoup de points communs et aussi beaucoup de différences. Par exemple, j'aime le sport, le baby-sitting et la télé. Mary Anne aime le baby-sitting, les stars de cinéma et les animaux. Vous savez déjà ce que je n'aime pas. Mary Anne n'aime pas la foule, et attirer l'attention. Elle est aussi timide et réservée que je suis bavarde et extravertie. Toutes les deux, nous sommes petites pour notre âge, nous avons les yeux marron et les cheveux châtains mi-longs. Les vêtements m'ont toujours laissée assez indifférente ; Mary Anne, elle, devient plus coquette mais elle a besoin de l'aide et des conseils de Claudia et de Lucy. Son travail consiste à tenir à jour notre agenda, dans lequel nous notons les noms, adresses et numéros de téléphone de nos clients, l'argent que nous gagnons (c'est là qu'intervient Lucy) et, le plus important, les dates et heures des baby-sittings.

Lucy MacDouglas est arrivée à Stonebrook il y a un an, juste avant la rentrée des classes. Auparavant, elle habitait New York avec ses parents. Claudia est sa meilleure amie. Lucy aime les garçons, les vêtements et le baby-sitting. Elle n'aime pas les médecins (elle est diabétique et doit souvent aller chez le docteur ; elle déteste le régime sévère qu'elle doit suivre et qui lui interdit d'absorber trop de sucre). Elle est blonde, mince, mignonne et fait plus que son âge. Elle s'habille à la dernière mode, comme Claudia, mais en moins extravagant. Elle est très ouverte, très mûre et soucieuse d'autrui. Elle tient nos comptes à jour et elle est responsable des cotisations que nous versons.

Enfin, il y a Carla qui est arrivée de Californie en janvier dernier avec sa mère et son petit frère, après le divorce de ses parents. En tant que suppléante, son rôle est de remplacer un membre du club s'il tombe malade ou ne peut assister à une réunion. Carla aime la nourriture bio, le soleil, le baby-sitting et les histoires de fantômes. Elle n'aime pas les fast-foods et le froid. Elle a les cheveux les plus longs, les plus blonds, les plus brillants, les plus soyeux que vous puissiez imaginer. Elle s'habille en fonction de son humeur. Carla a un style bien à elle. Elle est très sûre d'elle et se moque bien de ce que les autres pensent d'elle.

Et voilà ! Toutes les cinq, nous formons une formidable équipe. Mes amies me regardaient, attendant que je déclare la réunion ouverte.

– Commençons par le commencement, ai-je dit, tout en sachant que cela se passait toujours de cette façon. Lucy, combien d'argent y a-t-il dans la caisse ?

– Il me faut d'abord vos cotisations, a-t-elle répondu. (Le lundi, c'est le jour des cotisations.)

Nous lui avons tendu un dollar chacune.

– Nous avons dans les onze dollars, a-t-elle calculé.

– Ce n'est pas terrible, n'est-ce pas ?

– Eh bien, nous payons Samuel qui t'emmène en voiture à chaque réunion, et nous venons d'acheter des albums de coloriage et de collage pour les coffres à jouets. Si on n'achète rien pendant quelque temps, ça ira. Nous pourrons cumuler nos cotisations.

(Les coffres à jouets sont des boîtes contenant des jeux, des livres dont certains nous ont appartenu, des albums de coloriage, des crayons, etc. Nous les apportons parfois avec nous et les enfants les adorent.)

– Autre chose à signaler ? ai-je demandé.

Les autres ont secoué la tête.

– Le journal de bord est-il bien à jour ?

Elles ont acquiescé – mais Claudia, Carla et Mary Anne avaient l'air un peu coupables. Je savais qu'elles avaient lu le journal juste avant que j'entre dans la chambre. Nous sommes tenues de rédiger un compte rendu après chaque garde. Nous devons prendre connaissance du journal de bord toutes les semaines afin de savoir ce qui s'est passé pour chacune d'entre nous. Ce n'est pas toujours très intéressant, mais souvent très utile.

Le téléphone a sonné, quelqu'un avait sûrement besoin de nous.

– Allô, ici le Club des baby-sitters..., a répondu Carla. D'accord, madame Rodowsky. Je vous rappelle tout de suite.

Elle a raccroché et s'est tournée vers nous.

– Mme Rodowsky a besoin de quelqu'un pour garder

Jackie et ses frères, mardi prochain de trois heures et demie à six heures.

– Voyons, a dit Mary Anne en feuilletant l'agenda. Claudia, tu es la seule qui soit libre.

– OK, a fait Claudia, je sais comment m'y prendre avec Jackie. (Il est très mignon, mais on dirait qu'il attire les accidents et il a toujours des ennuis.)

Carla a rappelé Mme Rodowsky pour l'informer que Claudia viendrait le mardi suivant.

Nous avons eu d'autres appels mais le plus intéressant fut celui de M. Papadakis, juste avant la fin de la réunion. Les Papadakis habitent près de chez moi et ils ont trois enfants : Lenny, huit ans, un copain de David Michael ; Cornélia, six ans, une amie de Karen ; et Sarie qui n'a que deux ans. Je connais un peu les Papadakis par David Michael et Karen mais je n'ai jamais travaillé pour eux.

– Nous avons gardé votre prospectus, m'a-t-il expliqué. Nous avons besoin de quelqu'un jeudi après-midi et nous savons que Lenny et Cornélia vous aiment bien.

– Vas-y ! Vas-y ! m'a soufflé Mary Anne tout excitée. Tu es libre et c'est bien que tu ailles travailler dans ton nouveau quartier.

– Bon… d'accord !

Je n'avais alors aucune idée de ce que pouvait signifier faire du baby-sitting dans mon nouveau quartier et j'étais assez naïve pour attendre ce moment avec impatience.

3

Samuel est venu me chercher à six heures précises et nous sommes rentrés chez nous. (J'ai mis beaucoup de temps à me faire à l'idée que la maison de Jim était la nôtre.)

– Je me demande comment va Foxy, ai-je dit alors que mon frère s'arrêtait à un stop.

– Tu l'as vu cet après-midi ?

– Je n'ai pas eu le temps. Je suis restée au collège pour assister à un match de hockey sur gazon puis j'ai pris le dernier bus qui m'a déposée juste à temps pour que tu me conduises chez Claudia.

– Ah oui, c'est vrai. Oh, je suis sûr qu'il va bien.

– J'espère aussi.

Mais, quand nous sommes arrivés à la maison, Foxy n'allait pas très bien. Il était couché sur sa couverture orange dans la salle de séjour et ne s'est même pas levé à notre arrivée. D'habitude, il est debout en un éclair et veut jouer ou aller dehors.

– Salut, Foxy ! Viens ici, mon chien !

Il a redressé la tête mais est resté couché. J'ai dû l'appeler deux fois avant qu'il se lève. Il a fini par venir vers moi, mais il a heurté de front un pied de table au lieu d'arriver dans mes bras. David Michael et maman venaient d'entrer dans la pièce et ont assisté à la scène tout comme Samuel et moi.

– Oh ! Foxy, a murmuré maman en se penchant pour lui caresser la tête. Qu'est-ce qui ne va pas ?

– Il n'est pas trop malade, a affirmé David Michael. Je viens de lui donner son dîner et il n'en a fait qu'une bouchée.

– Bien... il faudrait peut-être le faire examiner par le Dr Smith dès demain. Je vais appeler ce soir pour prendre rendez-vous. Samuel, tu pourrais l'emmener après les cours ? a demandé maman.

– Bien sûr.

– Je viendrai avec toi, ai-je décidé.

– Moi aussi, a renchéri David Michael.

Tout était organisé. Le lendemain après-midi, Samuel nous a conduits tous les trois chez le Dr Smith.

Foxy n'a jamais aimé aller chez le vétérinaire. Il devine où nous nous rendons alors que nous ne sommes qu'à mi-chemin, et il se met à couiner. Mais David Michael est prévoyant : il a toujours dans sa poche des friandises qu'il lui donne une par une.

Cependant, ce jour-là, Foxy a continué à se plaindre entre chaque bouchée. Samuel a dit que ça le rendait fou. Malgré tout, nous sommes arrivés au cabinet sans incident. Heureusement, il n'y avait pas trop de monde dans la salle d'attente, juste un teckel avec la patte dans le plâtre et un chat qui miaulait tristement dans un panier. Foxy a été très sage. Il était allongé par terre, la tête posée sur les pieds de Samuel et il gémissait si doucement qu'on l'entendait à peine. Quand l'assistant du vétérinaire a prononcé notre nom, nous nous sommes levés tous les trois en même temps. Foxy, lui, s'est laissé doucement traîner. Samuel et moi, nous l'avons installé sur la table métallique.

– Bonjour, les Parker !

– Bonjour !

Nous aimons beaucoup le Dr Smith. C'est une vieille dame aux cheveux grisonnants, avec des lunettes à double foyer, et qui est merveilleuse avec les animaux. Elle leur parle d'une voix douce et apaisante. Je ne l'ai jamais entendue crier, même lorsque Foxy s'est affolé et a renversé une boîte de compresses stériles.

– Alors qu'est-ce qui ne va pas, Foxy ? a-t-elle demandé.

David Michael a pris la parole :

– On ne sait pas très bien. Hier, on aurait dit qu'il boitait et, aujourd'hui, il se traîne.

– Il reste tout le temps couché, ai-je ajouté. Et hier soir, il est allé se cogner contre la table alors qu'il voulait venir vers moi.

– Mais il a bon appétit et mange tout ce qu'on lui donne, a précisé Samuel.

– Bon. Voyons un peu tout ça.

Le Dr Smith a examiné Foxy. Elle l'a caressé, ausculté, puis a inspecté ses yeux et ses oreilles, et l'a observé tandis qu'il se déplaçait. Elle a froncé les sourcils en le voyant heurter le montant de la porte d'une démarche raide et pesante. Puis elle a réexaminé ses yeux et lui a massé les pattes. Quand elle a eu terminé, elle s'est tournée vers nous, l'air grave.

– Qu'est-ce qu'il a ? me suis-je inquiétée.

Des pensées terrifiantes me traversaient l'esprit. Et si Foxy avait un cancer ? Mais elle a répondu :

– Foxy se fait vieux.

Nous avons hoché la tête.

– Comme chez tous les sujets âgés, son organisme s'affaiblit. Il a de l'arthrite et sa vue baisse.

« C'est tout, ai-je pensé. De l'arthrite et une mauvaise vue ? Cela n'a pas l'air si grave. »

– Peut-on mettre des lentilles de contact aux chiens ? a proposé David Michael, très sérieux.

Le Dr Smith a souri.

– Je crains que non, mon chéri.

Pourquoi avait-elle encore l'air si grave ?

– Que pouvons-nous faire pour lui ? a voulu savoir Samuel.

– Eh bien, il est certain qu'il doit souffrir. Je peux vous donner des cachets pour le soulager, mais ça ne guérira pas l'arthrite. Et il est probable que ça va s'aggraver et que sa vue ne s'améliorera pas.

Maintenant, je comprenais. Foxy souffrait, on ne pouvait pas faire grand-chose pour lui et il ne pourrait jamais aller mieux. Ce n'était pas comme un rhume ou une patte cassée.

– Dites à votre mère de m'appeler si elle a des questions, a repris le docteur. Nous pouvons augmenter la dose de médicaments s'il le faut mais je préfère attendre un peu. J'ai le sentiment que Foxy a des jours difficiles devant lui.

David Michael était assis par terre et parlait à Foxy. J'étais contente qu'il n'ait pas prêté attention aux propos du vétérinaire. Je n'arrivais pas à parler tant j'avais la gorge nouée. Mais Samuel a poursuivi :

– Nous le dirons à maman. Y a-t-il autre chose que nous puissions faire pour Foxy ?

– Lui éviter les escaliers, laisser son écuelle et son eau à l'étage où il reste le plus souvent. Si vous le pouvez, portez-le pour monter les étages. Mais il a besoin de faire un peu d'exercice, de petites promenades tranquilles. Laissez-le aller à son rythme.

Samuel et moi avons hoché la tête.

– On peut y aller maintenant ? s'est impatienté David Michael.

Le Dr Smith a ri.

– Tu en as assez d'être ici ?

– Foxy en a assez.

Elle a tendu une boîte de médicaments à Samuel en lui expliquant quand il fallait les donner au chien. Ensuite, nous sommes partis. Samuel et moi avions une tête d'enterrement mais David Michael se dirigeait d'un pas vif vers la voiture en fredonnant une chanson qu'il venait d'improviser :

– Tu rentres à la maison, Foxy, et tu vas bi-i-ien, ni piqûre, ni point de suture, ni traitement, et tu n'y passeras pas la nui-i-it.

Samuel et moi, nous nous sommes regardés. Il était évident que David Michael n'avait pas compris que Foxy était en très mauvaise forme. Tout ce qu'il voyait, c'était que le docteur le renvoyait à la maison avec des médicaments. Il s'imaginait que, comme lui lorsqu'il prenait des médicaments, son chien serait vite guéri.

Je me sentais très mal en arrivant à la maison.

– Je vais aller promener Foxy, ai-je annoncé.

J'espérais que cela me calmerait.

Samuel devait comprendre ce que je ressentais car, au moment où David Michael a dit :

– Je viens avec toi !

Il lui a proposé :

– Pourquoi ne viens-tu pas plutôt avec moi ? On va jouer au base-ball.

J'ai remercié mon frère d'un regard et Foxy et moi, nous avons descendu lentement l'allée vers la route ombragée. Je me souvenais du jour où nous avions emménagé chez Jim. La veille, nous avions lavé et brossé Foxy. Nous voulions qu'il soit impeccable pour arriver dans ce quartier où tous les chiens (j'en étais sûre) étaient de pure race, avaient un pedigree et allaient se faire toiletter chaque semaine.

C'était il y a plusieurs mois déjà. Comme je n'avais pas rencontré beaucoup de monde par ici, il en allait de même pour les chiens. Je me demandais à quoi ils pouvaient bien ressembler ? Peu importe. Foxy n'était pas au meilleur de sa forme tandis que nous avancions lentement sur la route. La tête basse, les pattes raides, le poil tout ébouriffé par les examens qu'il avait subis et il sentait encore l'odeur du cabinet du vétérinaire.

Vous ne me croirez pas si je vous dis que je suis tombée sur la fille blonde aux cheveux bouclés que j'avais vue la veille à l'arrêt du bus. Elle descendait la rue dans ma direction, une laisse à la main. Au bout de la laisse, il y avait un superbe chien. Avec son poil fauve, il ressemblait à un chien de chasse avec des taches de saint-bernard.

Une petite fille blonde avec un chat persan d'un blanc immaculé dans les bras les accompagnait.

Nos regards se sont croisés ; le trottoir était étroit et il m'était impossible de les éviter.

Elles se sont arrêtées à quelques mètres de moi. La plus grande a rejeté ses cheveux en arrière d'un mouvement de tête et a posé la main sur sa hanche.

– C'est quoi, ça ? a-t-elle demandé en désignant Foxy.

– Ça, c'est un chien, ai-je répondu.

Elle a fait la grimace.

– Vraiment ? Qu'est-ce qu'il est… négligé.

– Ouais, il est dégueulasse ! s'est écriée la plus jeune.

– Il est vieux, ai-je protesté, et il a de l'arthrite.

La fille la plus âgée a paru s'adoucir un petit peu.

– Comment s'appelle-t-il ?

– Foxy.

– Voici Astrid, Astrid de Grandville. C'est un berger bernois avec pedigree.

– Et voici Priscilla, elle est de pure race et vaut quatre cents dollars, a affirmé la fillette.

– Ooooh ! me suis-je exclamée, telle une princesse de la cour d'Angleterre.

Il faut admettre qu'à côté d'Astrid et de Priscilla, Foxy avait l'air d'un chien errant.

– Bien, a repris la plus âgée, tu dois avoir entendu parler de moi. Je m'appelle Louisa Kilbourne. J'habite là, a-t-elle expliqué en montrant une maison située de l'autre côté de la rue, après celle des Papadakis. Et voici Amanda Delaney, ma voisine.

– Priscilla et moi, nous devons rentrer maintenant, a dit la petite avant de s'enfuir en courant.

– Je m'appelle Kristy Parker. Tu sais sans doute où j'habite.

– Dans la maison de M. Lelland, a-t-elle répondu, insinuant que je n'étais pas suffisamment bien pour m'appeler Lelland, mais que j'avais assez de chance pour vivre chez lui.

– Pouah, ton chien sent mauvais. D'où sort-il ? D'un marécage ?

– Personnellement, ai-je répliqué, je préférerais vivre dans un marécage, plutôt qu'en face de chez toi.

– Ah, vraiment ? Eh bien, tu n'es qu'une imbécile, a rétorqué Louisa.

– Et toi, une horrible snob.

– Imbécile !

– Snob !

Elle m'a tiré la langue, j'en ai fait autant et nous nous sommes éloignées.

4

Lenny et Cornélia Papadakis sont très gentils. Ils adorent jouer à « faire semblant » et organiser des activités pour les enfants du quartier.

Leur petite sœur Sarie est adorable. Ils ont tous les trois les cheveux et les yeux brun foncé, la peau mate et de magnifiques sourires.

Quand je suis arrivée pour les garder, Lenny et Cornélia m'attendaient devant la maison.

– Salut ! a lancé la fillette en sautillant sur place.

– Salut !

– Devine ce qu'on a envie de faire aujourd'hui ? m'a questionnée Lenny. On va faire un défilé de mode pour animaux !

– Oui, on voudrait déguiser Quick et Flip, a précisé Cornélia.

Ce qui est bien chez les Papadakis, c'est que, bien qu'ils soient aussi riches que leurs voisins, cela ne se sent pas trop. Ils sont très simples et leurs animaux de compagnie s'appellent Quick (pour la tortue) et Flip (pour le caniche), pas Astrid de Grandville comme un certain chien de ma connaissance. Les enfants ont le droit de choisir leurs vêtements (avec beaucoup de dentelle et de tissu écossais, quand même), et ils sont pieds nus tout l'été.

– Laissez-moi d'abord parler à votre mère, ai-je répondu, ensuite on s'occupera de Quick et Flip.

– D'accord ! s'est écriée Cornélia, pleine d'entrain.

Elle m'a pris la main pour m'entraîner à l'intérieur.

– Maman ! Kristy est là !

Mme Papadakis nous a rejoints dans l'entrée. J'ai tout de suite remarqué que Lenny, Cornélia et Sarie étaient les portraits crachés de leur mère.

– Bonjour, Kristy ! Merci d'être venue. Je serai de retour à cinq heures. J'ai une réunion à l'école.

– D'accord ! Avez-vous des numéros de téléphone en cas d'urgence ? (Je demande toujours cela quand je suis chez une famille que je ne connais pas très bien. On ne sait jamais ce qui peut arriver.)

– Oh, bien sûr. J'allais oublier. Ils sont dans le répertoire, dans la cuisine. Il y a le numéro du pédiatre, des grands-parents et celui de Georges, je veux dire de M. Papadakis, à son bureau.

– Je vous remercie. Où est Sarie ?

– En haut, elle fait la sieste mais elle ne devrait pas

tarder à se réveiller. Elle voudra du jus d'orange ; il y en a dans le Frigidaire. Mais ne donne rien à manger aux enfants, d'accord ?

– D'accord !

Mme Papadakis a embrassé Lenny et Cornélia avant de se sauver.

– Alors, ce défilé de…

J'ai été interrompue par des pleurs qui venaient d'en haut.

– Oh, Sarie est réveillée, a constaté Lenny.

– Je vais la chercher. Pourquoi n'iriez-vous pas jouer dans la cour, tous les deux ?

– D'accord.

– Mais restez là. Ne partez pas sans m'avertir.

Ils étaient déjà presque arrivés à la porte. J'ai monté l'escalier en courant et je me suis dirigée vers la chambre d'où venaient les pleurs. J'ai poussé la porte doucement, sachant que Sarie serait surprise de me voir à la place de sa mère.

– Bonjour, Sarie !

Les sanglots ont redoublé. J'ai entrouvert les rideaux, remis un peu d'ordre dans la chambre tout en parlant à Sarie :

– Bonjour ! Je m'appelle Kristy. On va bien s'amuser cet après-midi.

– Non, non, non, non, non ! pleurnichait-elle.

Je l'ai changée, chatouillée un peu, j'ai bavardé avec son ours en peluche et, après cela, nous étions de vieilles amies. Nous sommes descendues main dans la main. Elle a bu son jus d'orange.

Nous sommes allées rejoindre ses frère et sœur dans le jardin.

– Coucou, Sarie ! a crié Cornélia en courant vers sa sœur.

– Bon, alors on va faire un défilé de mode avec Quick et Flip, m'a rappelé Lenny.

– Tu veux habiller Quick ? me suis-je étonnée. Tu ne penses pas que ça va être difficile ? D'ailleurs, comment vas-tu faire pour trouver des vêtements à la taille d'une tortue ?

– C'est vrai, c'est un problème, a-t-il reconnu. En plus, on ne trouve plus Flip alors que, pour lui, on a ce qui faut. Il rentre dans les vêtements de bébé de Sarie.

– C'est vrai ?

– Oui. L'été dernier, je lui avais mis une robe bain de soleil, un bonnet et des chaussettes.

J'ai pouffé de rire.

– Peut-être que c'est un mauvais souvenir pour lui. Il se cache maintenant !

– Peut-être, a murmuré Lenny, pas vraiment convaincu.

Comme je cherchais Flip des yeux, mon regard s'est attardé sur le jardin voisin où j'ai reconnu une des filles de l'arrêt d'autobus. Elle ressemblait à Louisa en plus petit. Elle était assise au soleil et se faisait les ongles tout en écoutant de la musique.

J'ai poussé Lenny du coude.

– Dis donc, ai-je murmuré en lui montrant la fille. Qui est-ce ?

– C'est Tiffany Kilbourne.

– Tiffany, ai-je répété, ce doit être la sœur de Louisa.

– Oui, c'est elle, et tu sais quoi, Louisa vient quelquefois nous garder, a répondu Lenny.

– Ah bon ? ai-je demandé, étonnée. Tu l'aimes bien ?

– Bien sûr. Elle est jolie.

– Tu sais, je ne connais pas beaucoup de monde par ici. Parle-moi un peu de tes voisins.

– D'accord, a dit Lenny en s'asseyant par terre, et j'en ai fait autant.

Cornélia et Sarie jouaient tout près de nous.

– Louisa et Tiffany ont une sœur, Maria. Elle a huit ans, comme moi. Elles vont toutes les trois à l'externat privé de Stonebrook. Mais Cornélia et moi allons dans un pensionnat privé.

– Ah, oui, je vois, comme Karen Lelland. (Cornélia et elle sont dans la même classe.)

– Oui, a dit Lenny en souriant.

Il semblait fier de me parler de ses voisins.

– À côté de chez les Kilbourne, a-t-il continué en me montrant la deuxième maison, il y a les Delaney et ils sont…

– Affreux, a terminé Cornélia qui avait cessé de jouer avec les orteils de Sarie et nous écoutait.

– Vraiment ? ai-je dit.

J'avais rencontré Amanda et elle ne m'avait pas paru si terrible.

– Affreux, mais affreux comment ?

– Eh bien, il y en a deux, a dit Lenny.

– Amanda et Max, a ajouté Cornélia en faisant une horrible grimace.

– Ils ont notre âge, a expliqué Lenny. Amanda a huit ans et Max en a six.

– Mais nous ne jouons jamais avec eux, a ajouté Cornélia. Ils sont méchants, vilains et trop gâtés... Et aussi autoritaires, très autoritaires.

– Eh bien ! me suis-je exclamé.

Jamais je n'avais vu Cornélia dans un tel état. Je m'apprêtais à leur poser d'autres questions sur les Delaney, quand Louisa Kilbourne est sortie de chez elle et est allée rejoindre Tiffany dans le jardin. Je savais qu'elle m'avait vue mais elle faisait comme si de rien n'était. Cependant, quelques minutes plus tard, elle s'est mise à me fixer du regard.

Quelle grossièreté !

– Allez les enfants, on rentre, ai-je dit. Peut-être que Flip est là. Nous ferions mieux de le retrouver.

Comme Lenny et Cornélia sont toujours d'accord, ils m'ont suivie et j'ai pris Sarie dans mes bras.

– Flipii ! appela Cornélia.

– Flipii ! appela Lenny.

– Fifiii ! appela Sarie.

Nous arrivions à peine dans la salle de séjour quand le téléphone a sonné.

– Je vais répondre, ai-je dit. Vous, continuez à chercher Flip.

J'ai couru dans la cuisine et j'ai décroché :

– Allô, bonjour, vous êtes bien chez monsieur et madame Papadakis.

– Allô, c'est toi, Kristy ?

La voix m'était vaguement familière.

– Oui, c'est moi… Qui est-ce ?

– Louisa Kilbourne. Écoute, il y a de la fumée qui sort des fenêtres de l'étage chez les Papadakis. Il y a le feu, je crois.

Mon cœur s'est mis à battre très fort et mes jambes ont flageolé. Le feu ! C'était ma hantise chaque fois que je gardais des enfants. Mais je devais rester calme. « Ne t'affole pas », me suis-je dit.

– Appelle les pompiers ! ai-je hurlé à Louisa.

J'ai raccroché violemment le téléphone et me suis ruée dans le salon. Je souhaitais désespérément y trouver les trois enfants que j'avais laissés là.

Mais il n'y avait que Sarie, en train de sucer ses doigts. Je l'ai soulevée.

J'ai entendu Lenny et Cornélia appeler Flip à l'autre bout de la maison. J'ai traversé comme une folle le salon, l'entrée, la bibliothèque jusqu'à la véranda. Dieu merci ! Ils étaient là.

– Cornélia, Lenny, ai-je dit tout essoufflée, écoutez-moi bien. La maison est en feu. Il faut partir et nous n'avons pas le temps d'emporter quoi que ce soit. Peut-on sortir par la véranda ?

– Non, a répondu Lenny, c'est une fausse véranda.

– Nous devons emmener Quick et Flip avec nous, a crié Cornélia qui semblait déjà paniquée.

– On ne peut pas, lui ai-je dit en la poussant avec Lenny vers la bibliothèque. Maintenant, allez tout droit à la porte d'entrée, mais ne courez pas. Vous ne devez pas tomber.

Ils ont obéi. En chemin, alors que nous passions devant

le panier de Quick, Lenny s'est arrêté et, d'un mouvement rapide, a attrapé la tortue qu'il a gardée contre lui. Mais je n'ai rien dit.

Dès que nous avons été à l'extérieur, j'ai crié :

– Maintenant, vous pouvez courir jusqu'au trottoir ! Mais attention à la rue !

Cornélia et Lenny couraient à toutes jambes. Quick était blottie contre Lenny. À mi-chemin, je me suis retournée et j'ai regardé la maison. « C'est curieux, ai-je pensé, pas le moindre nuage de fumée. » Je me suis arrêtée et j'ai respiré l'atmosphère. Ça ne sentait pas non plus la fumée. La maison semblait normale.

– Lenny ! Cornélia ! Ne bougez pas ! leur ai-je crié.

Ils étaient sur le trottoir et Cornélia pleurait. Je me demandais s'il était prudent de s'approcher de la maison avec Sarie dans mes bras, lorsque j'ai entendu un bruyant éclat de rire chez les Delaney. Louisa était dans le jardin devant chez elle, pliée en deux.

– Autant pour toi, autant pour toi, regarde-toi ! a-t-elle hurlé.

J'ai déposé Sarie et me suis avancée vers elle.

– Est-ce que tu es en train de dire qu'il n'y a pas le feu ? ai-je demandé.

Louisa riait trop fort pour pouvoir me répondre. Je suis rentrée aussitôt. J'étais hors de moi !

J'ai calmé Cornélia et Lenny, et nous avons même trouvé Flip (qui avait fait la sieste sous un lit). Comme Mme Papadakis allait rentrer, il n'était plus question de faire le défilé de mode des animaux.

Naturellement, j'ai dû raconter ce qui s'était passé à

Mme Papadakis car, depuis la fausse alerte, Lenny et Cornélia ne parlaient que de ça. Mme Papadakis s'est mise en colère et a dit :

– Il faut que j'aie une explication avec Louisa avant qu'elle ne revienne garder les enfants.

Mais cela ne me suffisait pas. Il fallait que je prenne ma revanche. Mais comment ?

C'est alors que j'ai eu une idée.

Tout à coup, j'ai su ce que j'allais faire à Louisa Kilbourne et cette idée ne m'a plus lâchée.

J'ai pris l'annuaire, noté le numéro d'un service de livraison de couches pour bébé à domicile et j'ai téléphoné.

– Allô, ici Bébé Service, m'a répondu la voix aimable de M. Stork.

– Oui. Pardonnez-moi d'appeler si tard mais il s'agit en quelque sorte d'une urgence. Ma mère est malade et nous allons avoir besoin de vos services pour ma petite sœur pendant environ deux semaines, et à partir de demain si possible.

– Naturellement, a répondu la voix. À quel nom, s'il vous plaît ?

– Louisa Kilbourne.

– À quelle adresse ?

J'ai donné l'adresse des Kilbourne.

Quand je me suis couchée ce soir-là, j'avais le sourire.

Et le lendemain matin, le spectacle qui s'offrait à moi depuis l'une des fenêtres de la chambre d'amis m'a ravie. Le camion de M. Stork est entré dans l'allée des Kilbourne et, même de l'autre côté de la rue, je pouvais entendre une espèce de sonnerie cacophonique qui venait du véhicule et qui répétait sans fin : *Fais dodo, Colas mon p'tit frère...*

Un homme déguisé en cigogne a alors déchargé un immense paquet de couches qu'il a déposé sur les marches, puis est reparti dans son camion.

J'étais au bord de l'hystérie.

« Je t'ai eue, Louisa ! » ai-je pensé.

5

Jeudi

Cet après-midi, j'ai gardé Myriam et Gabbie, et il y a eu quelques petits problèmes. Vous savez, Mme Perkins prépare l'arrivée du bébé. Elle est en train d'aménager l'ancienne chambre de David Michael. Elle fait aussi le tri parmi les jouets et les vêtements de bébé de Myriam et de Gabbie. Elles ont toutes les deux très envie de participer, mais Gabbie est tellement surexcitée qu'elle ne comprend pas que les autres aient envie de calme. Alors, quand Simon Newton est venu pour jouer et qu'il s'est mis à lui raconter ce qu'il pensait de sa sœur, la pauvre Gabbie n'y a rien compris du tout.

Mary Anne adore travailler chez les Perkins maintenant qu'elle s'est habituée au fait qu'ils vivent dans mon ancienne maison. C'est une chance pour elle, car c'est une famille sympathique et il va bientôt y avoir un bébé. Mary Anne est ravie. Je sais qu'elle a aidé Mme Perkins pour repeindre la chambre et choisir les nouveaux rideaux – bien que le bébé ne soit attendu que dans quelques mois.

Myriam et Gabbie sont très excitées aussi, et elles ne comprennent pas que les autres ne partagent pas leur état d'esprit. Après le départ de Mme Perkins, ce jeudi-là, Simon Newton est venu jouer. Myriam l'a pris par la main.

– Viens voir la chambre du bébé. Elle est super belle. Maman, Gabbie et moi, on a travaillé très dur.

Elle a entraîné Simon dans l'ancienne chambre de David Michael, suivie de Mary Anne et de Gabbie.

– Comme elle est jolie, maintenant ! s'est exclamée Mary Anne.

– Il y a déjà un rideau, et maman est encore en train de faire l'ourlet du deuxième.

– Je n'ai pas aidé ma mère pour la chambre de Lucy Jane, a remarqué Simon.

– Et pourquoi ? a demandé Gabbie.

Il a haussé les épaules.

– Parce que.

– Eh bien, nous, on aide maman !

– Et vous avez bien travaillé, a constaté Mary Anne en entrant dans la chambre.

– Regarde dans les tiroirs, a proposé Myriam. Tu verras ce qu'on a fait.

Dans la commode se trouvaient des piles de petits pyjamas, de brassières et de barboteuses soigneusement pliés.

– Nous avons lavé tout ce qu'il y avait dans le coffre du grenier, a expliqué Myriam, et c'est moi qui ai tout plié.

Mary Anne a hoché la tête.

– Je vois que tout est presque prêt pour ce bébé !

– Presque, a repris Myriam, mais il manque quelque chose d'important.

– Quoi donc ?

– Le prénom ! Tu veux savoir ce que préfèrent papa et maman ? Ils aiment bien Sarah ou Randie, et John Eric ou Randy pour un garçon. Mais ils ne se sont pas encore décidés.

– Et toi, qu'est-ce que tu préfères ?

– Pour une fille, j'aime bien Laura, mais je n'ai pas d'idée pour un garçon.

– Moi, j'aimerais bien l'appeler Betty, est intervenue Gabbie.

– Ce sont deux très jolis prénoms, a affirmé Mary Anne.

Simon faisait la grimace.

– Vous savez comment je l'appellerais, moi, le bébé ? J'aimerais l'appeler Gros Bêta !

– Gros Bêta ! a répété Gabbie, accablée. Mais c'est méchant !

– Pas du tout. Et puis d'abord, je rentre chez moi.

Et il est parti.

Gabbie est à son tour sortie de la pièce.

– Je vais faire la sieste, a-t-elle annoncé d'un ton maussade.

– Ouh là là ! Elle a l'air furieuse, a remarqué Mary Anne.

Myriam a soupiré :

– Elle a dû être vexée par ce que Simon a dit. On l'aime déjà, ce bébé, même s'il n'est pas encore là.

Mary Anne lui a souri.

– Et c'est tant mieux !

– Pourquoi Simon est-il si méchant ?

– Je ne pense pas qu'il soit méchant. Il était jaloux quand Lucy Jane est née. Avant, c'était lui, le bébé de la famille et ensuite tout a changé. Peut-être qu'il a peur.

– Oui, mais maintenant, Gabbie est triste.

– Je sais, a acquiescé Mary Anne.

Myriam semblait songeuse.

– On va faire quelque chose pour lui remonter le moral, a-t-elle proposé.

– Bonne idée ! Quoi par exemple ?

– Je ne sais pas.

Elles se sont assises toutes les deux dans la chambre du futur bébé.

– Qu'est-ce qu'elle aime faire ? a demandé Mary Anne.

– Des coloriages.

– Et quelque chose de spécial qu'elle ne peut pas faire tous les jours ?

– Aller à Disneyland.

– Ça, c'est trop compliqué. Non, quelque chose qu'on pourrait faire cet après-midi.

– Je sais ! s'est écriée Myriam. Elle aime organiser des goûters avec ses poupées, mais c'est long parce qu'elle veut d'abord se déguiser, et puis habiller ses poupées et ses ours en peluche.

– Alors, faisons un goûter ! a décidé Mary Anne. Je

descends préparer le jus de fruits et les biscuits. Toi et Gabbie, vous allez vous habiller, puis vous déguiserez les poupées et les peluches… Je ne pense pas que Gabbie soit vraiment en train de faire la sieste.

– Moi non plus, a répondu Myriam.

Mary Anne est donc descendue prendre la dînette de Gabbie dans la salle de jeux. Elle a mis huit assiettes sur la table, déposé un biscuit dans chacune et rempli les minuscules tasses de jus de fruits exotiques. Au milieu, elle a disposé des serviettes en papier en éventail ainsi qu'un vase de fleurs qui venait de la salle de séjour. Puis elle a crié :

– Myriam ! Gabbie ! C'est l'heure du goûter !

– Nous ne sommes pas tout à fait prêtes, a répondu Myriam.

Mary Anne est montée voir ce qui se passait. Dans la chambre de Gabbie, elle a trouvé Myriam en robe de soirée rose et collants blancs, avec des ballerines vernies. Quant à Gabbie, elle portait une nuisette en dentelle de sa mère, une cravate de son père, un boa de plumes, un chapeau de paille, des lunettes de soleil et des bottes fourrées !

– Comment me trouvez-vous ? a-t-elle demandé.

– Ravissante, a répondu Mary Anne.

– Bien, alors je suis prête, a-t-elle annoncé.

– Je vois. Et tes poupées ?

C'était difficile à dire. L'une portait des lunettes noires, une autre un bonnet de bain.

– Oui, a répondu Gabbie, mais pas les ours.

– Montre-nous comment il faut les habiller. Myriam et moi, nous allons t'aider.

Suivant les désirs de Gabbie, elles ont mis des brassières et des socquettes aux trois ours, puis ont emporté poupées et ours en bas, dans la salle de jeux, et installé tout le monde autour de la table.

– C'est magnifique, a commenté Gabbie en essayant de parler comme une grande personne.

– C'est absolument, absolument divin, a ajouté Myriam.

Mary Anne pouffait de rire.

Elles ont bu dans leur petite tasse et mangé leur biscuit. Puis, elles ont bu le contenu des tasses des poupées et des ours et mangé aussi leurs biscuits.

– Alors, Gabbie, ce goûter t'a plu ? a demandé Mary Anne.

La petite a hoché la tête.

– J'ai adoré, c'était absolument, absolument divin…

Mary Anne a souri.

La crise était passée.

6

Lenny et Cornélia avaient raison : les petits Delaney sont odieux. Ils sont désagréables et autoritaires. Je le sais parce que je les ai gardés.

Mme Delaney a appelé notre club et mes amies ont insisté pour que j'y aille car c'est dans mon quartier.

C'était un vendredi, après le collège (drôle de façon de commencer le week-end !). La maison des Delaney est en face de celle des Papadakis. L'année dernière, j'ai appris l'orthographe du mot « prétentieux ». Eh bien, les Delaney sont comme ça : prétentieux. Tout dans le paraître et le tape-à-l'œil. Devinez ce qu'il y a dans leur entrée : une fontaine. Sans blague ! Un poisson doré dressé en l'air, nageoires déployées, avec un jet d'eau qui sort de la bouche et retombe dans le petit bassin tout autour. Vous savez ce qu'il y a dans mon entrée ? Un miroir et deux chaises. Et dans l'entrée des Papadakis ? Deux chaises et le panier de Quick.

Dans l'immense jardin des Delaney, il y a deux courts de tennis. Leur bibliothèque et leur séjour sont couverts de portraits dans des cadres dorés et de tapis d'Orient. Avec tous ses gadgets, ses boutons et ses appareils, la cuisine ressemble à un centre de contrôle spatial. J'espère ne jamais avoir à préparer à manger à leurs enfants ; j'aurais certainement du mal à leur faire griller une tartine de pain (d'ailleurs, je pense que les Delaney ont une cuisinière à temps partiel). Bon, en réalité, j'aurais pu supporter tout ça. Mais je ne savais pas ce qui m'attendait avec les enfants.

Pour commencer, ils n'avaient pas l'air pressés de venir faire ma connaissance. Leur mère m'a ouvert la porte, m'a fait quelques recommandations, m'a laissé des numéros de téléphone, a enfilé son manteau... et je n'avais toujours pas vu les enfants.

– Où sont Amanda et Max ? ai-je fini par demander.

– Oh, naturellement ! s'est-elle exclamée, un peu essoufflée. Il faut que je te les présente.

Elle m'a entraînée dans une pièce qui devait être leur salon, mais qui ne ressemblait absolument pas au nôtre. Chez nous, c'est toujours en désordre : un journal qui traîne, Foxy vautré sur le canapé, Boo-Boo, le chat de Jim, qui dort sur le téléviseur, et parfois un album de coloriage ou un cahier de devoirs grand ouvert.

Cette pièce était non seulement bien rangée mais propre. Et tout était blanc : le tapis était en laine blanche, le canapé en cuir blanc, les tables étaient laquées blanc et même le téléviseur était blanc. Priscilla, toute vaporeuse et blanche, naturellement, dormait délicatement dans un panier blanc en osier, comme si un metteur en scène l'y avait déposée, de façon à apporter la dernière touche à un décor parfait.

Sur le canapé, il y avait deux enfants parfaits (du moins en apparence). Amanda, la petite de huit ans que j'avais rencontrée avec Louisa, souliers vernis, les cheveux soigneusement peignés avec la raie au milieu et retenus par un gros nœud, était assise bien droite. Elle portait une robe chasuble en velours bleu sur un corsage blanc. Sa robe était du même bleu que le nœud dans ses cheveux. À ses côtés, Max, un petit blond de six ans aux yeux bleus et angéliques, portait un pantalon en velours côtelé, une chemise avec un petit crocodile, sans un pli, et des mocassins bateau.

– Les enfants, a dit Mme Delaney, voici Kristy. Elle va vous garder cet après-midi. Je serai de retour dans deux heures. Vous ferez ce que Kristy vous dira, d'accord ?

Amanda et Max se sont contentés d'un signe de tête, les yeux rivés sur l'écran de télévision. Amanda faisait comme si elle ne m'avait jamais rencontrée auparavant. Mme Delaney partie, je me suis assise dans un fauteuil blanc.

– Non, pas là ! a hurlé Amanda.

Je me suis relevée d'un bond.

– Pourquoi ?

– C'est la place de papa.

Je trouvais ça absurde, puisque M. Delaney n'était pas là, mais je me suis installée sur le canapé. Ni l'un ni l'autre n'a bougé pour me faire de la place, aussi ai-je dû me contenter de me tasser dans un coin.

– Vous regardez quoi ? ai-je demandé.

Pas de réponse.

Mais, au moment des spots publicitaires, Amanda a ordonné :

– Va me chercher un Coca, Kristy.

– Qu'est-ce que tu as dit ? ai-je répondu d'un ton froid et calme que j'ai l'habitude de prendre à la maison.

En effet, c'est le ton qu'on adopte lorsqu'on a un frère, un demi-frère et une demi-sœur plus jeunes, pour les obliger à dire « merci » et « s'il te plaît ».

– J'ai dit, va me chercher un Coca, a répété sèchement Amanda.

– Pour moi aussi, a renchéri Max.

Je n'en croyais pas mes oreilles.

Que faire ? Je ne pouvais quand même pas les gronder un quart d'heure à peine après mon arrivée. Je me suis levée, j'ai réussi à mettre la main sur le Coca dans le labyrinthe de la cuisine et j'ai rempli deux verres. Quand j'ai tendu le sien à Amanda, je ne m'attendais évidemment pas à ce qu'elle dise merci (j'avais compris à qui j'avais affaire), mais je m'attendais encore moins à ce qu'elle proteste :

– Et les glaçons ?

Levant les yeux au ciel, je suis repartie avec les verres dans la cuisine, j'y ai mis trois glaçons et je les ai rapportés à Amanda et à Max. Amanda a pris le sien et s'est mise à boire, tandis que Max râlait :

– J'ai horreur des glaçons. Enlève-les.

Si David Michael m'avait dit cela, je lui aurais répondu : « Fais-le toi-même. »

Mais les Delaney étaient de nouveaux clients pour le

club et je ne voulais pas que les enfants se plaignent à leur mère quand elle reviendrait. Je suis donc retournée pour la troisième fois dans la cuisine pour ôter les glaçons du verre de Max à l'aide d'une cuillère. Quand je lui ai tendu son Coca, lui et sa sœur se sont mis à boire silencieusement jusqu'à la fin de leur émission.

– Bon, dis-je, allons jouer dehors, maintenant. Il n'y a plus rien d'intéressant à la télé.

Amanda a haussé les épaules. Elle m'a tendu son verre vide et a dit :

– Peux-tu reporter ça à la cuisine ? Nous ne devons rien laisser traîner ici.

Max m'a également tendu son verre.

– Et mets-les dans le lave-vaisselle ! a crié Amanda derrière moi.

Je l'ai fait, en serrant les dents. Puis je suis retournée dans le salon, un sourire (crispé) aux lèvres et j'ai éteint la télé.

– Il est temps de sortir, ai-je dit. Allez, venez.

Amanda et Max m'ont suivie à contrecœur vers la porte d'entrée ainsi que Priscilla.

– Priscilla est un chat magnifique, leur ai-je dit avec l'espoir d'entamer une conversation.

– Nous l'avons payée quatre cents dollars, a répondu Amanda.

– Je sais, tu me l'as déjà dit. (Quels snobs !) Tu sais combien a coûté mon chien Foxy ? Rien du tout, il était gratuit.

– Ah oui, un bâtard, a dit Max d'un air entendu. Dommage.

Je n'en revenais pas. Enfin, j'ai ouvert la porte d'entrée

et qui j'ai vu, le doigt sur la sonnette, prêt à appuyer ? Mon David Michael, Foxy à ses côtés.

– Salut ! me suis-je écriée, contente de le voir. Qu'est-ce que tu fais par ici ?

– Qui c'est, lui ? a coupé Amanda.

– C'est mon frère David Michael ; David Michael, voici Amanda Delaney et voilà son frère Max. Vous vous connaissez ?

– Je les ai déjà vus dans le coin, a dit mon frère alors qu'Amanda affirmait :

– Non.

Les enfants Snob, Priscilla et moi-même avons rejoint David Michael et Foxy dehors.

– Qu'est-ce que tu fais par ici? ai-je de nouveau demandé à David Michael.

– Je promenais Foxy, a-t-il expliqué.

– Foxy, c'est ton bâtard ? a demandé Max.

– Foxy est notre colley, a répondu David Michael d'un air indigné.

– Il n'est pas très beau.

David Michael était complètement soufflé.

– Il n'a rien à voir avec Priscilla, a ajouté Amanda. Elle, elle est belle. Regarde comme elle prend soin de son poil. Ton chien...

– Ouais ? l'a interrompue David Michael qui avait retrouvé sa voix.

– Eh bien, il n'est tout simplement pas beau.

– Les mâles ne sont pas censés être beaux, l'a informée David Michael. En plus, il est vieux et malade. Il fait de l'arthrite.

– Ouh ! a ajouté Amanda. J'espère que ça n'arrivera jamais à Priscilla.

– David Michael, quelque chose ne va pas ? lui ai-je demandé.

– Je pense que Foxy ne va pas bien, a-t-il fait d'une voix qui tremblait.

– Le docteur Smith l'avait dit, tu te souviens ?

– Je pensais que les médicaments lui feraient du bien.

– Ils le soulagent mais il aura toujours de l'arthrite, lui ai-je expliqué.

C'est alors que Foxy a baissé la tête et a éternué bruyamment… Ouououf !

– Ahhh ! Beurk ! ! a crié Amanda. C'est dégoûtant, il a éternué sur moi ! Je vais me laver les mains. Tu viens avec moi, Kristy.

J'ai regardé David Michael avec compassion.

– Je dois aller à l'intérieur. Pourquoi tu ne rentres pas à la maison avec Foxy pour qu'il se repose ? Peut-être que maman pourra appeler le docteur Smith demain.

– D'accord, a dit David Michael sans conviction.

Il a fait demi-tour et a descendu les marches.

– Allez, viens, Foxy. Il n'y a que trois marches, a-t-il insisté.

Foxy l'a suivi, les pattes raides. Je les ai regardés partir en soupirant.

Dans la luxueuse salle de bains des nouveaux riches, Amanda a commencé par me demander impérieusement du savon parfumé à la violette et une certaine serviette.

– Ça y est ? Tu es désinfectée maintenant ? n'ai-je pu

m'empêcher de lui demander dès qu'elle se fut lavé les mains.

Elle m'a lancé un regard noir.

– Je ne comprends pas ce que cela signifie, mais je me suis au moins débarrassée des microbes de ton chien.

Le téléphone a sonné et Max a dit :

– Va décrocher, Kristy. C'est dans la cuisine.

(Comment ça ? Pas de téléphone dans la salle de bains ?)

– Allô, vous êtes au domicile des Delaney, ai-je répondu. (Vous êtes bien chez les Snob, avais-je envie de dire.)

– Kristy ? Kristy ? C'est toi ? Ici, Louisa.

Mon sang n'a fait qu'un tour. Elle avait dû me voir traverser la pelouse des Delaney. Avait-elle deviné qui se cachait derrière la livraison de couches ?

– Je garde les petits Papadakis, a-t-elle dit nerveusement. Je suis venue ici des douzaines de fois, mais c'est la première fois qu'il m'arrive une chose pareille.

– Quel est le problème ?

– Sarie pleure et je ne parviens pas à la calmer. Je crois qu'elle t'aime bien, alors j'ai pensé…

– J'arrive, ai-je dit et j'ai raccroché.

Je n'étais pas sûre de pouvoir lui faire confiance. Mais je ne pouvais rester indifférente aux pleurs d'un enfant. Sarie était peut-être souffrante…

– Amanda, Max, venez. Nous devons aller chez les Papadakis. Maintenant.

Au milieu des plaintes et des grognements, j'ai entraîné les enfants vers la porte d'entrée ; nous avons traversé la pelouse des Kilbourne pour arriver jusqu'au perron des

Papadakis. J'ai sonné et Louisa est venue ouvrir. L'une des filles de l'arrêt d'autobus (la brune) était avec elle.

– Oui ? a dit Louisa avec froideur.

– Me voilà, ai-je dit en retenant mon souffle. Où est Sarie ?

– Pourquoi me demandes-tu cela ?

– Je viens pour t'aider…

Je me suis arrêtée et j'ai écouté. La maison était silencieuse. Louisa et son amie se retenaient de rire. Je m'étais encore laissé prendre au piège.

C'est alors que sont apparus Cornélia et Lenny.

– Salut, Kris…, commencèrent-ils, puis ils se sont interrompus en voyant Amanda et Max.

Ceux-ci se sont mis immédiatement à chuchoter et à ricaner. Lenny et Cornélia ont froncé les sourcils.

Amanda a pointé un doigt sur sa tempe puis en direction de Lenny en lui disant, suffisamment fort pour que tout le monde entende :

– Imbécile !

– Je ne suis pas un imbécile, a crié Lenny. C'est toi !

– Bien, bien, ai-je dit.

J'ai saisi Amanda et Max par la main et me suis dépêchée de retourner vers leur maison. J'étais tellement furieuse que je n'arrivais pas à penser à ce que je pourrais dire ou faire à Louisa. Alors que je quittais la cour des Papadakis, elle m'a lancé :

– Et merci bien de me piquer mes boulots de babysitting !

« C'est la meilleure », ai-je pensé.

7

Samedi

J'ai gardé mon frère ce soir, et j'ai remarqué quelque chose de bizarre. Il a beaucoup changé ces derniers temps mais, cette fois, c'était encore pire que d'habitude. Il a été de mauvaise humeur toute la soirée, et nous avons fini par nous disputer violemment. Je n'arrive pas à oublier ce qu'il m'a dit. J'étais bouleversée. J'ai attendu le retour de maman afin de lui en parler. Ensuite, elle a appelé papa en Californie pour lui raconter ce qui s'était passé.

C'est peut-être une histoire un peu personnelle mais je

pense que les membres du club doivent être au courant, au cas où quelqu'un d'autre garde David. Il est complètement différent, mieux vaut être prévenu !

C'est vrai, ce n'était plus le même garçon.

Carla était vraiment très contrariée. Elle a non seulement écrit sur David dans notre journal de bord mais elle nous a également appelées, Mary Anne et moi, pour nous raconter ce qui s'était passé.

Depuis la rentrée des classes, David semble avoir quelques problèmes. En fait, Carla se demande si ces problèmes sont dus à l'école ou aux deux lettres que David a reçues, une de son père et l'autre de son meilleur ami de Californie. Elle penche cependant pour la seconde hypothèse.

David se tient très mal en classe ; une fois, il a même quitté un cours au beau milieu d'une explication de texte. Il a eu deux retenues et a été convoqué chez le directeur. Et, à la maison, il n'est pas tellement plus agréable.

Samedi soir, la mère de Carla avait besoin de quelqu'un pour garder David car elle devait sortir avec un certain Théodore, un ami qu'elle voit assez souvent. Deux d'entre nous étaient libres ce soir-là mais Carla fut évidemment choisie puisque c'était pour son frère.

Théodore devait passer prendre Mme Schafer à dix-huit heures trente. Ils devaient se rendre à une soirée à Stamford, avec dîner, bal et animations. Carla trouvait sa mère superbe, moulée dans une longue robe noire à paillettes.

– Tu sens très bon, maman, lui a-t-elle dit alors qu'elle finissait de se maquiller dans sa chambre.

– Ce doit être mon parfum. Tu en veux un peu ?

– Non merci, a répondu Carla. Je le préfère sur toi. Tu sens toujours ainsi lorsque tu sors. J'aime respirer ce parfum, te regarder te préparer et rêver de ce qui se passera pendant la soirée.

Mme Schafer a souri.

– Je faisais la même chose quand mes parents se préparaient pour…

– Toi, tu avais la chance d'avoir deux parents ! a crié David de sa chambre.

Elle a soupiré.

– Il est encore d'une humeur massacrante !

– J'ai entendu, a lancé David. Et ce n'est pas vrai !

Carla a levé les yeux au ciel.

– Et tu me laisses avec ce charmant bambin toute la soirée ? a-t-elle dit d'un air taquin.

– Tu seras grassement payée ! lui a répondu sa mère. Descendons, je vais te montrer ce qu'il y a pour le dîner.

Mme Schafer n'est pas vraiment un cordon-bleu mais elle s'efforce d'initier ses enfants à l'alimentation « bio ». Les Schafer sont très soucieux de diététique et ils sont végétariens. Cependant, ils en ont parfois assez des yaourts, de la salade et des fruits, alors Mme Schafer leur fait des légumes avec du riz complet ou des pâtes complètes. Elle profite d'un jour libre ou d'un week-end pour préparer quatre ou cinq plats qu'elle met au congélateur.

Mme Schafer avait à peine fini d'expliquer à Carla

comment réchauffer le gratin d'aubergines lorsqu'on a sonné à la porte.

– C'est Théodore. Tu sais où nous sommes ce soir. Le numéro est sur le frigo et, en cas d'urgence, tu peux toujours appeler Bonne Maman et Bon Papa.

– Je sais, l'a rassurée Carla. Amuse-toi bien, maman. Tout ira bien.

Elle a poussé sa mère vers la porte tout en l'inspectant pour être bien sûre qu'elle n'avait rien oublié (Mme Schafer est une grande distraite).

– Au revoir, David ! a-t-elle crié du bas de l'escalier. Amuse-toi bien avec Carla !

– Salut..., a-t-il marmonné d'un ton maussade.

Une fois Théodore et sa mère partis, Carla a refermé la porte derrière eux puis a commencé à préparer le dîner. Elle a mis la table, sorti des petits pains complets et rempli des verres de thé glacé. Elle savait qu'elle aurait dû demander à David de l'aider (bien qu'elle soit la baby-sitter !), mais il valait mieux le laisser seul quand il était de mauvaise humeur.

Quand les aubergines furent prêtes, elle l'a appelé à table. En entrant dans la cuisine, il a proposé :

– C'est samedi et maman n'est pas là. Pourquoi on ne mangerait pas devant la télé ?

– Oui, si tu veux, mais ça va finir par nous ramollir le cerveau, a répondu sa sœur, en essayant d'être drôle.

David a marmonné quelque chose qu'elle n'a pas compris, et est parti dans le salon, son assiette à la main.

– Attends, mets tout sur un plateau. Sinon tu vas renverser quelque chose.

– Je ne renverserai rien. Pas besoin de plateau. Je ne suis pas un bébé.

– Moi, j'en prends un et je suis plus vieille que toi, a rétorqué Carla.

Elle ne pouvait s'empêcher d'éprouver un léger agacement… David l'a ignorée. Il s'est installé devant son émission, son assiette en équilibre sur les genoux et le verre sur l'accoudoir. Carla s'est assise à côté de lui.

Évidemment, en plein milieu du feuilleton, David a renversé son thé glacé. Il a plongé en avant pour essayer de rattraper le verre avant qu'il ne touche le sol mais, du coup, son assiette est tombée par terre.

– Oh, David ! s'est exclamée Carla en posant vite son plateau sur la table basse pour se lever.

– Ne dis rien ! a-t-il crié. Ce n'est pas ma faute !

– Ah non ? Alors c'est la faute à qui ?

– Toi et maman, vous me traitez comme un bébé ! Je ne suis pas un bébé ! J'ai dix ans !

– David, c'est toi et toi seul qui viens de renverser ton dîner.

Ce n'était peut-être pas dit avec le plus grand tact, mais c'était la vérité.

– Si tu me traitais comme une grande personne, j'agirais comme une grande personne ! a-t-il répliqué en haussant le ton.

Il s'est mis à hurler de toutes ses forces :

– Je n'ai pas besoin de baby-sitter ! Je suis trop vieux pour ça. Maman me prend pour un bébé et toi aussi. Le seul qui ne me traite pas comme un bébé, c'est papa.

« Ouh là ! » s'est dit Carla. Elle ne trouvait pas que son

frère était trop couvé. Il avait dix ans, comme les triplés de la famille Pike que les membres du club allaient souvent garder.

– David…

Il lui a lancé un regard noir ; le thé glacé coulait sur le canapé et les aubergines dégoulinaient sur son jean.

– Tais-toi ! Je déteste vivre ici, la Californie me manque. Je déteste habiter avec toi et maman. Je voudrais être avec papa.

Laissant tout en plan, il a couru s'enfermer dans sa chambre. Carla a jugé préférable de le laisser seul un moment. Lentement, elle a nettoyé le canapé, puis elle a essayé de terminer son dîner mais il était froid, alors elle est allée nettoyer la cuisine.

Carla a appelé Mary Anne le soir même en attendant sa mère pour lui raconter à quel point elle avait été choquée. Elle avait l'impression que David aurait même pu la frapper. Mais elle a dû raccrocher plus tôt qu'elle ne le souhaitait car Mary Anne n'a pas le droit d'occuper la ligne plus de dix minutes. Ensuite, Carla m'a appelée. Elle se faisait vraiment du souci pour David. Elle l'avait vu se mettre en colère de nombreuses fois mais jamais aussi violemment. Mme Schafer avait dit qu'elle rentrerait entre minuit et demi et une heure. Carla savait qu'il fallait l'attendre mais ça lui semblait une éternité, tellement elle était stressée. Elle a essayé de s'occuper. Elle a lu une nouvelle fantastique mais elle s'est rendu compte à la fin qu'elle n'était pas du tout concentrée et qu'elle devrait la relire plus tard. Elle a fini par s'installer devant la télé.

Dès qu'elle a entendu la voiture dans l'allée, elle a couru dans l'entrée et puis elle a ouvert la porte en grand.

– Maman ! Maman !

– Mais qu'y a-t-il donc, ma chérie ? Vous allez bien, David et toi ?

– Moi oui, mais pas David.

Elle lui a raconté tout ce qui s'était passé.

– Il a dit qu'il voulait retourner en Californie, maman, a-t-elle conclu. Et il n'avait pas l'air de plaisanter.

Mme Schafer avait pâli.

– Oh, mon Dieu. Ces vacances en Californie cet été n'étaient peut-être pas une bonne idée. Il a attrapé le mal du pays.

– Moi aussi, a reconnu Carla, mais j'avais quand même envie de revenir ici… avec toi.

– Merci, ma chérie, a répondu sa mère en la serrant un moment dans ses bras. Vous ne vous ressemblez pas, David et toi. On dit toujours qu'un garçon a besoin de son père. Je pensais que c'était un cliché, mais c'est peut-être vrai.

– Tu ne vas pas l'envoyer chez papa, dis, maman ? s'est inquiétée Carla, horrifiée. Nous ne serions plus une famille. Nous serions coupés en deux.

– Oh ! Carla, nous serons toujours une famille. Ne t'en fais pas, je ne pourrais pas renvoyer David chez son père comme ça, même si je le souhaitais. Du moins, pas dans l'immédiat. J'en ai la garde, la garde légale. Mais je pense que le mieux serait que je parle à ton père. Bon, tu devrais aller te coucher, il est une heure et demie. Demain, tu vas être comme un zombie…

Carla est montée se coucher à contrecœur. La lumière était éteinte chez David et elle s'est demandée quand il s'était couché. Elle ne l'avait pas revu depuis le dîner.

Mme Schafer a appelé leur père de la chambre voisine. Il n'était que vingt et une heures trente là-bas. Carla a collé son oreille contre le mur pour essayer d'entendre la conversation mais les mots étaient étouffés. Elle savait que sa mère était bouleversée. Elle a soupiré. La famille se remettait à peine du divorce ; elle pensait que le pire était passé. Désormais, elle n'en était plus sûre.

8

– La séance est ouverte, ai-je annoncé mollement.
Je manquais tellement d'énergie que personne ne m'a entendue et que j'ai dû répéter.

L'ambiance était morose. J'ai tapé sur le bureau de Claudia avec mon stylo en regrettant de ne pas avoir un marteau.

C'était une journée sinistre. Personne ne se serait cru à une réunion du Club des baby-sitters. Carla et moi étions déprimées. Claudia était furieuse car elle avait raté un contrôle d'orthographe. Mary Anne s'inquiétait pour Tigrou, son chat, qui avait des vers. Quant à Lucy, elle était préoccupée car elle avait rendez-vous chez le médecin pour son diabète.

– Rien à dire sur le club ? ai-je demandé.

Mes amies ont secoué la tête.

– Vraiment, quelle journée pourrie ! ai-je commenté.

– Ouais, ont-elles acquiescé.

– Je vous ai raconté mon baby-sitting chez la famille Snob ? Amanda et Max ?

– Tu veux dire les Delaney ? a corrigé Mary Anne, en consultant la liste de nos clients, sourcils froncés.

– Mm. Les filles, ces gamins sont odieux.

– Qu'est-ce qu'ils ont fait ? a demandé Claudia.

Elle avait gardé, elle aussi, de vrais petits monstres – les cousins de Simon Newton – et elle n'avait pas oublié cette expérience. Les histoires d'enfants de cette sorte l'intéressent particulièrement.

– Ils sont trop gâtés, ai-je expliqué. Ils sont exigeants, malpolis et snobinards. Tu vois, nous étions devant la télé et, pendant la pub, Amanda m'a dit : « Va me chercher un Coca. » Si, si, comme ça : « Va me chercher un Coca. » Pas de s'il te plaît ni rien. Vous vous rendez compte, le culot ? Et son frère a rajouté : « Prends-en un aussi pour moi. » J'ai obéi, mais Amanda a recommencé : « Et les glaçons ? » Je suis allée chercher les glaçons mais Max n'en voulait pas ! Ensuite, ils m'ont ordonné de mettre les verres vides dans le lave-vaisselle et de répondre au téléphone, ce que j'aurais fait de toute façon. C'est dingue que des gamins de cet âge-là vous donnent des ordres !

– Pourquoi tu t'es laissé faire ? a demandé Lucy.

– Parce que... Je ne sais pas. Et toi, qu'est-ce que tu aurais fait ? Ce sont de nouveaux clients, je voulais qu'ils soient satisfaits. Je n'avais pas envie qu'en rentrant à la maison, Mme Snob entende les petits Snob dire : « Oh, cette Kristy est méchante. Elle nous fait dire s'il te plaît et merci et ne nous sert pas à boire. »

Lucy s'est mise à rire :

– Non, mais il y a une façon de s'y prendre avec ces gamins, crois-moi. Tu n'as pas à…

Elle s'est interrompue pour répondre au téléphone.

– Allô, ici le Club des baby-sitters… Oh, bonjour, madame Delaney.

– Mme Delaney ? ai-je murmuré.

Avec une grimace, j'ai fait semblant de m'étrangler. Lucy s'est mordu la lèvre pour ne pas rigoler.

– Mardi prochain ? Entendu. Je vous rappelle tout de suite.

Elle a raccroché et s'est exclamée :

– Kristy, ne me fais plus jamais ça ! J'ai failli l'appeler Mme Snob.

Nous nous sommes toutes mises à rire et nous nous sommes senties beaucoup mieux. Claudia a sorti un sachet de petits ours multicolores de sous son oreiller et en a offert à celles qui mangent des sucreries (elle-même, Mary Anne et moi). Ensuite, elle nous a fait passer des Smarties.

Mary Anne, qui était en train de regarder notre emploi du temps, a déclaré :

– Trois d'entre nous sont libres mardi.

J'ai tiré la langue. Je ne voulais absolument pas retourner chez les Delaney.

– Toi, Lucy et Carla, a poursuivi Mary Anne.

J'ai vu que Carla avait l'air aussi enthousiaste que moi.

– Je peux y aller ? a demandé Lucy.

– Mais je t'en prie ! Tu peux même devenir la baby-sitter attitrée des Delaney ! ai-je répliqué.

– Merci, a-t-elle répondu. Parce que je sais comment m'y prendre avec les snobs.

Le téléphone l'a de nouveau interrompue. Nous avons pris plusieurs rendez-vous, puis rappelé Mme Delaney.

– Vous savez, ai-je dit en bâillant, dans mon quartier, il n'y a que des snobs. Vous vous rappelez, ces filles dont je vous ai parlé ? Louisa, Tiffany et leurs copines ?

– La Louisa qui a été odieuse avec Foxy ? a demandé Mary Anne qui a un faible pour les animaux.

– Oui, ai-je confirmé. Et le pire, c'est que j'ignorais qu'elle faisait aussi du baby-sitting dans les parages. Je sais qu'il lui arrive d'aller chez les Papadakis. Et l'autre jour, elle m'a accusée de vouloir lui piquer sa place.

– Ouh, là ! s'est exclamée Claudia.

– Comme tu dis, ai-je soupiré.

– Elle ne peut pas être la seule baby-sitter du quartier, a enchaîné Carla. Regardez, nous, par exemple. Tu as fondé le club pour que l'on soit suffisamment nombreuses pour répondre aux besoins des gens du quartier.

– C'est vrai, ai-je murmuré.

Nous étions toutes les cinq assises en silence en train de réfléchir à ce problème quand, tout à coup, Carla a fondu en larmes. Nous nous sommes regardées, perplexes. Ce n'est pas son genre de pleurer. Que lui arrivait-il ?

– Carla ? a chuchoté Mary Anne. Que se passe-t-il ? lui a-t-elle demandé en se penchant vers elle.

Carla a secoué la tête, incapable de parler. Puis elle a

ouvert le journal de bord à la page de la soirée où elle avait gardé son frère.

– Oh, tu t'inquiètes à propos de David ?

Carla a fait signe que oui en reniflant. Dès qu'elle a eu retrouvé sa voix, elle nous a expliqué que sa mère avait eu une longue conversation au téléphone avec son père et qu'il n'avait pas semblé vraiment très enthousiaste à l'idée que son fils vienne vivre avec lui.

– Je ne sais pas ce qui est pire : la pensée que David veuille partir, ou que papa ne veuille pas de lui. Et si papa ne veut pas de lui, je suppose qu'il ne voudrait pas de moi non plus. Ce n'est pas que je veuille retourner en Californie, mais c'est affreux de penser que votre père vous rejette.

– J'en sais quelque chose, ai-je soupiré amèrement. Le divorce de mes parents ne s'est pas vraiment passé de façon amicale et mon père ne nous écrit ni ne nous téléphone jamais. Je ne pense pas qu'il se soucie de nous le moins du monde.

Je me suis retournée vers Carla :

– Mais tu es vraiment sûre que ton père ne veut ni de toi ni de David ? Il est probable qu'il apprécie sa nouvelle vie de célibataire. Je veux dire, avant, il était père de famille, puis il s'est probablement habitué à vivre sans vous trois, et maintenant il est peut-être perturbé à la pensée de changer à nouveau.

– Mm, a murmuré Carla en reprenant quelques couleurs, tu as peut-être raison. Il n'a sans doute pas dit : « Je ne veux pas de David », mais plutôt que ça l'embêtait de devoir changer ses horaires de travail et d'embaucher une femme de ménage, ou un truc dans ce genre.

Nous sommes tombées d'accord sur le fait que M. Schafer devait être un bon père mais qu'il avait certainement été surpris par ce coup de téléphone tardif auquel il ne s'attendait pas. La réunion a pris fin et je suis rentrée chez moi, abattue. J'avais des problèmes et je n'étais pas la seule. Pour le moment, ceux de Carla étaient plus sérieux. Samuel a rentré la voiture dans le garage. Jim était déjà à la maison, prêt à dîner.

Dans la salle de séjour, Charlie aidait David Michael à faire un exercice plein de soustractions compliquées. Boo-Boo les observait de son fauteuil. Peut-être parce que c'est un chat ou tout simplement parce que c'est Boo-Boo, mais il semble toujours regarder les gens d'un air méfiant, comme si mes frères, occupés à résoudre un problème de maths, étaient en train de conspirer contre lui !

– Foxy ! ai-je crié. Foxy ! Où es-tu ?

– Ouaf !

Le jappement de Foxy venait du bureau de Jim. Je l'y ai trouvé, roulé en boule sur le tapis.

– Hé, David Michael ! Tu as donné à manger à Foxy ?

– J'ai sorti son écuelle et je l'ai appelé mais il n'a pas voulu venir.

– Ah bon !

Je me suis agenouillée auprès de mon chien.

– Alors, tu n'as pas faim ?

Il a levé les yeux vers moi sans bouger, la tête posée sur ses pattes avant.

– Viens, c'est l'heure de manger, ai-je dit en essayant de l'attirer. D'abord ta pâtée, et peut-être qu'ensuite, David

Michael te donnera un biscuit. Tu te souviens comme c'était bon chez le vétérinaire ?

– Mmm-mm, a-t-il gémi.

– Allez, viens, je sais que tu as faim. Tu n'as qu'à te lever et aller dans la cuisine... Viens !

Je me suis levée en l'invitant à me suivre. Il chancelait sur ses pattes. Il s'est dressé d'abord sur les pattes avant puis a essayé de soulever son arrière-train, mais il est retombé. J'ai fini par l'aider à se mettre debout sur ses quatre pattes en le soulevant sous le ventre et nous nous sommes dirigés vers la cuisine. Nous n'étions pas encore sortis du bureau que Foxy s'est arrêté net, s'est accroupi et a uriné sur un des tapis d'Orient de Jim.

– Foxy ! Maman !... Jim, maman est rentrée ?

– Kristy, que se passe-t-il ? s'est inquiété Charlie en accourant avec David Michael.

– Regardez-moi ça !

Foxy s'est relevé péniblement et je leur ai montré ce qu'il avait fait sur le tapis.

– Foxy ! s'est exclamé David Michael. Comment as-tu pu faire ça ? Il n'a jamais fait ça. Jamais.

– Si, quand il était tout petit, a répondu doucement Charlie. Je vais chercher des serviettes en papier.

Foxy savait qu'il avait fait quelque chose de mal et il est sorti furtivement de la bibliothèque, la queue basse.

– Vilain, vilain chien, l'a grondé David Michael en le menaçant du doigt. Tu n'es plus un chiot maintenant.

Puis il s'est baissé pour le serrer dans ses bras.

– Excuse-moi, Foxy. Je ne voulais pas dire ça. Je pense que tu n'as pas pu te retenir. C'est ça, Kristy ?

– Non, il n'a pas pu.

David Michael tenait Foxy par le cou. Il m'a regardée en demandant :

– Il est vraiment malade, n'est-ce pas ?

J'ai hoché la tête et je me suis retournée avant que mon frère ne me voie pleurer.

9

Mardi

Ça y est, j'ai gardé les Snob aujourd'hui et ce n'était pas si terrible que ça. Il faut juste savoir s'y prendre.

J'ai lu dans un magazine un article intitulé : « Obtenez ce que vous voulez : trouvez la bonne méthode avec les gens difficiles. » À la prochaine réunion, je vous donnerai quelques exemples de la façon dont je m'y suis prise avec les Snobs. Vous verrez tout de suite qu'on peut les apprivoiser. Et ensuite, ce sont des gamins adorables.

On peut dire que Lucy et sa psychologie nous ont toutes impressionnées. Surtout que, au début, ça s'était aussi mal passé que pour moi, sinon pire. Cette fois, Mme Delaney a conduit Lucy à l'étage dans la salle de jeux des petits Snob. Amanda et Max, toujours superbes et impeccables, se trouvaient au milieu du bazar le plus monstrueux qu'elle ait jamais vu. C'était encore plus en désordre que chez les Barrett lorsque Carla avait gardé le trio impossible les premières fois. Il y avait des jouets partout, non seulement de gros jouets, mais aussi des voitures miniatures, des figurines, des Lego mélangés à des peluches, des jeux de société, des poupées et des déguisements. C'était une marée de jouets et Mme Delaney leur a demandé à tous les trois de ranger avant d'entamer autre chose.

– Eh bien, rangeons, a proposé Lucy dès qu'elle a été partie. Ensuite, nous pourrons sortir.

– Si tu veux sortir, range toi-même, a répliqué Amanda. Nous, ça nous plaît que ce soit en désordre.

Elle s'est redressée et a fixé Lucy, bras croisés. Son frère l'a imitée. Lucy s'attendait à quelque chose de ce genre. Elle a fait semblant d'étudier la pièce. Puis elle a déclaré très sérieusement :

– C'est vrai, vous avez raison. J'aime les pièces vraiment en désordre, mais je trouve en fait que celle-ci ne l'est pas assez. Regardez : un jeu de construction ! Il n'est même pas par terre !

Et Lucy l'a renversé au milieu des autres jouets.

– Hé ! a hurlé Amanda. Mais tu es folle !

– Qu'est-ce que tu fabriques ? s'est inquiété Max.

– Vous avez dit que vous aimiez le désordre, a répondu Lucy. Eh bien, moi aussi.

Elle a ramassé un tas de feuilles et les a laissées retomber une à une.

– Arrête ! a crié Amanda en tapant du pied.

– Pourquoi ? a demandé Lucy.

Elle a attendu que tous les papiers atterrissent. Puis elle s'est mise à éparpiller des pièces de puzzle.

– Parce que, a dit Max. C'est tout.

– Je croyais que vous aimiez le désordre ?

– Oui, a fait Amanda d'un ton hésitant. Mais pas tant que ça. Arrête !

– J'essaie juste de vous donner un coup de main.

– Non, je veux dire… Nous voulons que notre salle de jeux soit propre.

Lucy s'est mise à quatre pattes.

– Ouh là, vous avez oublié ces habits de poupée, a-t-elle repris en vidant une boîte de tenues de Barbie.

Max les a attrapées pour les remettre à leur place.

– Arrête avec ça ! a-t-il hurlé.

Avant que Lucy ait eu le temps de se retourner, les petits Snob étaient en train de ranger. Peu de temps après, Lucy s'y est mise aussi mais Amanda et Max n'ont pas osé faire de commentaire. Ils se contentaient de lui jeter des coups d'œil inquiets. Quand la salle a été impeccable, ils ont reculé pour admirer leur travail. Ils semblaient bien fiers d'eux mais Lucy s'est bien gardée de les féliciter. Après tout, elle les avait eus par la ruse et ils le savaient parfaitement.

– Qu'est-ce que j'ai soif ! a annoncé Max. Va me chercher du lait, Lucy !

– Du lait ? D'accord. Et pendant que j'y suis, je prendrai du jus d'orange, du cocktail des tropiques et du thé glacé. Avec une paille peut-être ?

– Non, non, c'est bon, l'a coupée Max. J'y vais moi-même.

– Ouais, allons chercher le lait nous-mêmes, a soupiré Amanda.

– Je vous accompagne, a dit Lucy en les suivant dans les escaliers.

Max a sorti un carton de lait du réfrigérateur digne d'une navette spatiale. Amanda a pris deux verres dans un placard puis, après un instant d'hésitation, en a pris un troisième pour Lucy. Max a tendu le lait à Lucy.

– Verse, a-t-il ordonné.

Lucy savait que c'était pour la mettre à l'épreuve.

– D'accord.

Mais, au lieu de prendre le lait, elle a ouvert le placard et a aligné une dizaine de verres sur le plan de travail.

– Qu'est-ce que tu fais ? s'est alarmée Amanda.

– Eh bien, Max a dit : « Verse », mais il n'a pas dit combien de verres il en voulait. Je préfère prévoir.

– Oh ! ?

Amanda, agacée, a pris le lait des mains de son frère et en a rempli deux verres. Elle s'est arrêtée, hésitante.

– Tu en veux ? a-t-elle demandé à Lucy.

– S'il te plaît. Un demi-verre sera parfait.

Amanda a rempli le verre à moitié et l'a poussé vers Lucy. Ils se sont assis tous les trois et ont bu en silence. C'est alors que Max a heurté son verre.

Il a fixé la flaque sur la table.

– Essuie, Lucy.

– Pourrais-tu finir de tout renverser d'abord, s'il te plaît ?

– Hein ? se sont écriés les deux enfants.

– Va jusqu'au bout. Tu n'en as renversé qu'un peu. Je n'ai pas l'intention de me lever pour aller chercher l'éponge maintenant, si c'est pour recommencer dans quelques minutes. Et, puisque vous aimez tellement que je nettoie tout ici, sachez que je me réjouirai de vous donner votre bain tout à l'heure. Je suis sûre que vous serez d'accord pour que je vous lave, vous comme tout le reste.

– Ça ne va pas ! a paniqué Max. Je ne veux pas que tu me donnes mon bain. Je ne veux pas que tu nettoies quelque chose pour moi. Je nettoierai moi-même mes saletés, voilà.

– Comme tu veux, a répondu Lucy alors qu'il épongeait le lait.

Non seulement Max a essuyé ses saletés, mais il a aussi ramassé les miettes sur la table avec une éponge qu'il était allé chercher, a jeté les miettes dans l'évier, et a rincé le tout.

– Merci, a dit Lucy.

– Pas de quoi.

– Lucy, s'est hasardée Amanda, que se passerait-il si je te demandais d'aller nous chercher quelques gâteaux ?

– Eh bien, si tu dis : « Lucy, pourrais-tu sortir les gâteaux au chocolat, s'il te plaît », je le ferai probablement, surtout si je pense que tu me remercieras après. Mais si tu me dis : « Lucy, sors les gâteaux », je te donnerai tous les gâteaux que je trouverai car je ne saurai pas lesquels tu veux, et je ne voudrai pas me lever pour aller chercher quelque chose pour quelqu'un qui ne dit jamais « s'il te plaît » ou « merci ».

Amanda a acquiescé pensivement.

– Et puis, a ajouté Lucy, je te plaindrai beaucoup d'avoir huit ans et d'être incapable d'aller chercher des gâteaux toi-même.

Amanda a hoché une nouvelle fois la tête. Lucy a eu l'impression que Max se retenait de sourire. Il a déclaré :

– Moi, je peux ranger tout seul.

– Je sais, a répondu Lucy. J'en suis contente.

Elle lui a souri et s'est tournée vers Amanda :

– Tu veux des gâteaux ?

– Non, je voulais juste savoir ce qui se passerait si j'en demandais.

Elle n'avait l'air ni narquois ni insolent. En fait, elle semblait très sérieuse.

– Vous savez, a dit Lucy, vous avez travaillé dur cet après-midi. Je pense qu'on devrait jouer maintenant.

– À quoi ? a répliqué Amanda.

– Vous savez jouer à la marelle ?

– La marelle, c'est nul, a grogné Amanda.

– C'est pour les filles, a ajouté Max avec mépris.

– Du calme ! J'ai juste demandé si vous saviez jouer, pas si vous vouliez jouer. Est-ce que vous savez comment on y joue ?

– Oui, oui.

– Vous avez de la craie ?

– Oui.

– Vos parents sont d'accord pour qu'on dessine dans l'allée avec de la craie ?

– Oui.

– Parfait, parce que je vais vous apprendre comment

jouer à l'escargot et cela aide de connaître le jeu de la marelle.

– L'escargot ? a répété Amanda, perplexe. C'est quoi ça ?

– Un jeu très sympa, a répondu Lucy, et je vous assure que, si vous le montrez à vos copains, ils voudront tous y jouer. Bon, on met les verres dans le lave-vaisselle et on y va.

Sans la moindre protestation, Amanda et Max ont mis leurs verres dans le lave-vaisselle. Lucy a fait de même.

Ensuite, Max a apporté une boîte de craies et ils sont sortis dans l'allée où ils ont trouvé Priscilla assise à l'ombre, avec son air de princesse. La chatte et ses jeunes maîtres ont observé Lucy qui dessinait une spirale géante sur le sol. Ensuite elle l'a divisée en cases d'environ trente centimètres chacune.

– Ça y est. Le but du jeu est d'aller de l'extérieur jusqu'au centre de la coquille en sautant sur un pied. Si vous réussissez sans marcher sur les lignes, vous pouvez choisir une case. Vous y inscrivez votre initiale. Ensuite, quand vous arrivez dans une de vos cases, vous pouvez y mettre les deux pieds pour vous reposer. Mais les autres doivent sauter par-dessus. Quand trop de cases sont prises et que l'on ne peut plus jouer, celui qui en a le plus grand nombre a gagné. Compris ?

Les jeunes Snob ont fait signe que oui. Ils avaient le sourire. Ils ont même laissé Lucy commencer pour qu'elle leur montre comment faire.

Lucy et les enfants ont joué à l'escargot jusqu'au retour de Mme Delaney. Lucy s'était bien amusée et elle pensait qu'Amanda et Max aussi. Ils gloussaient, grognaient quand ils rataient, et criaient quand ils gagnaient de nouvelles cases.

Le mauvais côté des Delaney n'est ressorti qu'à un seul moment, lorsqu'Amanda a ordonné à Lucy d'aller lui chercher un bout de craie.

– Peut-être que je pourrais prendre aussi ton tour…, a répliqué Lucy.

– Non, non, s'est empressée de répondre Amanda en réprimant un petit rire nerveux. J'irai en chercher moi-même.

Mme Delaney était contente de voir la salle de jeux bien rangée, elle a très bien payé Lucy pour son baby-sitting. Quand les Delaney l'ont déposée devant chez elle, les enfants lui ont lancé un au revoir joyeux, mais en s'éloignant, elle a entendu Amanda dire :

– Maman, je ne plaisante pas, c'est la baby-sitter la plus bizarre qu'on ait jamais eue.

Apparemment cela ne dérangeait pas Mme Delaney qui a rappelé le club peu après.

Et j'ai pris la garde.

10

J'ai lu le compte-rendu de Lucy dans le journal de bord du club et, tout en reconnaissant qu'elle s'était bien débrouillée avec les Snob, j'ai dû admettre que je ne comprenais pas vraiment sa méthode.

– Je ne saisis pas, lui ai-je dit un jour pendant le déjeuner. En quoi ça consiste ? Tu les envoûtes avec tes réponses inattendues ?

– Pas tout à fait. J'ai commencé par tenir compte de tout ce qu'ils disaient en ayant l'air d'accord mais en allant toujours un peu plus loin. Quand Amanda a affirmé qu'elle aimait le désordre, non seulement je l'ai approuvée, mais j'en ai rajouté.

– Je me demande pourquoi elle a fini par ranger, alors.

– En fait, a répondu Lucy, je pense qu'il y a deux choses : d'abord, ces enfants aiment faire le contraire de ce qu'on leur dit, ça, c'est le côté psychologique. Et ensuite, je pense les avoir un peu charmés, en effet. J'ai fait ma Mary Poppins !

J'ai hoché la tête.

– Mais plus tard, a poursuivi Lucy, il s'est passé quelque chose d'inattendu. Max a cru que je le prenais pour un bébé, incapable d'éponger son lait ou de faire quelque chose tout seul. J'ai utilisé ensuite ce moyen avec les deux et ça a été plutôt efficace. Aucun enfant n'aime qu'on le prenne pour un bébé.

– Très astucieux, Lucy, je vais essayer de me souvenir de tout ça demain.

Je devais aller garder les petits Snob et je voulais être prête à toute éventualité. Le jour dit, en traversant la rue pour me rendre chez les Delaney, je ne cessais de me répéter : « Acquiesce à tout ce qu'ils diront mais va plus loin. » Cela paraissait assez facile mais je savais qu'il me faudrait réagir vite. Mme Delaney est partie dès que je suis arrivée et je me suis retrouvée face aux petits Snob ; à vrai dire, pas tout à fait, car Amanda était dans sa chambre et Max, dans le garage, mais vous voyez ce que je veux dire.

Amanda était dans sa chambre car elle devait recommencer des problèmes de maths que, selon son professeur, elle pouvait mieux réussir. Dès qu'elle m'a vue, elle a dit :

– Kristy, viens voir. Fais-moi cet exercice. J'ai horreur des fractions.

– Bien sûr, ai-je répondu. C'est dommage que je sois si mauvaise en maths. Je risque d'avoir tout faux, mais je vais te le faire avec plaisir. Viens, donne-moi ton livre.

– Ça ne fait rien, a répliqué Amanda en le serrant contre elle. Je vais le faire toute seule. Pas de problème.

– Pas de problème ! Mais c'est un fameux jeu de mots ! Problème, comme problème de maths ! Tu saisis ?

Amanda a réussi à sourire.

– Descends quand tu auras fini. On pourrait peut-être jouer à l'escargot. Lucy m'a montré le jeu et elle m'a dit qu'elle vous l'avait appris aussi.

Je suis allée dans le garage voir ce que faisait Max. Je l'ai trouvé en train de se balancer sur une corde attachée à une poutre de l'avant-toit. Il chantait : *Un éléphant se balançait sur une toile-toile-toile, toile d'araignée.*

– Où as-tu appris cette chanson ? lui ai-je demandé en riant. C'est amusant.

– Notre prof nous l'a apprise aujourd'hui. Il nous en a appris aussi une autre à propos d'un chat, mais il y a quelque chose que je ne comprends pas. C'est quoi, un chat podforme ?

J'ai froncé les sourcils.

– Je ne sais pas. Chante-moi la chanson ! On arrivera peut-être à comprendre.

Max m'a chanté trois couplets. Chaque fois qu'il arrivait au refrain, il chantait « mon chat podforme, mon chat podforme » et se touchait la tête comme leur avait montré le professeur.

Au milieu du quatrième couplet, je me suis écriée :

– Ça ne parle pas d'un chat ! C'est une histoire de chapeau ! Essaie de dire « mon chapeau haut de forme » à la place de « mon chat podforme ».

– Quoi ?... Oh !

Tout à coup, Max a compris et il s'est mis à rire lui aussi. Il a sauté de la balançoire et a fait le tour du garage en chantant : « Mon chat podforme ! Mon chapeau haut de forme ! »

– Qu'est-ce que vous faites ?

Amanda se tenait à l'entrée du garage.

– Oh, désolée. On fait trop de bruit ?

– Non. J'ai fini mes devoirs. Maintenant, Max et moi, on veut goûter. Pas vrai, Max ?

– Si, a-t-il répondu.

Mais j'étais sûre qu'il n'avait pensé qu'aux chats et aux chapeaux, et non à goûter, avant l'arrivée de sa sœur.

– Prépare-nous le goûter, Kristy, a ordonné Amanda.

– D'accord, ai-je dit. Mais au ton de ta voix, je devine que tu as très faim, dans ce cas, je pense qu'il vaut mieux que je vous prépare à dîner tout de suite. Ta mère est d'accord pour que j'utilise la cuisine, non ? Voyons, mes spécialités sont le foie de singe, la langue de chèvre braisée et la cervelle de lapin ! Vous connaissez Mme Porter, de l'autre côté de la rue ?

– Morbidda Destiny ? a murmuré Max (ma demi-sœur Karen a persuadé tous les enfants du quartier que cette vieille dame est une sorcière dont le véritable nom est Morbidda Destiny).

– C'est ça. Elle me fournit toutes mes herbes et toutes mes épices, ai-je expliqué.

Ils me fixaient tous les deux, l'air incrédule. Soudain, un sourire est apparu sur le visage d'Amanda.

– C'est une blague, pas vrai ?

– Oui. C'est une blague.

– Tu es drôle, a dit Amanda. Viens, allons jouer à l'escargot.

– Je pensais que vous vouliez goûter.

– Non merci, c'est déjà fait.

– Foie de singe, a gloussé Max. Hé, tu connais cette chanson dégoûtante : *De grosses gouttes de gras, de crasse...*

– Max ! a hurlé Amanda. Ne chante pas ça, ça me rend malade... Le premier arrivé aux craies !

Les enfants et moi avions fait la moitié d'une partie et les Snob étaient rentrés se désaltérer, lorsqu'une camionnette blanche s'est garée dans l'allée des Delaney. Sur les côtés, il y avait écrit pizza express en grandes lettres rouges. Le chauffeur est descendu avec un grand carton plat à la main.

– Kristy Parker ? Voici votre pizza.

– Ma pizza ?

– Ben oui, vous et votre amie avez appelé il y a une demi-heure. Celle avec le fou rire.

Il ne m'a fallu qu'une seconde pour comprendre.

– Oh, vous demandez Kristy Parker ? C'est ça ? Moi, je ne suis que la baby-sitter, Geneviève. Kristy est dans la maison d'à côté avec sa copine. Vous la reconnaîtrez tout de suite. Elle a de longs cheveux blonds et ondulés. C'est elle qui veut la pizza, je vous assure, ai-je affirmé, alors que le livreur me regardait d'un air sceptique.

– Vous en êtes sûre ? a-t-il demandé en remontant dans la camionnette.

– Certaine, ai-je fait, contente que les petits Snob n'aient pas entendu mes mensonges.

J'ai suivi des yeux la camionnette qui repartait en direction de chez les Kilbourne. Puis, je me suis cachée derrière un arbuste juste à temps pour voir Louisa et Tiffany ouvrir la porte, se disputer avec le pauvre garçon et brusquement lui donner de l'argent en échange de la pizza.

L'air furieux, Louisa et Tiffany se sont ensuite dirigées vers la maison des Delaney, suivies d'Astrid de Grandville.

– Ouh là...

Je me suis éclipsée en contournant la maison jusqu'au garage, où je suis tombée sur Amanda et Max.

– À l'intérieur, ai-je ordonné en les poussant avant qu'ils puissent dire un mot.

Aussitôt la porte refermée, nous avons entendu la sonnette.

– J'y vais ! a crié Max.

– Non, n'y..., ai-je commencé, mais il était trop tard.

Max s'est précipité pour ouvrir à Louisa, Tiffany et Astrid. Louisa avait à la main une boîte pizza express avec des taches de gras sur les côtés.

– Tu me dois de l'argent, a-t-elle annoncé de but en blanc.

– Qui ? moi ? ai-je demandé innocemment.

– Oui. Le livreur a dit qu'une certaine Geneviève l'avait envoyé chez nous avec une pizza pour Kristy Parker et c'est moi qu'il décrivait !

– Et pourquoi donc vous devrais-je de l'argent ? Je ne m'appelle pas Geneviève.

– Pourquoi ? a balbutié Louisa. Tu sais très bien pourquoi. Tu lui as dit que tu t'appelais Geneviève, et que mon nom était…

– C'est toi qui as tout combiné. C'est toi qui as commandé la pizza. J'ai été plus maligne, c'est tout, ai-je conclu pour les exaspérer.

Louisa m'a fusillée du regard.

– Tu empiètes sur mon territoire. Ma sœur et moi, nous avons l'habitude d'être les seules baby-sitters des environs.

Elle a ouvert le carton de pizza et en a détaché une part toute collante.

– Ça te plairait, de la recevoir en pleine figure ?

– Non, ne la lance pas ! a hurlé Amanda. Maman et papa viennent de faire repeindre l'entrée. Et la fontaine a coûté deux mille dollars.

J'ai profité du temps d'hésitation de Louisa pour poursuivre :

– Si tu la jettes, je la renvoie sur Astrid. Tu auras un chien aux poivrons.

Louisa a laissé retomber le morceau dans le carton en serrant les lèvres. Pleurait-elle ? Non, un gloussement lui a échappé. Puis Tiffany a étouffé un petit ricanement. Enfin, Amanda, Max et moi, nous avons explosé de rire.

– Un chien aux poivrons ! a répété Louisa.

Nous avons ri encore plus fort.

– Pourquoi vous n'entrez pas ? leur ai-je proposé.

Nous nous sommes assis tous les cinq autour de la table de cuisine et avons grignoté la pizza. Astrid a mangé tous les morceaux de poivron.

Comme Louisa me posait des questions sur le club, je

lui ai expliqué comment ça marchait. Elle paraissait intéressée.

Quand Max a demandé : « Va me chercher une serviette, Louisa », elle n'a eu qu'à lever un sourcil et il y est allé lui-même. C'était à mon tour d'être impressionnée. Avant qu'elles ne partent, je lui ai proposé de payer la moitié de la pizza. Louisa a souri. J'avais l'impression que nous allions peut-être devenir copines.

11

Samedi

La varicelle ! Le seul moyen d'apprécier mon histoire est de vous rappeler l'époque où vous avez eu la varicelle. Moi, je m'en souviens un peu. J'avais sept ans et ce n'était pas rigolo. Ça me démangeait, j'avais de la fièvre et ma mère me disait de ne pas me gratter, mais je ne pouvais pas m'en empêcher.

Mallory Pike m'a donc aidée à garder ses frères et sœurs. Les triplés, Margot et Claire étaient en train de se remettre, mais ils n'allaient pas encore très bien. Quelle soirée nous avons passée ! Des ordres, des ordres et encore des ordres. J'avais l'impression d'être leur esclave !

Je sais que ce n'est pas très gentil de ma part, mais je suis contente que ce soit Claudia, et non moi, qui ait dû garder la bande à la varicelle. Il y a huit enfants chez les Pike, y compris les triplés, et cinq d'entre eux étaient malades. J'aurais encore préféré garder les Snob plutôt que des enfants avec la varicelle. Toujours est-il que je plaignais beaucoup Claudia et Mallory. (Mallory est l'aînée des Pike, et elle tient un peu le rôle d'une baby-sitter junior en nous aidant.) Elles ont eu un sacré travail ce soir-là. Il n'y avait pas de risque qu'elles attrapent la varicelle car elles l'avaient déjà eue. Mais il y avait cinq malheureux enfants qui se grattaient, plus Nicky et Vanessa qui étaient particulièrement grognons.

M. et Mme Pike avaient décidé d'aller au restaurant et au cinéma pour échapper un peu à la varicelle. Ils soignaient cinq enfants depuis une semaine, cinq malades qui allaient mieux et commençaient à s'ennuyer. Ils n'avaient plus de fièvre, mais devaient encore rester au lit, et leurs parents avaient besoin de se changer les idées.

– J'ai préparé des plateaux, a dit Mme Pike à Claudia avant de partir. Je suis désolée, mais il faudra apporter le dîner au lit aux triplés, à Margot et à Claire. L'une de vous pourra manger en haut avec eux, et l'autre en bas avec Nicky et Vanessa.

– Faut-il tenir Nicky et Vanessa à l'écart pour leur éviter d'attraper la varicelle ? a demandé Claudia. Je me demande bien pourquoi ils ne l'ont pas attrapée, d'ailleurs.

– Non, non, ne t'inquiète pas, a répondu Mme Pike. Ils y sont exposés depuis une semaine. Essaie d'empêcher les autres de se gratter. Ils comprennent bien, sauf Margot qui se gratte chaque fois qu'on ne la regarde pas. La pauvre petite est la plus atteinte. Si quelqu'un se plaint de maux de tête, tu peux donner du paracétamol. Il y en a sur l'étagère de l'armoire à pharmacie. À part ça, essaie de les distraire un peu. La télé portative est chez les garçons en ce moment. À sept heures, normalement, c'est le tour des filles. Mallory peut t'aider s'il y a autre chose. Les numéros de téléphone sont à l'endroit habituel. D'accord ?

– D'accord, a répondu Claudia qui commençait à éprouver une légère appréhension.

Huit petits Pike, c'est déjà pas mal, mais cinq cas de varicelle, ça promettait d'être mouvementé !

Aussitôt M. et Mme Pike partis, Claudia a entendu un petit bruit étrange, une sorte de tintement.

– Qu'est-ce que c'est ? a-t-elle demandé à Mallory.

Elles étaient en train de disposer le dîner des enfants sur les plateaux.

– Quoi donc ?

Le petit bruit s'est à nouveau fait entendre.

– Ça, a repris Claudia.

– Ah, ça, c'est les triplés. Maman leur a donné une clochette qu'ils agitent quand ils ont besoin de quelque chose. Et elle a donné un triangle à Margot et Claire.

Ding ! Ding !

– Ce ne serait pas le triangle ?

– Si, a confirmé Mallory en levant les yeux au ciel.

– Allons-y ! a décidé Claudia.

Elles se sont précipitées à l'étage. Mallory est allée jeter un œil sur ses frères pendant que Claudia allait voir les filles.

– Salut, vous deux ! a-t-elle lancé à Claire et à Margot.

Claire, qui a cinq ans, avait un petit air pitoyable.

– Salut, a-t-elle répondu tristement.

– Qu'y a-t-il ? s'est inquiétée Claudia.

– On est malades.

– Je sais. Ce n'est pas de chance.

Elles n'avaient vraiment pas de chance. Claudia m'a dit que les filles faisaient peine à voir. Leurs visages, leurs mains, tout ce qui dépassait de leur pyjama était couvert de boutons. Ceux de Margot étaient horriblement rouges, et Claudia la soupçonnait de les avoir grattés.

– Ça me gratte, a justement dit Margot qui a sept ans. Maman nous a fait prendre un bain et elle a mis de l'amidon dans l'eau pour que ça ne gratte plus, mais maintenant ça recommence.

Elle a porté sa main à son cou et a touché un bouton si doucement que Claudia n'aurait pas pu dire si elle se grattait ou non.

– Je suis vraiment désolée, a dit Claudia avec compassion, mais on va bien s'amuser ce soir, et vous ne penserez plus à vous gratter. Je vais monter le dîner dans un petit moment. Je mangerai avec vous et je prendrai le dessert dans la chambre des triplés, mais je vous apporterai la télé. Ça vous va ?

– D'accord.

– Et maintenant, a dit Claudia en faisant semblant de tenir un micro, spécialement pour vous, chères amies... Le coffre à jouets !

Elle avait apporté son coffre à jouets chez les Pike et l'avait laissé devant la chambre des filles. Elle est entrée en le brandissant et l'a posé sur la table entre leurs lits.

– Super ! s'est écriée Claire.

– Vous pouvez jouer avec jusqu'à ce que j'apporte la télé. Puis vous ferez l'échange et vous le donnerez aux garçons. D'accord ?

– D'accord, a répondu Margot, oubliant de se gratter tandis qu'elle fouillait dans la boîte.

Pendant ce temps, Mallory était retournée à la cuisine où elle préparait les plateaux et la table. Dans la salle de jeux, Nicky (huit ans) et Vanessa (neuf ans) étaient en train de jouer, du moins on pouvait le supposer. Et alors que Claudia rejoignait Mallory dans la cuisine, elle a entendu Vanessa hurler :

– Arrête ! Arrête ça, Nicholas Pike ! Mais arrête !

– Ah ! s'est exclamée Claudia. Je vais voir ce qui se passe. Tu termines les plateaux, Mallory ?

Elle a descendu les escaliers en courant.

– Hé là, qu'est-ce que vous faites ?

Nicky et Vanessa étaient assis par terre au milieu de Lego. Une ville entière en Lego se dressait entre eux. Claudia ne voyait rien qui aille mal.

– Vanessa ? a-t-elle demandé.

– Nicky m'a fait la grimace !

– C'est elle qui a commencé, je te jure, a grommelé Nicky.

Il se frottait les yeux avec lassitude.

– C'est pas vrai ! a protesté Vanessa.

– Si !

– Bon d'accord, les a coupés Claudia. Regardez, il est presque l'heure de dîner, il faut monter. Vous allez manger bien tranquillement avec Mallory dans la cuisine.

– J'ai pas faim, a pleurniché Vanessa.

– Moi non plus, a renchéri Nicky.

– Même si ce sont des sandwichs au fromage et des chips ?

– Si, peut-être…, a admis Vanessa.

Mallory, Nicky et Vanessa ont pris un repas tranquille, presque triste, dans la cuisine. En haut, Claudia essayait de manger avec la bande à la varicelle, mais à peine s'était-elle assise sur le lit de Claire avec son plateau qu'elle a entendu la clochette.

– J'arrive ! a-t-elle crié en courant chez les triplés.

– Qu'y a-t-il ? a-t-elle demandé aux trois visages pleins de boutons.

– On peut avoir du soda à la place du lait ?a demandé Adam. S'il te plaît, c'est si bon et si frais.

– Bien sûr, a répondu Claudia, apitoyée.

Elle remontait avec le soda quand le triangle a retenti dans la chambre des filles.

– J'arrive !

Elle a distribué rapidement les boissons et s'est précipitée chez Claire et Margot.

– Claudia, il y a une saleté sur mon fromage, a dit Margot. Je pense que c'est une bête. Si je la mange, je vais vomir.

Claudia a examiné la tache.

– C'est juste une miette.

Mais, par prudence, elle l'a retirée du fromage.

– Je peux avoir encore du lait, s'il te plaît ? a demandé Claire.

La clochette. Les garçons voulaient encore de la salade

de fruits, et Byron, qui adore manger, voulait un autre dessert.

Claudia leur a apporté le tout, puis elle s'est rendue compte qu'il était déjà sept heures, l'heure d'échanger la télé contre le coffre à jouets. Elle l'a fait, a avalé un bout de sandwich et a commencé à descendre les plateaux à la cuisine pour aider Mallory à ranger.

On n'a plus entendu ni la cloche ni le triangle durant cinq minutes, jusqu'à ce que Jordan demande un cachet de paracétamol pour son mal de tête. C'est durant l'accalmie suivante que Claudia, jetant un coup d'œil en bas en direction de la salle de jeux, a trouvé Vanessa et Nicky tous deux assis devant la télé, leur chemise remontée, en train d'examiner leur ventre et leur poitrine.

– Que faites-vous ? a-t-elle demandé.

– On compte, a répondu Vanessa.

– Vous comptez quoi ?

– Nos boutons.

– Mon Dieu ! s'est écriée Claudia.

Elle a dévalé les escaliers pour découvrir, ainsi qu'elle le craignait, que les pauvres parents Pike avaient deux nouveaux cas de varicelle.

– Au lit, vous deux, a-t-elle ordonné, et tout le monde a obéi.

12

Foxy n'allait pas bien. Tout le monde s'en était aperçu, même David Michael. Il ne comprenait pas, mais il constatait.

– Il est vieux, c'est tout, a dit maman un samedi en revenant de chez le vétérinaire. Plus rien ne fonctionne bien chez lui.

C'était vrai. Foxy avait souvent de « petits accidents » maintenant, aussi devions-nous le garder dans la cuisine et dans la salle à manger, où il n'y avait pas de tapis d'Orient. Son arthrite avait empiré et on voyait bien qu'il souffrait. Il ne bougeait que s'il y était obligé et c'était pour lui un gros effort. Alors, au lieu de l'appeler, David Michael lui apportait son repas.

– Après tout, quand je suis malade, maman m'apporte

à manger sur un plateau, alors je fais la même chose pour Foxy.

Bien qu'il ne se sente pas bien, notre chien s'efforçait de rester le colley très propre qu'il avait toujours été. Par exemple, il essayait de se lever et d'aller à la porte pour que quelqu'un le fasse sortir à temps. Mais parfois, c'était trop tard. Un jour, la veille de sa visite chez le docteur Smith avec maman, il s'est mis à trembler sur ses pattes alors que David Michael s'approchait pour lui donner à manger.

– Foxy, tu veux sortir ? Une petite seconde !

Mon frère a posé le bol, est allé chercher son imper car il commençait à pleuvoir et est revenu dans la cuisine juste à temps pour voir l'arrière-train de Foxy disparaître par la porte entrebâillée du sous-sol.

– Foxy ! Non ! Attends !

Depuis que le Dr Smith nous avait parlé de ses problèmes de vue, nous essayions de laisser cette porte fermée mais, de temps à autre, l'un de nous oubliait. Ce n'était pas encore entré dans nos habitudes. C'était dangereux à cause des quatorze marches de pierre qui menaient droit à la cave toute sombre.

David Michael s'est agrippé au collier de Foxy mais, emportés dans leur élan, ils ont dégringolé plusieurs marches. Bilan : un œil au beurre noir pour mon frère.

C'est cet incident qui a décidé maman à conduire Foxy chez le Dr Smith, le lendemain. Le vétérinaire a dit que Foxy allait de plus en plus mal (« son état général empirait » en langage correct) et elle lui a prescrit des piqûres. Je n'ai pas demandé à quoi devaient servir les piqûres.

Tout ce que je savais, c'est que le docteur avait dit qu'en dernier ressort, elle allait essayer des injections spéciales à faire deux fois par jour.

Inutile de dire que ce n'était pas facile d'intégrer cela dans notre emploi du temps. Bien entendu, nous étions d'accord pour le faire et nous savions que rien n'était plus important que Foxy. Finalement, voilà comment nous nous sommes organisés : le matin de bonne heure, maman conduisait Foxy chez le Dr Smith pour la première injection, pendant que Jim s'occupait du petit déjeuner et attendait notre départ pour l'école. Puis maman revenait déposer Foxy à la maison et arrivait au bureau un quart d'heure plus tard que d'habitude. Le lundi et le mercredi après-midi, Samuel se dépêchait de rentrer du lycée et conduisait à nouveau Foxy chez le vétérinaire pour la deuxième injection, rentrait vite le déposer à la maison, et me conduisait à la réunion du Club des baby-sitters. Le mardi et le jeudi, quand Samuel n'était pas libre, Jim se passait de déjeuner et prenait sa pause-repas en milieu d'après-midi pour emmener Foxy. Le nouvel emploi du temps était très serré et ne laissait aucun répit ni à maman et Jim, ni à Samuel. Le pire, c'est qu'au bout d'une semaine de piqûres, le Dr Smith a avoué que ce n'était pas vraiment efficace et que les allers et retours quotidiens fatiguaient Foxy.

Nous avons été anéantis par cette nouvelle. J'étais tellement inquiète que j'ai appelé Claudia en lui disant que je ne pourrais pas assister à notre réunion du vendredi et que Carla, notre suppléante, devrait me remplacer comme présidente.

J'ai bien fait de ne pas y aller.

Dans une famille nombreuse et surtout dans une famille recomposée, on a l'habitude d'une certaine agitation, mais je ne m'attendais pas à ce qui allait suivre. Tout a commencé par un malentendu entre Jim et son ex-épouse qui est venue déposer Karen et Andrew à la maison plus tôt que d'habitude, pensant que Jim était là. Il n'y était pas mais ce n'était pas grave car Samuel, David Michael et moi étions présents. Karen est entrée en courant, avec Andrew sur les talons.

– Salut, tout le monde ! a-t-elle crié. C'est nous !

Elle a laissé tomber son sac à dos dans l'entrée, et Andrew a jeté ses affaires par-dessus.

– Qu'est-ce qu'on mange ? a demandé Karen. Où est Boo-Boo ? Vous avez vu Morbidda Destiny ? Comment va Foxy ?

Son enthousiasme et son énergie nous surprennent toujours. Elle a d'abord couru vers une fenêtre qui donnait sur la maison de Mme Porter.

– Hiiiii ! Je la vois ! Elle est dans la cuisine ! Elle est en train de mélanger quelque chose dans une marmite. Vous savez ce que je pense ?

Nous étions tous regroupés derrière elle, y compris le tranquille Andrew, en train d'épier Mme Porter.

– Je crois qu'elle est en train de préparer une terrible potion magique qui va rendre Andrew tout poilu ou...

Samuel a souri en secouant la tête.

– Tu sais bien qu'elle ne fait pas des trucs pareils. Elle prépare sans doute une soupe de légumes.

Andrew a tourné vers moi un visage inquiet.

– Kristy ?

Je me suis agenouillée près de lui.

– Oh, Andrew, tu ne vas pas devenir tout poilu. N'y pense plus.

Pendant ce temps, Karen était déjà partie. Elle a couru dans le bureau de Jim où elle a trouvé Boo-Boo endormi sur un fauteuil de cuir (ce chat choisit toujours les meilleurs endroits pour ses siestes). Elle a poussé un nouveau cri :

– Il lui pousse des crocs ! Boo-Boo a des crocs qui lui poussent !

Elle pleurait lorsque nous sommes arrivés.

– C'est encore Morbidda Destiny !

Quoi que dise Karen et quels que soient mes doutes à propos de notre voisine, j'étais sûre que les dents de Boo-Boo n'avaient pas poussé. Je me suis approchée du fauteuil sur la pointe des pieds. Malgré les cris stridents de Karen, il était allongé sur le dos et dormait si profondément qu'il avait la bouche ouverte. J'ai compris pourquoi Karen avait cru voir des crocs.

Je suis revenue vers elle à pas de loup.

– Ce ne sont pas des crocs. Ce sont ses vraies dents. Ce sont ses canines. Tu n'y avais jamais fait attention auparavant. Regarde, nous aussi, nous en avons.

J'ai ouvert la bouche pour lui montrer mes quatre dents pointues.

– Oh là là, a soufflé Karen. Je me demande si Foxy a ce genre de dents, lui aussi.

Et elle a disparu à nouveau.

Un troisième cri a retenti dans la cuisine.

– Quoi encore ? a soupiré Samuel d'un ton las.

Nous en avions assez des blagues de Karen, mais nous avons tous couru dans la cuisine et nous nous sommes arrêtés net derrière elle. Il y a eu un instant de silence. Nous avions le regard braqué sur Foxy et je n'arrivais pas à en croire mes yeux.

David Michael s'est mis à pleurer. Je l'ai serré contre moi. Samuel a inspiré profondément et s'est approché de Foxy, pendant que j'essayais d'éloigner Karen et Andrew tout en tenant mon frère.

Heureusement, maman et Jim sont rentrés à la maison peu de temps après ; j'espérais que l'un d'eux saurait quoi faire.

Foxy semblait avoir l'arrière-train complètement paralysé. Il rampait sur ses pattes avant en traînant les deux autres derrière lui, et semblait paniqué. Il a heurté un pied de la table pour venir ensuite se cogner contre le four.

– Foxy ! a hurlé David Michael.

– Samuel, fais sortir ton frère de la cuisine, a ordonné ma mère.

– Karen et Andrew aussi, s'il te plaît, a ajouté Jim.

Samuel a obéi et, comme personne ne m'avait rien demandé, je suis restée sur le seuil, à regarder.

Maman a couru appeler le Dr Smith pendant que Jim essayait de calmer Foxy. Il y est presque parvenu. Je me suis un peu détendue et j'ai essayé d'imaginer ce que disait le vétérinaire, mais maman ne savait dire que « oui, c'est cela », « je vois », et enfin « d'accord, je vous remercie ».

Dès qu'elle a eu raccroché, elle s'est retournée vers moi :

– Kristy, dis aux autres qu'il y aura un conseil de famille dès que Charlie sera de retour.

J'aimerais pouvoir oublier cette réunion mais je sais que c'est impossible. Nous nous sommes rassemblés tous les huit dans le salon : maman, Jim, Samuel, Charlie, David Michael, Andrew, Karen et moi.

Maman est allée droit au but :

– Les enfants, je suis désolée d'avoir à vous dire cela, mais Foxy est très très malade à présent. Et il n'a aucune chance de guérir.

Samuel, Charlie et moi avons baissé la tête. Mais David Michael, Karen et Andrew regardaient maman avec de grands yeux étonnés.

– Et les piqûres ? Et les médicaments ? a demandé mon petit frère.

– Ça ne change rien, lui a répondu maman, tu t'en rends bien compte, n'est-ce pas, mon chéri ?

David Michael a acquiescé, les larmes aux yeux.

– Alors, qu'est-ce qu'on va faire ? a voulu savoir Charlie.

Maman a regardé Jim et j'ai vu qu'elle avait aussi les yeux brillants. Jim lui a pris la main pour la réconforter.

– Le docteur Smith nous a conseillé de faire piquer Foxy demain, a-t-il annoncé doucement.

Je m'attendais à ce que mes frères se mettent en colère et hurlent que personne ne ferait jamais ça à Foxy mais, au lieu de cela, ils se sont mis à pleurer. David Michael a éclaté en sanglots. Samuel et Charlie essayaient de se cacher, mais je savais qu'ils pleuraient aussi. J'ai craqué, moi aussi, ce qui a également fait craquer Karen et Andrew. Même Jim pleurait.

Peu après, David Michael a décrété :

– Je vais dormir avec Foxy cette nuit.

Nous savions que cela voulait dire qu'il dormirait avec lui dans le salon. J'étais sûre qu'il pensait que quelqu'un l'en empêcherait, mais personne n'a protesté.

David Michael a donc tenu compagnie à Foxy pour sa dernière nuit parmi nous.

13

Maman avait dit qu'il n'était pas nécessaire que nous allions tous chez le Dr Smith le lendemain, et je craignais qu'on se dispute pour savoir qui irait.

Samuel et Charlie semblaient cependant soulagés de rester à la maison (je pense qu'ils avaient peur qu'on les voie pleurer). Jim leur a demandé de bien vouloir s'occuper de Karen et d'Andrew car ils étaient trop jeunes pour venir. Finalement, maman, Jim, David Michael et moi, nous avons accompagné Foxy chez le vétérinaire.

David Michael avait passé une mauvaise nuit. Il avait insisté pour dormir par terre à côté de Foxy et n'avait pas voulu du canapé. Foxy avait beaucoup gémi, selon maman qui (David Michael l'ignorait) avait passé presque toute la nuit à lire dans la cuisine, tendant l'oreille, au cas où il y aurait eu un problème. Foxy et David Michael se sont endormis au lever du jour. À contrecœur, maman a dû les réveiller à neuf heures car elle voulait en finir le plus vite possible avec la visite chez le vétérinaire.

Au petit déjeuner, nous n'avons pas mangé grand-chose. Et nous ne disions pas un mot. Personne n'a demandé de sursis pour Foxy car il souffrait trop. Nous savions que le laisser encore un jour ou deux dans cet état aurait été la plus cruelle des choses.

À dix heures et demie, David Michael et moi, nous l'avons enroulé dans sa couverture et Jim l'a installé sur la banquette arrière du break, tandis que Karen et Andrew nous regardaient faire en silence.

– Vous voulez lui dire au revoir ? leur a demandé Jim.

Karen s'est avancée solennellement, s'est penchée dans la voiture et, en soulevant l'oreille de Foxy, lui a murmuré :

– Au revoir, Foxy.

Puis elle s'est enfuie dans la maison, en larmes. Andrew a crié gaiement :

– Salut, Foxy !

En fait, il était trop petit pour comprendre ce qui se passait. Ou peut-être était-il conscient au contraire que cette solution était la meilleure pour Foxy.

Charlie et Samuel ont demandé à faire leurs adieux sans témoin. Puis, quand ils sont rentrés à la maison rejoindre Karen et Andrew, nous sommes montés à regret dans la voiture. Je me suis faite toute petite dans le fond afin de laisser David Michael à côté de Foxy.

Personne n'a parlé durant le trajet et David Michael a tenu la patte de Foxy tout le temps. Et notre Foxy n'a pas trop gémi, pourtant il savait que nous allions chez le Dr Smith. Après tout, il y était allé dix fois en l'espace de cinq jours. Jim a garé la voiture devant le cabinet. Puis il a sorti Foxy et l'a tendu à maman qui l'a porté à l'intérieur. Il préférait que la famille Parker entre seule, car il avait connu notre chien beaucoup moins longtemps que nous.

Il y avait déjà cinq personnes dans la salle d'attente, mais l'assistant est venu immédiatement à notre rencontre.

– Le docteur Smith a un patient pour l'instant mais, dès qu'elle aura terminé, vous pourrez entrer.

Ma mère a acquiescé puis s'est tournée vers moi.

– Kristy, je veux que toi et David Michael disiez au revoir à Foxy ici. Il est inutile que vous rentriez avec moi, tu comprends ?

– Oui, ai-je murmuré en caressant le museau de mon chien.

– Comment ils vont l'endormir ? a hoqueté David Michael.

– Ils vont juste lui faire une petite piqûre, c'est tout. Il va s'endormir et il ne se réveillera plus.

Maman s'est assise sur la banquette de la salle d'attente, Foxy allongé sur ses genoux. Plusieurs personnes nous regardaient avec compassion. Une vieille dame s'est mise à renifler et à se tamponner les yeux avec un mouchoir de papier.

– Tu le tiendras, lorsqu'ils lui feront la piqûre ? a demandé David Michael. Je voudrais que tu le fasses, maman.

– Je te le promets. C'est pour ça que j'y vais, pour être avec lui.

J'ai regardé les yeux humides de Foxy. Il était attentif à tout ce qui se passait dans la salle d'attente.

– Tu crois qu'il comprend ?

– Non, a répondu maman, je suis sûre que non.

« Comment pouvons-nous lui faire ça, me demandais-je. Nous allons le tuer. Nous allons l'envoyer dans une pièce pour qu'il se fasse piquer et qu'il ne se réveille plus. » Puis je me suis rappelée dans quel état il était la veille et à quel point il souffrait, et je me suis dit que nous avions raison d'agir ainsi.

Puis l'assistant a appelé maman. Nous avons caressé et embrassé Foxy une dernière fois et maman a disparu avec lui par la petite porte. Quand elle est revenue quelques minutes plus tard, ses bras étaient vides.

Karen a prétendu que c'était elle qui avait eu l'idée des obsèques, mais je pense que c'est Jim. Toujours est-il que, juste après le déjeuner, elle est venue nous trouver, David Michael et moi. Nous étions assis devant la télé, l'air maussade. Nous ne savions même pas ce que nous regardions.

– Je crois qu'on devrait lui organiser des obsèques, a-t-elle déclaré.

– Des obsèques ? ai-je répété.

– Oui, une petite cérémonie en sa mémoire.

J'ai lancé un regard à David Michael qui a relevé la tête.

– On pourrait lui faire une tombe, a-t-il proposé, même si on ne peut pas l'enterrer.

– Et on pourrait chanter une chanson et dire des choses

gentilles sur lui, a renchéri Karen. Disons, vers trois heures. Je vais prévenir tout le monde.

Nous avons immédiatement commencé à tout préparer et nous nous sommes rejoints tous les six à la porte du jardin.

– Qu'est-ce qu'on va mettre sur la tombe ? a demandé David Michael. Je ne pense pas que nous ayons une pierre.

– On peut faire une stèle en bois, ai-je proposé. Il y a des morceaux de bois dans l'atelier.

– On s'en occupe, a dit Samuel.

Je savais que Charlie et lui voulaient surtout nous faire plaisir. La mort de Foxy les attristait, mais ils étaient trop vieux pour organiser des funérailles de chien.

– Inscrivez Foxy Parker, RIP sur la tombe, a décrété Karen.

– C'est quoi RIP ? a demandé David Michael.

– Ça veut dire « repose en paix », ai-je expliqué.

– Ça fait un peu bizarre, a marmonné mon frère. On pourrait écrire « Notre chien bien-aimé » plutôt.

– Non ! a protesté Karen qui veut toujours avoir raison. Mettez RIP. C'est toujours comme ça dans les livres et à la télé.

Karen et moi avons eu une longue discussion à ce sujet. Finalement Samuel a trouvé la solution en suggérant d'écrire « Repose en paix, notre chien bien-aimé ». Puis il est parti avec Charlie en nous laissant organiser la suite.

– Il faut chanter un hymne, a décidé David Michael.

Mais nous ne connaissions que des chants de Noël, rien de bien adapté à la situation.

– Et si on chantait une chanson de chien ? ai-je proposé.

– J'en connais une, a dit Andrew. *Ce fermier avait un chien qui s'appelait Bingo, oh oh oh...*

– On ne peut pas chanter ça à un enterrement, s'est exclamé David Michael.

– Et *Dans la ferme à MacDonald ?* a repris Andrew. Dans sa ferme, il pourrait y avoir un chien.

– Non.

– Chantons simplement une chanson triste, a dit Karen.

– Non, une gaie, ai-je répliqué. Foxy n'aurait pas voulu que nous soyons tristes.

– Mais des funérailles sont censées être tristes, a-t-elle insisté.

L'atmosphère était tendue. Finalement, nous avons pris notre décision. Au lieu de chanter, nous passerions *Frère Foxy* sur la chaîne hi-fi. Puis nous dirions chacun quelque chose de gentil à Foxy sous la forme d'une simple phrase, au lieu de demander à quelqu'un de lire un ennuyeux discours. Cette jolie idée était d'Andrew. Sa maîtresse avait lu en classe *Dix Gentillesses pour Barney*, dans laquelle une famille évoque le souvenir de son chien, Barney. (C'était une chance qu'Andrew ait entendu cette histoire avant la mort de Foxy.)

À trois heures moins dix, nous avons appelé maman et Jim, et nous sommes allés tous ensemble dans le jardin, près d'un forsythia sous lequel Foxy aimait dormir. Samuel tenait la stèle qu'il avait fabriquée avec Charlie, Charlie apportait une pelle, et David Michael la laisse et les écuelles de Foxy. Nous allions les enterrer. Ce serait presque, avions-nous décidé, comme si on enterrait Foxy lui-même.

– Bon, ai-je dit, Samuel, peux-tu commencer à creuser ? Ensuite, nous pourrons dire chacun quelque chose de gentil sur Foxy.

– Non ! s'est indignée Karen. Tout le monde n'est pas là !

– Mais si, nous sommes là tous les huit.

À ce moment précis, j'ai entendu une voix :

– On est en retard ?

En me retournant, j'ai vu s'avancer Louisa et Tiffany, Cornélia et Lenny, ainsi qu'Amanda et Max, suivis de deux amies snobs de Louisa Kilbourne. Tout ce petit monde a pris place derrière nous.

J'ai lancé un regard noir à Karen, horrifiée.

– Je les ai invités, s'est-elle justifiée.

J'ai hoché la tête. Je ne voulais pas de Louisa Kilbourne à l'enterrement de mon chien. Elle s'était moquée de lui. De plus, qu'allait-elle penser de cette cérémonie en mémoire d'un chien ? Mais il n'y avait plus rien à faire, c'était trop tard.

Samuel a rougi en voyant arriver les invités, mais il a continué à creuser la tombe. David Michael s'avança pour y déposer la laisse et les écuelles et Charlie les a recouvertes de terre et a planté la stèle.

– Maintenant, chacun va parler, a précisé David Michael. Je passe en dernier.

Karen s'est évidemment portée volontaire pour commencer.

– Foxy était un bon chien bien élevé.

– Il dormait sur mes pieds pour les réchauffer, a poursuivi Andrew.

J'ai risqué un coup d'œil sur le reste de l'auditoire. À ma grande surprise, personne ne riait et Louisa Kilbourne essuyait même quelques larmes.

– Foxy jouait bien au football, a enchaîné Charlie.

– Il avait le sens de l'humour, ai-je dit à mon tour.

– C'était un bon compagnon, a complété Samuel.

– C'était un amour de chien, a ajouté maman.

– Il était gentil avec Boo-Boo, a dit Jim.

David Michael a laissé échapper un soupir.

– C'était mon meilleur ami, a-t-il conclu.

Puis après un moment de silence, il a allumé la chaîne et l'air de *Frère Foxy* s'est fait entendre. Nous pensions tous très fort à notre bon vieux colley.

Quand la chanson a été terminée, je me sentais triste et gaie à la fois. Une main s'est alors posée sur mon bras. C'était Louisa.

– Je suis vraiment désolée pour Foxy. S'il arrivait quelque chose à Astrid, je ne sais pas ce que je ferais.

Puis elle s'est éloignée et tous les amis du défunt sont partis un à un.

14

C'est un lundi, deux jours après les funérailles de Foxy, que je suis retournée garder les jeunes Snob. J'avais désormais une meilleure opinion des Delaney, mais ce surnom leur était resté.

– Raconte-nous encore ce qui est arrivé à Foxy, m'a suppliée Max.

Nous jouions tous les trois à l'escargot dans l'allée, mais les Snob s'arrêtaient souvent pour poser des questions sur notre chien. Ce n'était pas par méchanceté, mais par curiosité. Ils n'avaient probablement jamais connu une telle situation.

– Foxy était malade, ai-je expliqué pour la quatrième ou la cinquième fois. Il était vraiment très vieux et ne se sentait plus bien du tout. Il souffrait beaucoup… C'est à toi, Amanda.

Amanda a sautillé à l'intérieur de la coquille, en évitant adroitement mes cases et celles de Max. Elle en a choisi une et a tracé un A à l'intérieur.

– Comment Foxy est-il tombé dans l'escalier ? a-t-elle voulu savoir.

– Il n'a pas vu les marches.

J'étais au bord de la coquille et je sautais vers le centre. Amanda m'a tendu la craie.

– Et David Michael s'est cogné l'œil ? a renchéri Max.

– Ouais !

– Il a pleuré ?

– Un petit peu. Son œil est devenu tout noir et bleu.

– Priscilla n'a jamais été malade, a précisé Amanda. Ça doit être parce qu'elle a coûté cher.

– Ça m'étonnerait, mais tant mieux si elle est en bonne santé.

– Si Priscilla meurt, a dit Max, on lui fera un enterrement.

Amanda a pris un air pensif.

– Oui, on pourrait lui faire une croix et mettre la musique des *Aristochats*.

– Et moi, je dirais que Priscilla avait une belle queue, a enchaîné Max.

– Et moi, que Priscilla valait très cher, a ajouté sa sœur.

C'était à nouveau au tour d'Amanda, lorsque Louisa Kilbourne est venue nous rejoindre. Elle berçait quelque chose dans ses bras.

– Salut, ai-je fait d'un ton incertain.

Je ne détestais plus Louisa, mais je ne savais jamais à quoi m'attendre avec elle.

– Salut, a-t-elle répondu joyeusement. Tiens, c'est pour toi.

Elle m'a tendu ce qu'elle serrait contre elle.

– Oh !

Je n'en croyais pas mes yeux. C'était un chiot ! Un tout petit chiot, âgé sans doute de quelques semaines à peine.

– Tu veux dire qu'il est pour moi ? Où l'as-tu trouvé ? D'où vient-il ?

– C'est une chienne, m'a expliqué Louisa. C'est un des petits d'Astrid.

– Astrid ? Tu veux dire qu'Astrid de Grandville a eu des petits ? Je pensais que c'était un mâle.

Louisa a eu un large sourire.

– Mais non ! Astrid, c'est un nom de fille. C'est scandinave ou quelque chose comme ça, et ça veut dire « force divine ».

Je n'arrivais pas à le croire : pourquoi Louisa me donnait-elle un chiot ? Cela n'avait pas de sens.

– Je ne sais pas pourquoi j'étais sûre qu'Astrid était un mâle. Pourquoi ne m'as-tu jamais dit qu'elle avait eu des petits ?

– Je ne sais pas. Tu ne me l'as jamais demandé. Je n'en ai pas eu l'occasion. Enfin bref, nous, je veux dire Tiffany, Maria, mes parents et moi, nous voulons t'offrir cette petite chienne. Elle est de pure race. Nous allons vendre les autres mais nous aimerions beaucoup que vous ayez celui-là. Tu sais… à cause de Foxy. (Sa voix avait baissé d'un ton.)

– Merci, ai-je murmuré doucement.

Je regardais le petit chiot dodu qui s'était niché dans mes bras. On aurait dit une boule de poil marron et blanc. Je me suis penchée vers lui et il m'a léché le nez.

– Par contre, tu ne peux pas la garder tout de suite, a précisé Louisa. Elle n'a que six semaines et nous voulons que les chiots restent auprès de leur mère jusqu'à huit semaines. Après, il sera à vous, si c'est d'accord avec M. Lel... avec tes parents.

– Il faut que je leur demande mais je suis sûre qu'ils seront d'accord. Ils étaient heureux d'avoir Foxy. La seule chose qui m'inquiète, c'est plutôt la réaction de David Michael. Je ne sais pas ce qu'il pensera du fait de « remplacer » Foxy, du moins si rapidement.

– Pourquoi ne pas lui demander tout de suite ? a répliqué Louisa. Il est chez toi ? Dis-lui de venir voir le chiot.

– Je ferais mieux de téléphoner d'abord à ma mère.

– Louisa ! Louisa ! a crié Amanda en sautillant sur place. On peut jouer avec le chiot, s'il te plaît ?

– Allez, s'il te plaît ! a insisté Max.

C'est la première fois que j'entendais les Snob dire « s'il te plaît » de leur propre chef. Je ne savais pas si c'était vraiment par politesse, ou juste pour pouvoir jouer avec le chiot. Enfin, c'était agréable à entendre.

– D'accord, a répondu Louisa, mais il faut la rentrer. Dehors, il y a beaucoup de microbes et elle n'est pas encore vaccinée.

– Oh, dit Amanda, est-ce qu'elle va faire pipi ou quelque chose comme ça ? Il faut faire attention. La fontaine de l'entrée a coûté deux mille dollars, et les tapis d'Orient de la salle de séjour sont d'origine et ils valent…

– Amanda, l'ai-je coupée, ne t'en fais pas pour ça. Nous allons l'emmener à la cuisine et nous mettrons d'abord du papier journal par terre.

Nous sommes rentrés par la porte de derrière (pour éviter la fontaine à deux mille dollars). Je me suis assise sur une chaise avec la petite chienne sur les genoux tandis que Louisa et les Snob recouvraient le sol de journaux. Puis, je l'ai posée par terre et elle s'est mise à batifoler. Elle s'attaquait aux pieds de table ennemis et aux portes de placard mais, quand Priscilla est apparue, elle a fait un énorme bond. La chatte s'est réfugiée en haut du réfrigérateur alors que la petite chienne se sauvait dans un coin de la pièce. Amanda et Max ont éclaté de rire.

– Maintenant Max, jette-lui le steak en caoutchouc, a conseillé Louisa.

Max l'a lancé à l'autre bout de la pièce. Le chiot a couru après sur ses pattes dodues en dérapant sur le papier.

– Alors qu'en penses-tu ? m'a demandé Louisa.

– Elle est adorable, ai-je répondu, mais je vais téléphoner à ma mère.

J'ai composé le numéro de son bureau.

– Maman ! Tu ne devineras jamais ! Louisa Kilbourne, tu sais, qui habite de l'autre côté de la rue ? Eh bien, sa chienne a eu des petits, des bergers bernois, et elle en a amené un chez les Delaney – je suis en train de garder les enfants – et elle me l'offre, c'est une petite chienne… À cause de Foxy. Mais on ne pourra pas l'avoir avant deux semaines.

Je n'avais pas laissé à ma mère le temps de dire un mot, tellement je voulais qu'elle me réponde oui.

J'ai compris à quel point c'était gentil de la part de Louisa. Cela voulait sans doute dire qu'elle souhaitait qu'on devienne amies.

– S'il te plaît, maman, peut-on avoir le chiot ? ai-je supplié en baissant le ton et en essayant de me calmer. Je pense que ce serait bien pour David Michael. Et si ça ne l'enchante pas trop, nous aurions encore au moins deux semaines pour le convaincre. Tu...

– Kristy, m'a interrompue ma mère, c'est d'accord.

– C'est vrai ?

– Oui, Jim et moi, nous avions déjà décidé d'acheter un autre chien dès que David Michael aurait été prêt. Nous avions même pensé à ceux des Kilbourne, donc je sais que Jim sera d'accord. J'appellerai les Kilbourne ce soir pour les remercier.

– Tu savais qu'Astrid de Grandville était une femelle ? Tu savais qu'elle avait eu des petits ?

Maman devait se remettre au travail, donc nous avons dû arrêter là notre conversation. Mais, en raccrochant, j'avais l'impression que j'allais tomber dans les pommes ! Je regrettais tellement d'avoir traité nos voisins de snobs sans avoir fait l'effort d'essayer de mieux les connaître.

– Maman a dit oui ! ai-je annoncé.

– Formidable ! Maintenant, appelle ton frère.

Je lui ai téléphoné en lui demandant simplement de venir chez les Delaney sans préciser pourquoi.

Tandis que nous attendions David Michael, Amanda et Max jouaient avec le chiot.

– Tu sais, Louisa, je suis vraiment désolée de te prendre tes baby-sittings, me suis-je excusée. J'étais tellement habituée à en faire dans mon ancien quartier qu'il ne m'est même pas venu à l'esprit de ne pas pouvoir continuer ici. Cela fait partie de ma vie. Je n'avais pas pensé qu'il pouvait y avoir déjà d'autres baby-sitters.

– Écoute, il n'y a pas de problème, a répondu Louisa. Il y a plus de travail qu'il n'en faut par ici. Tiffany et moi sommes les seules parmi nos amies qui aimons vraiment garder les enfants, et on ne peut pas tout faire. Je pense que, en fait, j'étais… (Elle a rougi) jalouse.

– Jalouse de moi ?

– Oui, parce que ton club est vraiment une bonne idée.

– Mais Tiffany et toi, vous disiez que c'était un peu puéril.

– On l'a dit mais on ne le pensait pas.

On a sonné à la porte, et j'ai fait entrer David Michael. Lorsqu'il a vu la petite chienne dans la cuisine, une foule d'expressions se sont succédé sur son visage.

D'abord, il a paru surpris, puis content, puis triste (en pensant à Foxy, je suppose), puis méfiant.

– C'est à qui ? a-t-il demandé en regardant Louisa puis les Snob.

– En fait, elle est à nous, ai-je répondu, si tu veux d'elle.

Et je lui ai raconté toute l'histoire.

– Je n'en veux pas ! s'est-il écrié brusquement. Ce n'est pas Foxy.

J'ai eu envie de le secouer mais, avant que je puisse faire quoi que ce soit, David Michael s'est mis à genoux sur le sol, presque malgré lui.

La petite chienne a caracolé vers lui et a posé ses pattes de devant sur ses genoux. David Michael a souri.

Louisa et moi, nous avons échangé un regard complice. La petite chienne s'est dressée sur ses pattes arrière, David Michael s'est penché et ils se sont fait un bisou du bout dc la truffe.

– Ooh, c'est tout doux, a-t-il murmuré. Si nous la gardons, elle ne pourra pas remplacer Foxy. C'était un chien très spécial.

– C'est vrai, ai-je confirmé, Foxy était unique. Mais elle sera différente et agira différemment. Ce n'est pas une nouvelle Foxy.

– Bon, a fait David Michael.

– Alors tu veux bien d'elle ? a demandé Louisa.

– Oui, a répondu mon frère. Et on va l'appeler Louisa.

Et ce fut son nom.

15

– Kristy ! Au secours ! À l'aide ! Je suis poursuivie par le fantôme de Ben Lelland !
Karen est entrée précipitamment dans ma chambre, tout affolée.

– Kristy ! Kristy !

– Hum... Oui, Karen.

Elle faisait la folle. Elle savait aussi bien que moi qu'il n'y avait pas de fantôme au grenier. Et s'il y en avait eu un (car nous n'étions sûrs de rien...), il ne se serait pas amusé à poursuivre les petites filles en plein jour.

C'était un samedi après-midi, deux semaines après les funérailles de Foxy. Karen et Andrew étaient là pour le week-end et on allait bientôt avoir la petite chienne. Tous les membres du Club des baby-sitters se trouvaient dans ma chambre. Bien entendu, nous avions tenu notre réunion la veille mais, de temps à autre, nous aimons nous retrouver et parler d'autre chose que du club. Karen s'est laissée tomber par terre entre Mary Anne et Carla.

– Vous connaissez le vieux Ben Lelland, n'est-ce pas ?

– Ton arrière-grand-père ? a fait Mary Anne (les histoires de fantômes la passionnaient).

– Exact. Avant de devenir fantôme, il était... air... comment on dit, Kristy ?

– Herpétologiste ? ai-je suggéré.

– Non ! a crié Karen en riant. Le mot qui veut dire qu'il avait vécu tout seul chez lui pendant des années. Il ne sortait jamais et personne ne venait jamais le voir.

– C'était un ermite, d'après ce que raconte l'histoire de la famille Lelland.

– Et il détestait les pissenlits cuits, a précisé Karen.

Lucy a eu un haut-le-cœur.

– Eh, je t'assure que c'est vrai, a insisté Karen. Mais maintenant, c'est un fantôme et il hante notre grenier.

– Seulement le grenier ? s'est étonnée Claudia.

– Oui, Dieu merci, ai-je répondu.

– Mais de temps à autre, il le quitte, a poursuivi Karen. Seulement quelques minutes. Il aime me poursuivre dans les couloirs. Il dit qu'autrement, il n'a pas l'occasion de faire de l'exercice.

– Tu veux dire de l'e-x-o-r-c-i-s-m-e ? épela Mary Anne, mais Karen était trop jeune pour saisir le jeu de mots.

Néanmoins, toutes les autres se mirent à rire.

– Tu sais bien que ce n'est pas vrai, Karen ? ai-je demandé.

– Oui, mais c'est amusant de faire semblant. Parfois, je suis sûre qu'il est derrière moi (j'ai eu un frisson). Mais ce n'est pas la même chose pour le grenier, il est vraiment hanté.

– Chez nous, il y a un passage secret, a déclaré Carla.

– Ah oui ? a fait Karen en ouvrant des yeux ronds.

– J'y suis allée, ai-je précisé.

– C'est vrai ?

Ses yeux sont devenus aussi grands que des soucoupes.

On a entendu soudain un épouvantable vacarme.

– Qu'est-ce que c'est ? s'est exclamée Lucy.

– Mes frères. Enfin, je crois.

– Ouais, ouais, a confirmé Karen. Ils sont en train de jouer au football.

– Ici, à l'intérieur ?

– Oui, c'est Andrew qui fait le ballon.

J'ai levé les yeux au ciel. Maman et Jim étaient sortis pour l'après-midi. Je ne faisais pas la baby-sitter puisque Samuel et Charlie étaient là, mais j'aurais peut-être dû intervenir. Il y avait dix enfants dans la maison, plus Boo-Boo.

J'ai soupiré.

– Ici, c'est une maison de fous ! Vous imaginez ce que ça sera quand Louisa (la chienne) sera là !

À ce moment, Samuel a fait son entrée dans ma chambre en tenant Andrew dans ses bras, et il l'a jeté sur le lit.

– Badaboum !

Andrew gloussait et criait. Il avait l'air un peu trop énervé, ce qui n'était pas vraiment dans sa nature.

– Fais-moi faire le boulet de canon !

Il s'est recroquevillé en boule, Samuel l'a ramassé et a couru dans le couloir avec lui en chantant *Badaboum badaboum badaboum boum*. Puis nous avons entendu un bruit sourd quand mon frère l'a lancé sur un autre lit.

– Hé, les garçons ! Calmez-vous un peu ! leur ai-je crié.

Mes amies ont éclaté de rire.

Karen s'est mise à courir derrière Samuel en criant :

– À moi, à moi !

– Quand auras-tu le petit chien ? a voulu savoir Mary Anne.

– Dans deux ou trois jours.

– Tu sais, Kristy, a commencé Claudia, je ne devrais pas le dire, mais…

– Alors, ne le dis pas, l'ai-je coupée.

Claudia m'a tiré la langue avant de poursuivre :

– Mais tu t'es pas mal plainte de Louisa Kilbourne et de toutes les snobinardes du quartier, et voilà que Louisa te donne un chiot. Je trouve que c'est vraiment gentil.

– Je sais… Elle n'est pas aussi méchante que je le croyais. Finalement, elle n'est pas si mal. On a un peu discuté le jour où elle a amené le chien.

– Discuté comment ?

Claudia était allongée par terre et faisait une énorme bulle rose avec son chewing-gum. Au bout de quelques secondes, Lucy lui a fait remarquer :

– Tu sais, si ça éclate, tu en auras plein le visage et les cheveux.

Claudia l'a ignorée et a continué à souffler.

– Nous avons parlé de baby-sitting, ai-je repris. Je lui ai dit que je n'avais pas voulu empiéter sur son territoire quand je suis arrivée ici, et que c'était tout naturel pour moi de garder des enfants.

– Et qu'est-ce qu'elle a répondu ? a demandé Mary Anne. Elle a compris ?

– Oh ! oui. Tu le croiras ou non, elle m'a dit qu'elle était jalouse.

– Tu plaisantes ? se sont exclamées en chœur Carla et Lucy.

– Pas du tout. Elle a dit qu'elle n'était pas vraiment en colère car elle et Tiffany – c'est sa sœur – sont les seules à vraiment aimer le baby-sitting, et elles ont bien assez à faire dans le quartier. Mais elle est jalouse de notre club.

– Je me demande, a murmuré Mary Anne, si elle accepterait de devenir un membre associé du club, elle aussi, comme Logan Rinaldi. C'est bien de pouvoir faire appel à d'autres quand nous sommes trop occupées.

– Ouais, ai-je acquiescé, et comme ça, elle pourrait participer au club sans en faire vraiment partie.

– Bonne idée ! s'est enthousiasmée Lucy. Il n'y a pas si longtemps, nous étions très prises et nous aurions bien voulu être plus nombreuses. Bien entendu, il faudrait d'abord que nous la rencontrions.

J'ai regardé mes amies qui paraissaient toutes plus ou moins d'accord, à part Claudia qui continuait à souffler dans son chewing-gum. Petit à petit, la bulle prenait une taille record.

– J'appelle Louisa, ai-je décidé.

Sa mère m'a répondu qu'elle venait juste de partir chez nous avec la chienne pour la montrer à David Michael.

– C'est parfait, ai-je dit à mes amies après avoir raccroché. David Michael va pouvoir s'amuser avec Louisa la chienne, et vous les filles, vous pourrez rencontrer Louisa la baby-sitter.

Ça paraissait être un bon plan, sauf que, lorsque Louisa est entrée dans ma chambre, trois choses se sont produites en même temps : la bulle de Claudia a éclaté (en se collant comme prévu sur son visage et ses cheveux), Lucy a renversé un soda et Samuel a propulsé Andrew sur mon lit.

Louisa a regardé autour d'elle comme si elle venait d'arriver chez les fous.

– Salut ! ai-je lancé, un peu nerveusement.

J'ai passé des mouchoirs de papier à Lucy, et Samuel et Andrew sont sortis de la chambre pour s'affaler un peu plus loin. J'ai refermé la porte derrière eux.

Claudia s'est redressée en ôtant des fils de chewing-gum de ses cils.

– Hum, Louisa... Je te présente le Club des baby-sitters. Celles qui sont normales : Carla et Mary Anne. Celles qui collent un peu : Claudia et Lucy. Et voici Louisa Kilbourne.

Nous avons ri car il n'y avait rien d'autre à faire.

– Vous êtes en réunion ? a demandé Louisa quand nous avons été calmées.

– Pas vraiment. Les réunions ont lieu en semaine, le lundi, le mercredi et le vendredi. De cinq heures et demie à six heures, ai-je précisé. (Je pensais à ce projet de lui attribuer un rôle au sein de notre équipe.)

– Si souvent que ça ? a-t-elle sifflé, impressionnée. Je ne pourrais jamais faire ça.

J'ai échangé un regard avec Lucy.

– Et pourquoi pas ?

– Oh, pour des milliers de raisons : les devoirs, les choses à faire après l'école… Je suis assez occupée. Je ne pourrais jamais m'engager comme ça. Ce club doit représenter beaucoup pour vous.

– Oh oui !

– Tu es vraiment sûre que tu ne pourrais pas ? a insisté Lucy.

– Oui, a répondu Louisa, étonnée, pourquoi ?

– Eh bien, nous nous sommes demandées si tu voulais faire partie du club. Nous avons très souvent trop d'appels à la fois. Et les gens préfèrent avoir affaire à quelqu'un de leur quartier, pour ne pas avoir à aller chercher et à reconduire la personne chez elle. Je suis la seule du club à habiter par ici, et nous pensions que ce serait bien si tu devenais membre du club.

Louisa semblait à la fois désolée et pensive.

– Ça me ferait vraiment plaisir, mais je ne vois pas comment je pourrais en faire partie.

– Écoute, est intervenue Mary Anne qui voulait la rassurer, ne t'inquiète pas. Tu pourrais devenir membre associé. Nous en avons déjà un, et vous seriez deux. Pour toi, ce serait parfait car tu n'aurais pas à assister aux réunions. On t'appellerait seulement pour nous seconder. Tu te ferais de l'argent de poche, tu trouverais de nouveaux enfants à garder, et nos clients seraient contents car ils seraient sûrs de trouver quelqu'un.

Nous regardions Louisa d'un air interrogateur.

– Qu'en penses-tu ? l'ai-je questionnée.

– Je pense que ça a l'air formidable. J'accepte.

– Oui ! me suis-je écriée. Louisa est notre nouveau membre associé !

– C'est à un chien que vous avez demandé de faire partie de votre club ? a fait une petite voix étonnée.

Mes amies et moi, nous nous sommes retournées ; David Michael se tenait sur le seuil. Il portait maladroitement le chiot, en laissant pendre ses pattes arrière.

– Mais non, gros bêta ! C'est l'autre Louisa !

– Oh, a-t-il fait en posant la chienne par terre.

Elle s'est mise à gambader dans ma chambre et David Michael l'a suivie, l'air heureux.

Je savais qu'il n'oublierait jamais Foxy, comme chacun de nous d'ailleurs, car il nous avait laissé une sorte d'héritage. Il m'avait fait rencontrer Louisa et, d'ennemies, nous étions en train de devenir amies. Grâce à cela, nous avions maintenant un nouveau chien dans la famille. C'est à tout cela que je pensais. La fin de quelque chose peut parfois être à l'origine de nouveaux commencements. Il s'était passé des choses très tristes mais des événements heureux leur succédaient.

Voilà ce que Foxy nous avait enseigné et nous ne devions jamais l'oublier.

LE CLUB DES BABY-SITTERS

Les malheurs de JESSICA

①

– Miaou, miaou, miaou. Ron, ron.

Je me suis penchée au bord de mon lit.

– Fais-moi des caresses, a murmuré une petite voix.

Bien sûr, ce n'était pas un animal, c'était ma sœur Rebecca qui faisait semblant d'être un chat.

Je lui ai tapoté la tête en déclarant :

– Rebecca, il faut que je fasse mes devoirs.

– Alors pourquoi tu es couchée sur ton lit ?

– Parce que c'est vraiment très confortable pour travailler.

– Tu devrais être assise à ton bureau.

C'est vrai. Mes parents pensent que les devoirs sont magiquement mieux faits si je suis assise plutôt qu'allongée. J'ai soupiré. Puis j'ai tenté de changer de sujet.

– Pourquoi tu fais le chat, ce soir ?

– J'essaie d'imiter tous les animaux. C'est drôle de faire semblant.

Le soir précédent, Rebecca avait fait semblant d'être un chien, et la veille, un cheval.

– Et bien, mon chaton, laisse-moi finir mes devoirs.

– Miaou, a répondu ma sœur en se remettant à quatre pattes.

Rebecca a huit ans et demi et beaucoup d'imagination. Si elle n'était pas aussi timide, elle deviendrait probablement une formidable actrice, mais elle a le trac. Moi, je ne l'ai pas, heureusement, car je fais de la danse et je dois très souvent me produire en public.

Je pense que je ferais bien de me présenter. Je m'appelle Jessica Ramsey, j'ai onze ans et je suis en sixième. Rebecca et moi, nous vivons avec nos parents et notre petit frère, P'tit Bout. Son véritable nom est John Philip Junior. Mais, quand il est né, il était si petit que les infirmières de la maternité l'ont appelé P'tit Bout. C'était amusant mais maintenant que P'tit Bout, qui marche depuis peu, a la taille des enfants de son âge, ce surnom fait un peu bizarre.

Donc, comme je l'ai dit auparavant, je fais de la danse classique. Je prends des cours depuis des années. Mon école de danse est à Stamford, qui n'est pas loin de Stonebrook, dans le Connecticut, où nous vivons. Nous n'y habitons pas depuis longtemps. Nous sommes arrivés d'Oakley, dans le New Jersey, il y a quelques mois, quand on a proposé à mon père un emploi qu'il ne pouvait décemment pas refuser.

Oh ! Autre chose au sujet de ma famille, nous sommes noirs. En fait c'est plus important que ça n'en a l'air. Vous savez pourquoi ? Ce n'était pas la même chose quand nous vivions dans le New Jersey. Il y avait des Noirs et des Blancs parmi nos voisins, ainsi qu'à mon cours de danse et à l'école. Mais, croyez-le ou non, nous sommes l'une des rares familles noires de Stonebrook. En fait, je suis la seule élève noire de ma classe. Au début, quand nous sommes arrivés ici, il y a des gens qui n'ont pas été très gentils avec nous. Certains ont même été méchants. Mais ils se sont calmés et, peu à peu, tout s'arrange. Rebecca et moi, nous nous faisons des amis. En fait, j'ai beaucoup plus d'amis que Rebecca. Il y a deux raisons à cela : tout d'abord, je ne suis pas timide, ensuite, je fais partie du Club des baby-sitters (je vous en reparlerai plus tard).

Ma mère est merveilleuse et mon père aussi. Nous formons une famille très unie. Nous n'avons pas d'animal domestique. Nous n'en avons jamais eu, même si Rebecca aurait bien aimé.

Au cas où vous vous demanderiez ce qu'est le Club des baby-sitters, laissez-moi vous expliquer. Le club est très important pour moi parce que c'est là que j'ai rencontré la plupart de mes amies. C'est une véritable entreprise, une entreprise de baby-sitting. Kristy Parker l'a fondé et en est la présidente. Nous sommes six à en faire partie. Nous gardons les enfants de notre quartier, nous avons beaucoup de travail et nous nous amusons beaucoup.

Ma meilleure amie à Stonebrook est Mallory Pike. Nous sommes dans la même classe au collège. C'est elle qui m'a fait entrer au Club des baby-sitters. Les autres filles avaient besoin de quelqu'un et finalement elles nous ont prises toutes les deux. Notre amitié venait de débuter, à l'époque, et maintenant que nous sommes au club depuis un bon moment, nous sommes devenues les meilleures amies du monde. (J'ai une autre meilleure amie à Oakley, ma cousine Keisha.) Font partie du club : Mallory, Kristy, Claudia Koshi, Mary Anne Cook, et Carla Schafer. Deux autres personnes nous aident également mais ne viennent pas à nos réunions ; ce sont nos membres intérimaires : Logan Rinaldi et Louisa Kilbourne. (Je vous reparlerai d'eux plus tard.) C'est drôle que toutes les six nous nous entendions si bien parce que nous sommes très différentes. Nous avons des personnalités très différentes, des goûts différents, des allures différentes et des familles différentes.

Kristy Parker, notre présidente, est… bon, disons, pas du tout timide. Kristy est directe et extravertie. Parfois, il peut lui arriver de hausser le ton et de se montrer autoritaire. Mais, au fond, elle est vraiment gentille. Et elle est toujours pleine d'idées. Kristy a treize ans et est en quatrième (comme toutes les autres filles du club, sauf Mallory et moi). Elle est jolie avec ses cheveux longs châtains, mais elle n'attache pas beaucoup d'importance à son apparence. Je veux dire qu'elle ne prend pas la peine de se maquiller, et porte toujours un jean, un pull et des baskets. La famille de Kristy est assez compliquée. Ses parents ont divorcé et, pendant très longtemps, Kristy a vécu avec sa mère et ses deux frères aînés, Samuel et Charlie (qui sont au lycée), ainsi que son petit frère, David Michael, qui a sept ans. Mais, quand sa mère a rencontré cet homme très riche, Jim Lelland, et s'est remariée avec lui, les choses ont changé pour Kristy. Tout d'abord, Jim a fait déménager toute la famille dans son immense maison à l'autre bout de la ville. Avant, Kristy habitait à côté de chez Mary Anne Cook et en face de chez Claudia Koshi. Maintenant elle vit dans un autre quartier. De plus, Kristy s'est retrouvée avec un demi-frère et une demi-sœur – les enfants que Jim a eus de son premier mariage, Karen et Andrew, qui ont six et quatre ans. Bien qu'il ait fallu quelque temps à Kristy pour s'adapter à sa nouvelle vie, elle adore Karen et Andrew. Ils font partie des enfants qu'elle aime le plus garder. La famille de Kristy compte également deux animaux domestiques : une adorable petite chienne appelée Louisa et un vieux chat énorme, Boo-Boo.

La vice-présidente du club est Claudia Koshi, et elle est vraiment cool. Je crois que c'est la personne la plus cool que je connaisse. Elle a un look incroyable. Elle est américano-japonaise et a de magnifiques et longs cheveux de jais, des yeux noirs en amande, et un teint parfait. Vraiment. Elle pourrait tourner une pub vantant les mérites d'un produit contre l'acné. Claudia raffole des romans d'Agatha Christie, des trucs sucrés et salés et elle déteste l'école. Elle est intelligente mais c'est une très mauvaise élève. (Malheureusement, sa sœur aînée, Jane, est surdouée, ce qui fait que Claudia paraît encore plus nulle.) Elle adore aussi la mode ; si vous voyiez ses vêtements ! Ils sont sensationnels, toujours terribles. Elle porte par exemple une minijupe, des collants noirs, des socquettes, des baskets montantes, une chemise qu'elle a peinte ou décorée elle-même et de grosses boucles d'oreilles qu'elle a fabriquées. Ses cheveux sont coiffés en queue de cheval et retenus non pas par une seule mais par six ou sept barrettes qui descendent en cascade le long de sa chevelure. Claudia me fascine. Elle vit avec sa sœur Jane, ses parents et sa grand-mère Mimi. Les Koshi n'ont pas d'animaux domestiques.

Mary Anne Cook est la secrétaire du club. Elle habite en face de chez Claudia. Et jusqu'à ce que Kristy déménage, elle habitait à côté de chez les Parker. Mary Anne et Kristy sont de grandes amies et depuis très longtemps. (Carla est l'autre meilleure amie de Mary Anne.) J'ai toujours pensé que c'était intéressant parce que Mary Anne et Kristy ne se ressemblent pas du tout. Mary Anne est timide, calme et un peu romantique. (C'est la seule de notre club à avoir un petit ami. Et devinez qui c'est? Logan Rinaldi, l'un de nos deux intérimaires.) Mary Anne est aussi quelqu'un qui sait écouter et elle est très patiente. Sa mère est morte il y a des années; aussi, c'est son père qui l'a élevée tout seul et, pendant longtemps, il s'est montré très strict avec elle. Je ne connaissais pas Mary Anne alors, mais j'ai entendu dire que M. Cook avait édicté un tas de règles et qu'elle n'avait pratiquement le droit de rien faire. Mais récemment, M. Cook s'est un peu assoupli. Il ne permet toujours pas à Mary Anne de se faire percer les oreilles, mais au moins elle peut sortir avec Logan de temps en temps et choisir elle-même ses vêtements. Du coup, elle s'habille beaucoup mieux – pas aussi bien que Claudia, mais elle se soucie davantage de son apparence, contrairement à Kristy. La famille de Mary Anne n'est composée que d'elle, de son père et de son chat, Tigrou.

Carla Schafer est la trésorière du Club des baby-sitters. J'aime bien Carla. Elle est géniale. Carla ne hausse jamais la voix comme Kristy mais elle n'est pas timide comme Mary Anne. Elle est très indépendante. Elle ne fait pas les choses parce que les autres les font. Et elle défend ses convictions. Carla est une véritable fille de Californie. Elle est arrivée dans le Connecticut il y a un an, mais elle attend toujours avec impatience la chaleur et elle aime la nourriture saine. Elle fait très californienne avec ses cheveux blonds très clairs et ses yeux bleus lumineux. Bien qu'on ne s'en rende pas compte, Carla a connu récemment des moments difficiles. Elle est arrivée ici avec sa mère et son jeune frère, David. Ses parents venaient juste de divorcer. Mme Schafer voulait vivre à Stonebrook parce qu'elle y avait grandi, mais trois mille cinq cents kilomètres séparent désormais les parents de Carla. Et comme si le divorce et le déménagement n'avaient pas suffi, David a finalement trouvé qu'il ne pouvait pas supporter la côte Est et est reparti en Californie ; aussi la famille de Carla est-elle coupée en deux, comme une assiette cassée. Mais Carla semble bien s'en sortir. Heureusement, elle peut compter sur sa meilleure amie, Mary Anne ; et sa mère et elle sont extrêmement liées. Une chose amusante à savoir : les Schafer habitent dans une vieille ferme qui possède un passage secret (c'est vrai !), et ils n'ont pas d'animaux.

Puis il y a Mallory. Mallory Pike et moi, nous sommes les baby-sitters juniors du club. Ce qui signifie que nous sommes trop jeunes pour garder des enfants le soir, à moins qu'il s'agisse de nos propres frères et sœurs. À propos de frères et sœurs, Mallory en a sept. Elle a la famille la plus nombreuse que j'aie jamais vue. En dehors de cela, et en dehors du fait que Mallory soit blanche et moi, noire, nous sommes probablement les seules amies à nous ressembler autant au club. Nous adorons toutes deux lire, surtout des histoires de chevaux, nous aimons écrire (Mallory encore plus que moi), nous portons chacune des lunettes (mais les miennes ne me servent qu'à lire) et nous pensons toutes deux que nos parents nous traitent comme des bébés. Pourtant, récemment nous avons fait une offensive et nous avons réussi à les convaincre de nous laisser nous percer les oreilles! Ensuite, Mallory a eu l'autorisation de se faire couper les cheveux, mais moi, je dois me battre encore pour ça. Aucune de nous deux ne sait ce qu'elle fera plus tard. Peut-être que je deviendrai danseuse professionnelle et Mallory, écrivain ou auteur-illustrateur, mais nous pensons que nous avons encore le temps pour décider. Pour le moment, nous sommes très contentes d'être des baby-sitters de onze ans.

Oh, il y a encore autre chose qui nous rapproche, Mallory et moi. Nous n'avons pas d'animal à la maison. Je ne sais même pas si Mallory aimerait en avoir un – elle n'en a jamais parlé. Mais je suis sûre que ses frères et sœurs aimeraient, comme Rebecca.

– Sss, sss.

Rebecca était allongée à plat ventre à la porte de ma chambre.

– Et maintenant, tu es quoi ? ai-je demandé.

– Je te donne un indice.

Elle a sorti sa langue.

– Ouille, ouille ! Un serpent ! Va onduler loin d'ici !

En riant, elle m'a obéi.

Je me suis remise à mes devoirs, mais je n'arrivais pas à me concentrer. Pas à cause de Rebecca, mais de la semaine de vacances que j'allais avoir. Enfin, en quelque sorte. D'habitude, après l'école, je vais soit à un cours de danse soit je garde des enfants. Je m'occupe de Mathew et de Helen Braddock, deux enfants géniaux. Mais la semaine prochaine, mon cours de danse sera fermé et les Braddock seront en voyage, bien qu'il y ait école. Donc, à part le collège et les réunions du Club des baby-sitters, je serai libre, libre, libre !

Que faire de tout ce temps disponible ? Je me le demandais. Facile. Je pourrais m'entraîner encore plus pour la danse, je pourrais lire. Les possibilités étaient illimitées.

②

– Salut, les filles ! Excusez-moi, je suis en retard.

J'arrivais hors d'haleine à la réunion du mercredi du Club des baby-sitters.

– Tu n'es pas en retard, m'a rassurée Kristy, notre présidente, tu es juste la dernière.

– Comme d'habitude !

– Bon, ne t'en fais pas. Mais il est cinq heures et demie et il est temps de commencer.

Kristy avait son air de femme d'affaires.

Mallory a tapoté le sol à côté d'elle, aussi ai-je poussé un peu le matériel de peinture de Claudia pour m'installer. Nous nous asseyons toujours par terre. Carla, Mary Anne et Claudia se mettent toujours sur le lit de Claudia.

Et devinez où Kristy s'assoit ? Dans le grand fauteuil de Claudia, et elle met une visière sur sa tête comme si elle était une reine ou un truc comme ça.

Les réunions du club ont lieu dans la chambre de Claudia, parce qu'elle est la seule à avoir le téléphone dans sa chambre et une ligne privée, ce qui permet à nos clients de nous joindre facilement.

Hum... Je crois que je ferais mieux de m'arrêter avant d'aller plus loin. Je vais vous expliquer comment est né le club et comment il fonctionne, pour que vous compreniez mieux.

Le club a commencé avec Kristy, comme je l'ai déjà dit. Elle en a eu l'idée il y a un peu plus d'un an. Sa mère, ses frères et elle habitaient en face de chez Claudia, et Mme Parker commençait à sortir avec Jim Lelland. En général quand leur mère devait s'absenter, c'était Kristy, Samuel ou Charlie qui s'occupaient de David Michael. Mais un jour, Mme Parker a eu besoin de le faire garder, et ni Kristy ni ses frères aînés n'étaient libres. Elle a donc dû téléphoner un peu partout. Kristy regardait sa mère passer un coup de fil après l'autre, quand un déclic s'est fait dans son esprit : elle s'est dit que sa mère pourrait sûrement gagner du temps si, sur un simple coup de fil, elle pouvait joindre plusieurs baby-sitters à la fois. Et c'est comme ça que Kristy a eu l'idée du club.

Elle en a parlé à Mary Anne et à Claudia, Claudia en a parlé à Lucy MacDouglas, une nouvelle amie à elle, et les quatre copines ont formé le Club des baby-sitters.

Les filles ont décidé de se réunir trois fois par semaine dans la chambre de Claudia (à cause du téléphone). Elles ont fait de la publicité dans le journal local et auprès des voisins, en les informant que l'on pouvait joindre quatre baby-sitters expérimentées les lundi, mercredi, vendredi après-midi, de cinq heures et demie à six heures.

L'idée géniale de Kristy a fonctionné ! Immédiatement, les filles ont eu du travail. Les gens les aimaient bien. En fait, le club avait tant de succès que, lorsque Carla est arrivée à Stonebrook et a voulu y entrer, cela n'a pas posé de problème, car les autres filles avaient besoin de quelqu'un. Et plus tard, quand Lucy MacDouglas a dû retourner à New York, il a fallu la remplacer. (Le départ de Lucy tombait mal parce que Lucy était devenue la meilleure amie de Claudia. Maintenant elles se manquent mutuellement.) Toujours est-il que Mallory et moi, nous sommes entrées au club pour aider à combler le vide laissé par Lucy. Et Louisa Kilbourne et Logan Rinaldi sont devenus membres associés. Cela veut dire qu'ils ne viennent pas aux réunions mais, si on nous propose un travail que nous ne pouvons assurer, nous appelons l'un ou l'autre pour savoir si cela l'intéresse. Ce sont nos intérimaires. Vous le croirez ou non, nous sommes obligées de les appeler de temps en temps.

Au club, chaque personne a un rôle ou une fonction précise. Il y a les membres intérimaires, Louisa et Logan, et les membres juniors, Mallory et moi. Les autres postes sont plus importants. En tant que présidente, Kristy s'occupe du déroulement des réunions, a plein d'idées, et, en fin de compte, elle a la responsabilité du club.

Claudia Koshi, notre vice-présidente, n'a pas beaucoup de choses à faire, mais nous envahissons sa chambre trois fois par semaine et nous occupons sa ligne. De plus, de nombreux clients oublient les jours et les horaires de nos réunions et appellent à d'autres moments. Je suppose qu'elle mérite d'être la vice-présidente.

En tant que secrétaire, Mary Anne Cook est probablement la personne qui travaille le plus. Elle est responsable de l'agenda, dans lequel nous consignons toutes les informations utiles : les coordonnées de nos clients, l'état de la trésorerie (en fait c'est le travail de Carla) et, le plus important, le calendrier des rendez-vous. La pauvre Mary Anne doit noter tous nos emplois du temps (mes cours de danse, les cours de dessin de Claudia, nos rendez-vous chez le dentiste, etc.) et tous nos baby-sittings. Quand quelqu'un appelle, c'est à Mary Anne de savoir qui est libre. Elle est méticuleuse, soigneuse et n'a jamais commis d'erreur jusqu'ici.

C'est un miracle.

Carla, notre trésorière, est responsable de la collecte de nos cotisations tous les lundis, et de la comptabilité de notre trésorerie de sorte que nous puissions payer Samuel, le frère aîné de Kristy, qui la conduit aux réunions et la ramène depuis qu'elle habite si loin. Nous faisons d'autres dépenses aussi, mais nous voulons être sûres de pouvoir payer Samuel. Sinon à quoi nous sert notre argent ? Eh bien, à nous amuser, à acheter à manger pour des fêtes du club. Mais aussi à remplir nos coffres à jouets.

Je crois que je ne vous ai pas encore parlé des coffres à jouets. Encore une idée de Kristy. Un coffre à jouets (chacune de nous en a un), c'est une boîte décorée et remplie aussi bien de vieux jouets, de livres et de jeux, que de crayons neufs ou d'albums. Nous les emportons avec nous et les enfants les adorent. Les coffres à jouets nous ont rendues célèbres. De temps en temps, nous prenons un peu d'argent dans la caisse pour renouveler notre matériel.

La dernière chose spéciale dans notre club, c'est notre journal de bord. C'est un peu comme un journal intime. Chacune de nous doit y relater ses baby-sittings. Tout le monde doit le lire une fois par semaine pour se tenir au courant. Bien que peu d'entre nous aiment y écrire, je dois admettre qu'il est très utile. Quand je le lis, je sais ce qui s'est passé chez les enfants que nous gardons, ainsi que les problèmes rencontrés et la façon dont ils ont été résolus. (Le journal de bord est une idée de notre chère présidente, bien sûr.)

– Silence ! Silence ! criait justement Kristy.

Je venais juste de m'installer.

– Attendez une minute, interrompit Claudia, vous voulez manger quelque chose ?

Vous vous souvenez ? Je vous ai dit que Claudia aimait les trucs sucrés et salés. Eh bien, j'étais bien en dessous de la vérité. Claudia adore grignoter ! À tel point que ses parents lui interdisent les friandises. Mais Claudia ne peut pas s'en empêcher. Elle en achète quand même et les cache ensuite dans sa chambre. En ce moment, elle a des chips sous son lit, des bâtons de réglisse dans sa boîte à bijoux, et un sachet de M&M's dans son tiroir à chaussettes. Mais elle est très généreuse. Elle en offre à tout le monde au début de chaque réunion, étant donné que nous mourons de faim à cette heure-là. Et nous en mangeons aussi (enfin, pas Carla car elle ne jure que par les produits bio).

– Hum, hum, a toussoté Kristy.

– Allez, je sais que tu adores ça, a insisté Claudia.

– D'accord, a-t-elle marmonné en acceptant une poignée de M&M's.

Lorsque les bonbons ont eu fait le tour de la pièce, elle a repris la parole :

– Tout le monde est prêt maintenant ?

(Elle peut vraiment se montrer autoritaire quand elle veut.)

– Nous sommes prêtes, mademoiselle Parker, a décrété Claudia d'une voix haut perchée.

Tout le monde a éclaté de rire, même Kristy.

Nous avons parlé des affaires du club, et le téléphone s'est mis à sonner. Le premier appel était de Mme Newton. C'est la mère de Simon et de Lucy, que nous aimons beaucoup garder. Mary Anne a inscrit Carla pour ce baby-sitting. Puis le téléphone a sonné deux nouvelles fois : des gardes pour Mallory et Mary Anne. J'étais assez soulagée que rien ne soit prévu pour la semaine prochaine que j'attendais avec impatience pour me reposer un peu.

Dring, dring.

Un autre appel.

Claudia a répondu, mais elle avait l'air perplexe.

– Madame Mancusi ?

Kristy a levé les yeux du journal de bord qu'elle venait juste de lire.

– Madame Mancusi ? a-t-elle chuchoté. Mais elle n'a pas d'enfants.

Nous avons écouté la fin de la conversation de Claudia, sans comprendre grand-chose à ses « Hum », « Oh, je vois » et « Oui, c'est ennuyeux ». Puis, après un long moment, elle a déclaré :

– Eh bien, c'est un peu inhabituel, mais je vais en parler aux autres filles et nous verrons ce qu'elles en diront. Quelqu'un vous rappellera dans quelques minutes… Oui… D'accord… D'accord… Au revoir.

Claudia a raccroché et a consulté les notes qu'elle avait prises.

Nous avions toutes les yeux rivés sur elle.

– Eh bien ? l'a encouragée Kristy.

– Eh bien, M. et Mme Mancusi ont besoin d'une animal-sitter, a annoncé Claudia.

– Comment ça une animal-sitter ? a tonné Kristy.

– Oui, laisse-moi t'expliquer. Ils partent en vacances la semaine prochaine. C'est un voyage prévu depuis très longtemps. Et vous avez vu tous les animaux qu'ils ont.

– Leur maison est un vrai zoo, a confirmé Mary Anne.

– Je sais, a renchéri Claudia, j'entendais des aboiements, des cris rauques et des gazouillis en bruit de fond.

– Et alors ? l'a brusquée Kristy.

– Attends que je t'explique. Les Mancusi avaient trouvé quelqu'un mais il vient juste d'appeler pour annuler.

– Ce n'est pas sérieux, a commenté Mallory.

– Je sais, a approuvé Claudia. Maintenant, M. et Mme Mancusi ne peuvent plus partir en vacances, à moins qu'ils ne trouvent quelqu'un d'autre.

– Oh, mais, Claudia, a gémi Kristy, tu ne te souviens donc pas ?

– Elle devrait se souvenir de quoi? ai-je demandé naïvement.

– Oh ! Le tout premier travail que j'ai trouvé quand j'ai créé le club, c'était de garder deux saint-bernard, et ça a été un désastre.

Je n'ai pas pu m'empêcher de rire.

– Vraiment ? Que s'est-il passé ?

– Oh, les chiens, Max et Puc, étaient gentils, mais ils étaient gros et turbulents, et ils ne faisaient que des bêtises. Quel après-midi ! J'ai juré de ne jamais recommencer.

– Mais, Kristy, a protesté Claudia, si les Mancusi ne trouvent personne, ils devront annuler les vacances de leurs rêves.

Kristy a soupiré.

– D'accord. Supposons que l'une d'entre nous soit assez folle pour accepter, est-ce qu'ils auront besoin de quelqu'un tous les jours ?

– Oui, quelques heures par jour, la semaine prochaine, plus le week-end avant et le week-end après. Ils partent le samedi et reviennent le dimanche suivant.

– Impossible ! a décrété Kristy. Je ne veux pas qu'une de mes baby-sitters soit prise pendant toute une semaine.

J'ai entendu Carla murmurer quelque chose qui ressemblait à... bon, ça n'avait pas l'air très gentil. Elle a donné un coup de coude à Mary Anne et Mallory a fait la grimace en chuchotant :

– Kristy se prend pour qui ? Pour la reine ?

Tout ceci m'a donné le courage de me lancer :

– Hum, vous savez que les Braddock s'en vont ?

Les autres se sont tournées vers moi.

– Ah oui ?

– Oui, et mon cours de danse est fermé la semaine prochaine. Vous vous souvenez ? Alors je suis libre toute la semaine. Je pourrais m'occuper des animaux des Mancusi. Je veux dire, s'ils sont d'accord. (Tant pis pour ma semaine de liberté !)

– Parfait ! s'est exclamée Claudia. Je les rappelle.

– Pas si vite ! l'a coupée Kristy. Je n'ai pas encore donné mon autorisation.

– Ton autorisation ? avons-nous toutes crié en chœur.

Kristy a dû comprendre qu'elle était allée trop loin. Elle est devenue écarlate.

Carla est intervenue :

– Écoute, ce n'est pas parce que tu as eu une mauvaise expérience que...

– Je sais, je sais. Je suis désolée.

Kristy s'est tournée vers moi.

– C'est bon, tu peux y aller, Jessi.

– Merci.

Claudia a rappelé Mme Mancusi, comme promis. Comme vous pouvez l'imaginer, elle était ravie. Elle a demandé à me parler. Après m'avoir remerciée plusieurs fois, elle m'a demandé :

– Quand pourrais-tu passer ? Il faut qu'on te montre comment t'occuper des animaux. Il y en a pas mal, tu sais.

Après une petite discussion, nous avons convenu du vendredi soir, juste après le dîner. C'était le seul moment où les Mancusi et moi-même étions libres. Étant donné qu'ils habitaient près de chez moi, je savais que mes parents seraient d'accord. J'ai raccroché.

– Ouh là ! Les Mancusi vont sûrement bien me payer.

– Ils ont intérêt, a répondu Kristy. Claudia ne t'a pas précisé combien d'animaux domestiques ils ont exactement. Il y a trois chiens, cinq chats, quelques oiseaux et hamsters, deux cochons d'Inde, un serpent, de nombreux poissons, et une cargaison de lapins et de tortues.

J'ai senti ma gorge se serrer. Dans quelle situation impossible m'étais-je fourrée ?

3

Dès que j'ai vu M. et Mme Mancusi, je me suis rendu compte que je les connaissais et… qu'ils me connaissaient.

Ils promènent toujours leurs chiens dans la rue, et je promène souvent P'tit Bout ou d'autres petits que je garde dans leur poussette. Jusqu'à ce que je les rencontre, je ne savais pas leur nom, et j'ignorais même que, en dehors de leurs chiens, ils possédaient un petit zoo.

Voilà ce que j'ai entendu quand j'ai sonné à leur porte : yip, yip, miaou, miaou, chirp, couac, rauouf, raouf, ouaf, ouaf…

Au fait, je suis plutôt bonne en orthographe et, de temps en temps, mon professeur me donne une liste de mots très difficiles à écrire et à utiliser dans des phrases.

La dernière fois, il y avait le mot cacophonie : mélange confus de sons discordants. Eh bien, toutes ces voix d'animaux n'étaient pas confuses, mais elles étaient discordantes et cela faisait un sacré mélange.

La porte s'est ouverte. Mme Mancusi m'a accueillie avec le sourire.

– Oh, c'est toi ! Entre.

À l'intérieur, le vacarme était presque insoutenable.

– Chuuut ! a ordonné Mme Mancusi, assis... assis, Cheryl.

Un grand chien danois s'est assis, obéissant. Bientôt les aboiements ont cessé. Puis les oiseaux se sont tus.

– Alors, Jessica, je t'ai vue souvent dans le quartier ces derniers temps.

– Nous sommes arrivés ici il y a quelques mois, ai-je répondu, sans préciser que le voisinage n'avait pas été très... bavard avec nous.

Mme Mancusi a hoché la tête.

– C'est ton frère que je vois avec toi de temps en temps ? a-t-elle demandé.

Un oiseau a traversé la pièce en piqué et s'est posé sur son épaule tandis qu'un chat blanc se frottait contre ses chevilles et commençait à tourner autour d'elle.

– Oui, c'est P'tit Bout. Enfin son vrai nom est John Philip Junior. J'ai aussi une sœur, Rebecca, qui a huit ans et demi. Mais nous n'avons aucun animal domestique.

Mme Mancusi a regardé affectueusement ses animaux.

– Finalement, ce n'est pas très différent chez nous. Mon mari et moi n'avons pas d'enfants, mais nous avons plein d'animaux favoris. Bien, je devrais commencer...

À ce moment, M. Mancusi est arrivé dans l'entrée à grands pas. Après quelques présentations, sa femme a déclaré :

– J'allais justement montrer les animaux à Jessica.

M. Mancusi a acquiescé.

– Commençons par les chiens. Je suppose que tu as déjà vu Cheryl, a-t-il dit en caressant le grand danois.

– C'est exact.

J'ai sorti un bloc de papier et un crayon de mon sac pour prendre des notes. Mais M. Mancusi m'a arrêtée.

– Ne t'inquiète pas, tout est noté. Nous te montrerons tout ça dans une minute. Laisse juste aux animaux la possibilité de faire connaissance avec toi. En fait, pourquoi ne pas leur parler ? Cela les aiderait à se sentir plus en sécurité avec toi.

– Leur parler ?

– Bien sûr. Dis tout ce que tu veux. Fais-leur entendre le son de ta voix.

Je me sentais un peu bête, mais j'ai caressé la tête de Cheryl en disant :

– Bonjour, Cheryl. Je m'appelle Jessica. Je vais te promener et m'occuper de toi la semaine prochaine.

Cheryl m'a regardée avec de grands yeux et… a bâillé.

– Hum, je ne t'impressionne pas, à ce que je vois.

Sur le sol de la salle de séjour était couché un caniche abricot.

– Voici Oursonne, a expliqué Mme Mancusi. Que tu le croies ou non, elle est plus difficile à faire obéir que Cheryl, qui est très obéissante malgré sa grande taille. Ce caniche est petit mais diabolique.

Je me suis agenouillée pour caresser la tête frisée d'Oursonne.

– Gentille fille… (Le caniche m'a dévisagée.) Gentille fille, je… hum, je m'appelle Jessica, nous allons nous promener la semaine prochaine, et puis, ai-je ajouté en chuchotant, j'espère que tu seras obéissante.

Le troisième chien des Mancusi était Jacques, un golden retriever. Il sommeillait dans la cuisine. Quand je me suis accroupie à côté de lui, il a posé sa patte sur mes genoux, mais en ouvrant à peine les yeux.

– Voilà Jacques, il n'a qu'un an, a commenté Mme Mancusi. C'est encore un chiot. Il essaie d'être obéissant mais, si Oursonne fait quelque chose, il ne peut s'empêcher de la suivre.

– Entendu, ai-je approuvé.

J'essayais de trouver quelque chose d'original à dire à Jacques, mais finalement je lui ai juste dit que j'étais impatiente d'aller le promener.

– Bien. Maintenant passons aux chats, a poursuivi Mme Mancusi, en prenant le chaton dans ses bras.

– Cette petite boule de poils s'appelle Poudre. Il n'a que deux mois et demi. Mais ne t'inquiète pas. Il sait prendre soin de lui. De plus, sa mère est là.

– Bonjour, Poudre, dis-je, en approchant mon visage de sa douce fourrure.

Puis Mme Mancusi a posé Poudre par terre et nous nous sommes dirigés vers la corbeille des quatre autres chats. Et nous y avons trouvé : Crosby, un chat tigré qui m'a flairée à la manière d'un chien, Ling-Ling, un chat siamois, Tom, un chat gris tacheté qui semblait avoir mauvais caractère, et Rosie, la mère de Poudre. Puis nous sommes allés dans le bureau où se trouvaient plusieurs volières qui contenaient des perruches, des cacatoès et des aras.

– Hello ! a fait un oiseau. Les biscuits Chocoroc, ça croquc ! ! !

Mme Mancusi a pouffé.

– C'est Franck. Il regardait beaucoup la télé avant de venir habiter chez nous.

Je devais avoir l'air étonné car elle a ajouté :

– C'est naturel pour certains oiseaux d'imiter ce qu'ils entendent. Franck peut dire d'autres choses aussi, n'est-ce pas, mon chéri ?

Franck a cligné des yeux mais il est resté silencieux.

– Tu vois, il n'est pas vraiment dressé, il ne parle que lorsqu'il en a envie.

Mme Mancusi a pris l'oiseau qui s'était posé sur son épaule quelques minutes auparavant et l'a remis dans une des cages.

– Elles sont souvent ouvertes, car nous laissons les oiseaux voler dans la maison. Mais je sais que ça risque d'être difficile de faire rentrer les oiseaux dans la volière, donc ce n'est peut-être pas une bonne idée pour la semaine prochaine.

Cela ne me paraissait pas une bonne idée du tout.

J'allais m'éloigner mais, comme Mme Mancusi me fixait des yeux, j'ai regardé à l'intérieur des cages en murmurant quelques mots à Franck et à ses amis.

Dans la cuisine, il y avait une cage pleine de hamsters et une autre, beaucoup plus grande, presque un enclos, qui contenait deux cochons d'Inde. J'ai d'abord observé les hamsters.

– Ce sont des animaux nocturnes, m'a expliqué Mme Mancusi, ils restent éveillés toute la nuit et dorment le jour au milieu de la cage, les uns sur les autres.

J'ai souri. Puis j'ai examiné les cochons d'Inde. Ils étaient assez intéressants aussi. Gros, beaucoup plus gros que les hamsters, ils reniflaient les bords de la cage. Très souvent, l'un d'eux poussait un sifflement.

– Ils s'appellent Lucy et Ricky, a enchaîné M. Mancusi. Ils adorent sortir de leur cage pour faire de l'exercice.

– D'accord ! me suis-je exclamée trouvant que Lucy et Ricky avaient l'air rigolos.

Nous avons quitté la cuisine et nous nous sommes dirigés vers la véranda. C'était beaucoup de travail, mais ce n'était pas impossible. Je pourrais y arriver.

C'était avant de faire la connaissance des reptiles. L'aquarium rempli de tortues, ça allait encore. Je n'aime pas les tortues, mais ça ne me donne pas la chair de poule.

Le plus terrible, c'était Barney.

Barney est un serpent. Il est très petit et pas venimeux, mais c'est quand même un serpent. Un serpent qui ondule, siffle et darde sa langue. Heureusement, M. et Mme Mancusi ne m'ont pas demandé de le toucher ou de le sortir de sa cage. Tout ce qu'ils voulaient, c'était que je le nourrisse. Ça, je pouvais le faire. Même si je devais lui donner les insectes et les vers de terre que M. et Mme Mancusi conservaient dans des bocaux. J'essaierais peut-être de porter des gants de cuisine. Ou peut-être pourrais-je me tenir loin des cages et les jeter à l'intérieur.

– Gentil Barney. Mignon Barney, ai-je murmuré comme les Mancusi attendaient que je lui parle. Tu ne me feras pas de mal, hein ?

Ensuite les Mancusi m'ont montré leurs poissons (au moins un million) et leurs lapins (Flappy, Cola, Toto et Pipo). Puis ils m'ont raccompagnée dans la cuisine, où ils avaient déposé les instructions concernant chaque animal, ainsi que tout ce qui me serait nécessaire pour les nourrir et leur faire faire de l'exercice (les écuelles, la nourriture, de plusieurs sortes, les laisses, etc.). Je devais venir chez eux deux fois par jour. Tôt le matin pour promener les chiens, les nourrir, ainsi que les chats, et après l'école pour sortir à nouveau les chiens et nourrir tous les animaux.

Lorsque j'ai quitté les Mancusi, je me sentais un peu abattue, mais confiante. Le travail était énorme, mais j'avais rencontré les animaux et j'avais vu les listes d'instructions. Elles étaient très claires. Si les animaux étaient sages, tout irait bien… probablement.

Le samedi fut ma journée test.

M. et Mme Mancusi étaient partis tôt le matin. En début d'après-midi, Cheryl, Oursonne et Jacques étaient prêts pour la promenade. Et le zoo entier avait faim. À quinze heures, je me suis rendue chez les Mancusi avec la clé de la maison. Dès que je suis entrée, le concert a commencé. J'ai réussi à mettre les laisses aux chiens pour les emmener faire une grande et gentille promenade. Tout s'est bien passé sauf quand Oursonne a repéré un écureuil. Pendant un bon moment, ce sont les chiens qui m'ont promenée et non l'inverse. Mais l'écureuil a disparu, les chiens se sont calmés et nous sommes rentrés tranquillement.

Une fois les laisses raccrochées au mur, j'ai joué avec les chats et les cochons d'Inde. J'ai laissé les lapins sortir quelques instants. Puis ce fut l'heure du repas. La nourriture des chiens dans l'écuelle des chiens, celle des chats dans l'écuelle des chats, la nourriture des poissons dans l'aquarium, la nourriture des lapins dans le clapier, la nourriture des oiseaux dans la volière, la nourriture des tortues dans leur aquarium et celle des hamsters dans leur cage, puis il a fallu s'occuper de… Barney.

J'ai regardé dans sa cage. Il était là, à moitié enroulé autour d'un rocher. Il ne bougeait pas, mais ses yeux étaient ouverts. Je pense qu'il me regardait. J'ai déniché une spatule dans la cuisine que j'ai utilisée pour soulever le couvercle de sa cage et, en un éclair, j'ai laissé tomber sa nourriture à l'intérieur et refermé le couvercle.

Barney ne bougeait toujours pas.

« Eh bien, c'était facile », ai-je pensé en faisant une dernière vérification. Beaucoup d'animaux étaient en train de manger. Mais les hamsters semblaient endormis, blottis les uns contre les autres, comme Mme Mancusi me l'avait décrit, sauf un très gros hamster. Il était couché dans un coin tout seul. Était-il rejeté par ses camarades ? J'ai décidé de ne pas m'inquiéter, puisque M. et Mme Mancusi ne m'en avaient pas parlé.

J'ai pris la clé de chez moi, prête à repartir, convaincue que mon premier après-midi d'animal-sitting était un succès.

4

Dimanche

Oh, là, là, là, là ! Quelle journée ! J'ai gardé Simon Newton et il a invité Nina Marshall pour jouer. Ça allait bien mais j'ai pensé que ce serait drôle pour les enfants d'aller voir les animaux des Mancusi. Quelle idée ! Simon avait peur du cochon d'Inde, alors nous avons promené les chiens, mais nous avons rencontré Shewy... et vous savez ce que ça veut dire : catastrophe imminente !

C'est vrai que nous avons eu quelques problèmes, comme l'a écrit Claudia, mais ce n'était pas si grave. Je veux dire que nous avons toutes connu pire.

Le dimanche après-midi, alors que je devais retourner chez M. et Mme Mancusi, Claudia gardait Simon Newton. Simon a quatre ans, et c'est un de nos enfants préférés. Kristy, Mary Anne et Claudia le gardaient bien avant que le Club des baby-sitters existe. Maintenant Simon a une petite sœur de huit mois, Lucy Jane, mais Claudia n'avait que Simon ce jour-là. Ses parents étaient sortis et avaient emmené Lucy Jane. Quand Claudia est arrivée chez les Newton, elle a trouvé Simon dans un état d'excitation terrible. Il sautait partout, chantait à tue-tête, et embêtait tout le monde, ce qui ne lui ressemble pas.

– Je ne sais pas où il va chercher toute cette énergie, a soupiré Mme Newton. J'espère que cela ne te dérange pas, mais je lui ai dit qu'il pouvait inviter Nina Marshall pour jouer. Ils ne seront pas trop de deux pour épuiser son énergie. Enfin, Nina va arriver d'un moment à l'autre.

– Oh, c'est très bien, a répondu Claudia, qui avait très souvent gardé Nina et sa petite sœur Eleanor.

Une fois les Newton partis, Claudia a emmené Simon dehors pour attendre Nina.

– *Mary Moire, Moire, Moire*, chantait Simon tout en sautant au rythme de sa chanson, *tout habillée de noir, noir, noir, avec des boutons d'ivoire, voire, voire, dans son dos, dos, dos. Elle sautait si haut, haut, haut* (Simon faisait de grands bonds) *qu'elle toucha le ciel, ciel, ciel, et ne revint, vint, vint, qu'au quatre juin, juin, juin.*

« Ouh là là, s'est dit Claudia, je n'ai jamais vu Simon comme ça. » Malheureusement, il ne s'est pas calmé quand Nina est arrivée. Claudia leur a proposé de jouer au ballon et... aussitôt, une dispute a éclaté.

– Si tu manques la balle, il faut que tu laisses passer ton tour, a décrété Simon.

– Ça non ! s'est écriée Nina, indignée.

– Si !

– Non !

– Stop ! est intervenue Claudia, en prenant le ballon des mains de Simon, ça suffit. On va faire autre chose.

– *Mary Moire*..., a recommencé Simon.

Claudia n'avait pas envie d'entendre cette chanson à nouveau. Elle s'est creusé la cervelle pour trouver une diversion et elle a eu une idée.

– Hé, les enfants ! Ça vous dirait d'aller dans un endroit où vous pourriez voir plein d'animaux ?

– Au zoo ? s'est exclamée Nina.

– Presque, a répondu Claudia. Alors ça vous tente ?

– Oui ! ont crié Simon et Nina en chœur.

– Bon, Nina, j'appelle tes parents pour les prévenir, et on y va.

Un quart d'heure plus tard, j'ai entendu sonner à la porte. J'étais venue pour promener les animaux et les nourrir. Comme vous pouvez l'imaginer, j'étais surprise. Qui cela pouvait-il bien être ? Quelqu'un qui ne savait pas que les Mancusi étaient en vacances, peut-être. J'ai regardé par la fenêtre avant d'ouvrir la porte. Claudia, Simon Newton et Nina Marshall ! Je les ai fait entrer tout de suite.

– Bonjour, tout le monde !

– Bonjour, a répondu Claudia, j'espère que nous ne te dérangeons pas.

– Non. Je viens juste d'arriver. J'allais sortir les chiens.

– D'accord, si cela ne t'ennuie pas, est-ce que Simon et

Nina peuvent regarder les animaux ? Ce sera comme une sortie nature !

J'ai ri.

– Bien sûr, je vais vous les montrer.

Mais pas besoin d'aller très loin. Oursonne était couchée dans l'entrée, et Rosie errait dans la maison, suivie de Poudre, qui trottinait derrière sa mère.

Simon et Nina ont caressé Oursonne et Rosie et tentèrent de câliner Poudre. Quand les animaux en ont eu assez, j'ai pris Simon et Nina par la main et les ai emmenés devant les volières. Franck a crié :

– Les biscuits Chocoroc, ça croque ! ! !

Puis :

– Deux, deux, deux bonbons pour un !

– Hé ! s'est exclamé Simon, je connais une chanson que tu vas aimer, Franck.

Il lui a chanté *Mary Moire.*

– Tu vois, ça ressemble à tes bonbons !

Je leur ai ensuite montré les lapins et les cochons d'Inde.

– On peut sortir les cochons d'Inde, si vous voulez.

Mais Simon a laissé échapper un cri.

– Non ! Non ! Ne les fais pas sortir !

Claudia l'a pris dans ses bras.

– Hé, ne t'en fais pas. Nous n'allons pas les laisser sortir. Qu'est-ce qui t'arrive ?

– Ils sont méchants ! Ils viennent de l'espace. Je les ai vus à la télé.

– Oh, Simon, non, ils ne sont pas méchants. Ils ne sont pas…

– Méchants ? s'est inquiétée Nina.

– Oui, a insisté Simon, ils sont méchants et affreux. Ils mordent les gens et ils dirigent le monde.

– Non, non, non ! Je veux rentrer à la maison ! a crié Nina.

J'ai donné un petit coup de coude à Claudia.

– Écoute, je dois sortir promener les chiens de toute façon. Si vous veniez avec moi ?

– Bonne idée !

Simon et Nina se sont calmés lorsqu'ils m'ont vue passer les laisses à Oursonne, Jacques et Cheryl.

– Est-ce qu'on peut tenir une laisse, Nina et moi ? a demandé Simon.

– J'aimerais bien vous laisser faire, mais les chiens sont sous ma responsabilité. M. et Mme Mancusi pensent que je m'occupe d'eux, donc il vaut mieux que ce soit moi qui les tienne. Je suis sûre que vous n'avez jamais vu quelqu'un promener trois chiens en même temps.

– Non, a reconnu Simon, alors que je refermais la porte derrière nous.

Les enfants m'ont regardée, avec de grands yeux, tandis que je prenais les trois laisses dans la main droite et hop ! les chiens m'ont traînée dehors comme si je faisais du ski nautique.

Nous avons éclaté de rire. Les méchantes bêtes étaient oubliées.

– Je vais vous raccompagner chez vous, ai-je proposé à Claudia.

– Tu veux dire que Cheryl va nous raccompagner, a-t-elle corrigé en souriant.

Cheryl faisait de gros efforts pour être obéissant, mais il est si grand que, même quand il marchait, Simon et Nina devaient courir pour garder le rythme.

– En fait, c'est Oursonne le problème. Elle est bagarreuse et, quand elle commence, Jacques s'y met aussi !

– Pour le moment, tout se passe bien ! a répondu Claudia.

Et tout s'est bien passé jusqu'à ce que nous arrivions devant chez Claudia. Encore quelques mètres à parcourir, et nous serions chez Simon.

C'est alors que nous avons vu Shewy.

Qui est Shewy ? C'est le labrador noir des Perkins. Les Perkins habitent maintenant dans l'ancienne maison de Kristy, en face de chez Claudia. Nous travaillons pas mal chez eux, car ils ont trois enfants, Myriam, Gabbie et Laura. Mais il est plus difficile de surveiller le chien tout seul que de s'occuper des trois petites filles ensemble. Shewy n'est pas méchant, juste espiègle. Comme Cheryl, il est grand et adorable, mais il fait des trucs bizarres. Shewy est toujours en train de renifler, chercher, cacher ou chasser quelque chose. Et quand on le promène, il suffit qu'il voie une feuille tomber, un papillon, ou n'importe quoi, et il se déchaîne.

– Oh non ! Shewy s'est échappé ! s'est écriée Claudia.

J'ai désigné la maison des Perkins (comme si le chien pouvait comprendre).

– Retourne à la maison, Shewy ! À la maison !

– Allez, allez ! l'a encouragé Simon.

Shewy nous a regardés et s'est mis à tourner autour des chiens de M. et Mme Mancusi. Puis il a pris place dans le groupe, bien qu'il n'ait pas de laisse.

– Bon, et maintenant ? ai-je soupiré pendant qu'il marchait avec nous.

Cheryl, Jacques et Oursonne ne paraissaient pas le moins du monde troublés, mais que faire de Shewy quand je retournerais chez les Mancusi ? Et qu'arriverait-il si Shewy voyait quelque chose de bizarre ?

– On n'a qu'à faire le tour du pâté de maisons, et ramener Shewy chez lui, a proposé Claudia.

Nous avons tous fait le tour en direction de la maison des Perkins. Mais Shewy ne nous a pas suivis. Il s'est assis sur le trottoir et a attendu notre retour.

– Il est malin, a remarqué Simon.

J'ai sonné chez les Perkins, espérant que quelqu'un pourrait reprendre Shewy, mais il n'y avait personne.

– Je crois qu'il ne lui reste plus qu'à venir avec nous, ai-je conclu.

Nous sommes donc repartis… avec Shewy !

– Oh, non, un écureuil ! m'a glissé Claudia à voix basse. Qu'est-ce qui va se passer ?

Shewy a regardé l'écureuil. L'écureuil a regardé Shewy. Oursonne a regardé l'écureuil, l'écureuil a regardé Oursonne, puis a grimpé dans un arbre.

Ensuite plus rien. Ouf !

La promenade s'est poursuivie tranquillement. Une feuille est tombée sur le sol devant les chiens.

– Ouh, là, là ! a soufflé Nina.

Mais rien ne s'est produit. Un oiseau a pris son envol au milieu de la route. Nous avons tous retenu notre respiration, certains que Shewy ou Oursonne ou peut-être Jacques allait bondir. Mais les chiens se tenaient incroyablement bien, comme s'ils essayaient de nous faire mentir en se comportant si bien.

Nous avons fait le tour du quartier de Claudia et nous sommes de nouveau passés devant la maison des Perkins. Cette fois, ils étaient chez eux. Nous l'avons laissé à ses maîtres. Claudia a raccompagné Simon et Nina chez eux ; je suis rentrée chez les Mancusi avec les chiens. J'ai joué avec les chats, les cochons d'Inde et les lapins, et j'ai nourri les animaux. Dans la cage des hamsters, le gros hamster était toujours couché, lové dans un coin à l'écart des autres. Je me demandais si je devais m'inquiéter. Quand je l'ai caressé avec mon doigt, cela ne l'a même pas réveillé. J'ai décidé de le surveiller.

5

Le lundi après-midi, je suis passée en vitesse chez les Mancusi, j'ai fait faire leur petit tour aux chiens, j'ai joué avec les animaux, leur ai donné à manger et je me suis dépêchée d'aller chez Claudia pour la réunion du club.

Lorsque je suis arrivée, Kristy était déjà installée dans le grand fauteuil, la visière sur la tête, le journal de bord sur les genoux. Mais il n'était que cinq heures vingt-huit. Deux minutes avant le début officiel de la réunion. Carla n'était toujours pas arrivée. (Pour une fois, je n'étais pas la dernière !) Claudia essayait frénétiquement de terminer les deux dernières pages de *L'Heure zéro*, d'Agatha Christie. Mary Anne examinait les pointes fourchues de ses cheveux, et Mallory faisait une énorme bulle avec son chewing-gum.

Je me suis assise par terre à côté de Mallory.

– Salut !

Mallory s'est contentée d'un signe de la main car elle était concentrée sur sa bulle.

– Salut, Jessica ! m'ont lancé Claudia et Mary Anne.

Kristy, plongée dans le journal de bord, n'a pas dit un mot. L'arrivée de Carla l'a pourtant tirée de sa lecture.

– Silence ! a-t-elle ordonné. Commençons.

Claudia a posé son livre à contrecœur.

– Il ne me reste qu'un paragraphe, a-t-elle gémi.

– Il n'arrive plus rien à la fin, l'a consolée Mary Anne. L'auteur parle toujours d'Hercule Poirot.

– Silence ! a répété Kristy.

Qu'est-ce que j'étais contente d'être prête !

– Zut ! a marmonné Claudia.

Kristy l'a ignorée.

– Hum, où en est la trésorerie, Carla ?

– Ça ira mieux quand j'aurai ramassé les cotisations.

Des grommellements se sont fait entendre. Tous les lundis, Carla collecte les cotisations, et tous les lundis nous grognons d'avoir à donner de l'argent. Pourtant nous avons l'habitude. Mais cela ne change rien.

– S'il vous plaît, un peu d'attention ! a aboyé Kristy.

Je me suis tournée vers elle. Qu'est-ce que ça voulait dire ? On se serait cru à l'école ! J'ai jeté un regard à Mallory qui a marmonné « Mme Jordonne » à mon intention en faisant oui de la tête à Kristy. Je me suis retenue de rire.

– Bien, a poursuivi Kristy, tout le monde a lu le journal de bord ?

– Oui, avons-nous répondu en chœur. Nous le lisons toujours.

– OK, parce que si vous le lisez vraiment…

– Oui, nous l'avons lu ! a explosé Claudia. Qu'est-ce qui t'arrive en ce moment, Kristy ? Tu n'as jamais été aussi autoritaire.

Durant un instant, elle s'est radoucie.

– Excusez-moi, c'est juste qu'en ce moment Samuel se prend pour un caïd. L'année prochaine, il va à l'université, vous savez. Alors il nous donne sans arrêt des ordres, à Charlie, David Michael et moi.

Kristy s'est tue. Puis elle a repris son air « c'est moi la chef ».

– Mais, a-t-elle poursuivi, je suis la présidente, ce qui me donne le droit de vous diriger, vous les membres du club.

– Excuse-moi, l'a coupée Claudia d'une voix étrange (je me demandais bien ce qui allait suivre), mais en tant que présidente, qu'est-ce que tu fais d'autre à part avoir des idées ? Ça, nous pourrions toutes le faire.

– Ah ouais ? l'a défiée Kristy.

– Ouais.

– Ah bon, quelle idée géniale avez-vous eue ?

– Il me semble bien, est intervenue Mary Anne, que c'est Claudia qui a dessiné le logo du club, et il est repris sur tous les prospectus que nous distribuons.

– Merci, Mary Anne, a enchaîné Claudia, et je crois bien que Mary Anne a trouvé toute seule qui lui avait envoyé le collier maléfique, premier pas vers la résolution du mystère, vous vous rappelez…

– Et Mallory…, ai-je commencé.

– D'accord, d'accord, d'accord, nous a interrompues Kristy.

Mais les autres n'avaient pas fini.

– J'aimerais savoir, Kristy, a demandé Carla, ce que…

Dring, dring.

Suspendues aux lèvres de Carla, nous ne nous sommes pas précipitées pour répondre comme d'habitude.

Dring, dring.

Finalement, Mary Anne a décroché. Elle a noté un rendez-vous pour Mallory. Puis le téléphone a sonné deux nouvelles fois. Quand tout a été organisé, nous nous sommes tournées vers Carla, impatientes. (Sauf Kristy qui nous regardait toutes.)

Carla a repris exactement où elle en était restée.

– … ce que tu fais d'autre à part diriger et avoir des idées géniales ?

– Je préside les réunions.

– Gros travail ! a répliqué Claudia.

– Bon, et toi, qu'est-ce que tu fais, mademoiselle la vice-présidente ? a répliqué Kristy.

– En dehors de vous prêter ma chambre et mon téléphone trois fois par semaine, je dois répondre aux gens qui appellent en dehors des réunions. Et il y en a pas mal, tu sais.

– Et moi, a ajouté Carla, je dois tenir les comptes, collecter les cotisations chaque semaine, ce qui n'est pas toujours facile, et je dois me souvenir de payer ton frère et d'acheter des choses pour les coffres à jouets.

– Quant à moi, a poursuivi Mary Anne, j'ai probablement le travail le plus compliqué de toutes. (Personne ne l'a contredite.) Je dois planifier le moindre baby-sitting. Et je dois noter nos emplois du temps, consigner les noms et les coordonnées de nos clients, et le nombre d'enfants par famille. C'est un boulot énorme.

– Et nous faisons tout ça en plus d'avoir des idées, a conclu Carla.

Il y a eu un moment de silence. Puis Mary Anne a repris :

– Bon, il y a un problème, je viens d'avoir une idée. Je suggère…

– Nous n'avons aucun problème, l'a coupée Kristy, croyez-moi, absolument pas. Vous avez besoin de vous calmer et vous verrez que tout va bien.

Elle s'est tue. Comme aucune de nous ne bronchait, elle a repris :

– D'accord, maintenant j'ai vraiment une idée importante. Pour être sûre que chacune d'entre nous lit le journal de bord chaque semaine, je vais établir une liste de contrôle. Tous les lundis, vous mettrez une croix sur le tableau, pour me montrer que vous avez bien lu le journal de bord.

– Quoi ? s'est indignée Claudia.

Carla et Mary Anne ont failli s'étouffer.

Mallory et moi, nous avons échangé un regard. Nous n'avions pas dit grand-chose. Nous ne voulions pas être entraînées dans une dispute du club. Comme nous venons d'arriver et que nous sommes les plus jeunes, nous essayons de rester en dehors. Il est difficile de prendre parti. Nous ne voulons marcher sur les pieds de personne. Et le meilleur moyen, c'est de se taire.

Mais les filles voulaient que nous soyons de leur côté.

– Jessica, qu'est-ce que tu en penses ? m'a demandé Claudia.

– Mallory ?

– Au-au sujet du tableau ? ai-je finalement bégayé.

– Oui, au sujet du tableau.

– Eh bien, hum, je… c'est-à-dire…

J'ai regardé Mallory.

– Vous voyez, a-t-elle balbutié, hum, c'est… je…

Claudia était très agacée par notre réaction.

– Laissez tomber.

– Kristy, tu n'as absolument aucune raison pour nous contrôler, a affirmé Carla. Il n'y a d'ailleurs aucune raison de nous demander si nous avons lu le journal de bord. Nous le faisons régulièrement. Nous répondons bien oui à chaque fois que tu nous poses la question, n'est-ce pas ?

La controverse a été interrompue par de nombreux appels. Sauf que, dès que Mary Anne a eu tout planifié, les filles ont repris leur discussion.

– Il n'y a pas besoin de liste, a répété Carla.

– Tu ne nous fais pas confiance ? a voulu savoir Mary Anne.

Kristy a soupiré.

– Bien sûr que je vous fais confiance. La liste sera là, bon, pour me prouver que je peux vous faire confiance. En plus, je n'aurai plus à vous demander si vous avez lu le journal de bord.

– Mais tu ne préfères pas simplement nous faire confiance ? a insisté Mary Anne.

Kristy a ouvert la bouche pour répondre, mais Carla l'a devancée :

– Tu sais, personnellement, je suis fatiguée d'avoir à collecter les cotisations le lundi. Tout le monde grogne et se plaint, c'est pénible pour moi.

Claudia a pris la suite :

– Eh bien, moi, j'en ai assez de répondre sans arrêt à tous ces coups de fil. Tu sais, il y a des gens qui n'essaient même pas de retenir les dates de nos réunions. Mme Barrett appelle systématiquement à neuf heures le dimanche soir, ou le mardi après-midi, ou le pire de tout, à huit heures et demie le samedi matin.

– Et moi, a enchaîné Mary Anne, je suis vraiment fatiguée d'organiser les baby-sittings. Et fatiguée d'être obligée de noter les rendez-vous chez le dentiste et les leçons de danse.

– Désolée, ai-je fait. (Je suis très douée pour les excuses.)

– Oh, ce n'est pas ta faute, Jessica. Tout le monde doit s'organiser. En fait, c'est le problème. J'en ai assez des leçons et des cours et des visites chez le dentiste. Je fais ce travail depuis un an maintenant, et j'en ai assez. C'est tout.

– Qu'est-ce que vous racontez toutes ? s'est étonnée Kristy.

– Que je n'aime pas planifier, a répondu Mary Anne.

– Que je n'aime pas ramasser les cotisations, a enchaîné Carla.

– Et que je n'aime pas répondre à tous ces coups de fil, a ajouté Claudia.

J'ai regardé Mallory. Pourquoi Kristy n'ajoutait-elle rien ? Qu'est-ce qui ne lui plaisait pas dans son rôle de présidente ? Finalement, j'ai compris : rien. Il n'y avait rien qu'elle n'aimait pas faire parce que… son travail était plutôt facile et drôle. Diriger les réunions, avoir des responsabilités, trouver des idées géniales. Kristy avait sûrement le boulot le plus facile. (Mallory et moi aussi, mais nous n'étions que des juniors avec peu de responsabilités. Nous n'avions pas notre mot à dire en la matière.)

Je crois que nous nous sentions toutes soulagées que la réunion soit finie. Du moins Mallory et moi, nous l'étions, mais c'était difficile de le dire aux autres. Elles ont quitté la chambre dans un silence absolu. Pas un mot n'a été prononcé.

Mallory et moi, nous sommes restées sur le trottoir devant chez les Koshi jusqu'à ce que les autres filles partent. Puis je me suis écriée :

– Ouah ! Quelle réunion ! Qu'est-ce que tu en penses, Mallory ?

– Je pense que ce n'est pas bon signe. Je pense aussi qu'on nous demandera bientôt de prendre parti.

– Probablement, mais il est très important que nous restions neutres.

6

Mardi

Oh, je ne trouve pas de mots pour décrire ce qui s'est passé aujourd'hui. Je pourrais écrire «affreux», «dégoûtant», «horrible», «effrayant», mais même ces mots ne suffiraient pas. Je ferais mieux de vous expliquer ce qui est arrivé. Je gardais Myriam et Gabbie Perkins quand j'ai décidé de les conduire chez les Mancusi pour voir les animaux. Je savais que Claudia l'avait fait avec Simon et Nina, et je pensais que c'était une bonne idée. J'ai donc emmené les deux petites là-bas...

Mary Anne adore garder les petites Perkins. Vous vous souvenez d'eux ? Ce sont les propriétaires de Shewy, et ils vivent dans l'ancienne maison de Kristy.

Il y a trois petites filles. Myriam qui a six ans et demi, Gabbie qui a deux ans et demi et Laura qui est si petite que nous ne nous en occupons pas. Habituellement, nous gardons juste Myriam et Gabbie. Pour l'instant, Laura va où sa mère l'emmène.

Myriam et Gabbie sont amusantes et nous les aimons toutes beaucoup. Elles aiment l'aventure et découvrir de nouvelles choses. C'est pour cette raison que Mary Anne pensait qu'elles apprécieraient cette petite excursion. Et ce fut le cas. L'horrible, la dégoûtante, l'effrayante, la frissonnante chose qui est arrivée n'avait rien à voir avec les filles.

En fait, Mary Anne était en partie responsable, et Myriam nous a aidées à résoudre ce problème.

Je devrais revenir un peu en arrière. Donc vers quatre heures, le mardi après-midi, je suis rentrée chez les Mancusi après avoir promené les chiens, et j'ai entendu le téléphone sonner.

– Allô, ai-je répondu, tout essoufflée.

– Salut, Jessica, c'est Mary Anne.

Mary Anne appelait pour savoir si elle pouvait amener Myriam et Gabbie. J'ai accepté, bien sûr, et une vingtaine de minutes plus tard, elles arrivaient.

– Oh, tous ces animaux ! s'est écriée Gabbie.

Elle avait deux couettes qui dansaient en tout sens tandis qu'elle se précipitait dans la cuisine.

– Et de toutes sortes ! a ajouté Myriam.

Les cheveux de Myriam étaient retenus en une longue

queue de cheval qui lui arrivait jusqu'au milieu du dos. Les filles ont exploré la maison. Elles n'étaient pas tellement intéressées par les chats et les chiens puisqu'elles ont un chien (Shewy) et un chat (C.R.) mais les autres animaux les fascinaient. Je leur ai montré Barney, Lucy et Ricky, en expliquant tout ce que je savais. Nous avons continué.

– Voici…

– Des lapins de Pâques ! s'est écriée Gabbie alors que nous regardions Flappy, Cola, Toto et Pipo.

– Tu peux les prendre, les lapins seront contents de sortir de leur clapier.

Aussitôt, Myriam a attrapé Toto, et Gabbie a pris Flappy.

Pendant quelques minutes, les filles se sont beaucoup amusées. J'ai cherché Mary Anne des yeux mais, ne la voyant pas, j'étais en fait plus soulagée qu'inquiète. Je n'avais pas envie de parler des problèmes du club avec elle.

Bientôt les filles en ont eu assez de jouer avec les lapins, aussi nous les avons reposés.

– Maintenant, voici les hamsters. Mais, comme ils dorment, il vaut mieux ne pas les déranger. Regardez la tête de celui-là.

Je désignai une des bêtes qui se trouvait sur le haut de la pile des hamsters.

Ce n'était pas le gros hamster, toujours couché dans un coin de la cage. Il semblait avoir fait une sorte de nid.

– On dirait qu'il a les oreillons ! a dit Myriam. Il a les oreillons, non ? Ces grosses joues sont vraiment…

– Aaah !

Le cri venait de la véranda.

– Mary Anne ?

– Aaah !

J'ai remis le couvercle sur la cage des hamsters, pris Myriam et Gabbie par la main, et couru vers la véranda.

Un épouvantable spectacle s'est offert à nos yeux. Nous avons vu la cage de Barney et le couvercle de la cage de Barney mais sans Barney.

– Mary Anne, mais qu'est-ce qui se passe ?

– Barney s'est échappé ! Le serpent s'est échappé !

Mary Anne et moi, nous avons eu la même idée au même moment.

Nous avons sauté sur l'une des imposantes chaises de la véranda, comme font les gens qui viennent d'apercevoir une souris.

Myriam et Gabbie nous ont regardées comme si nous étions folles.

– Qu'est-ce que vous faites ? s'est exclamée Myriam. Barney n'est qu'un petit serpent, il ne peut pas vous faire de mal. En plus, il est enroulé quelque part sur une de ces chaises. Vous ne pouvez pas lui échapper en grimpant comme ça.

– Quelle horreur ! a hurlé Mary Anne.

– Comment Barney a-t-il fait pour s'échapper ? ai-je demandé.

– Eh bien, je ne sais pas, mais je crois qu'il a juste rampé hors de sa cage, ou qu'il s'est glissé à l'extérieur, enfin comme le font les ser... les serpents. Je veux dire qu'il est sorti après que j'ai oublié de remettre le couvercle de sa cage. Je l'avais enlevé pour le voir de plus près, et j'ai entendu quelqu'un qui disait : « Chococroc ça croque » ou je ne sais quoi. Alors je l'ai laissé pour voir qui c'était. Et puis j'ai compris que c'étaient les oiseaux, et, tout à coup, je me suis souvenue de Barney et, quand je suis revenue pour replacer le couvercle de sa cage, il était parti. Excuse-moi, Jessica.

– Oh…

– Il faudrait chercher Barney avant qu'il aille trop loin, a proposé Myriam, très avisée.

Il fallait le faire, et vite.

– Tu as raison, ai-je confirmé.

J'avais du mal à m'imaginer partant à la recherche d'un serpent. Y a-t-il quelque chose de plus stupide que de chercher ce que l'on n'a pas envie de trouver, et quelque chose de plus terrible que de chercher un truc plein d'écailles à la langue fourchue ?

Et pourtant, il fallait bien le faire, et le plus vite possible.

– Séparons-nous, ai-je suggéré. Barney n'a probablement pas monté les escaliers, donc ce n'est pas la peine de chercher là-haut. Mary Anne, toi et Gabbie, restez ici, regardez bien par terre ici. Myriam et moi, nous allons voir dans les autres pièces.

– D'accord, a acquiescé Mary Anne, et nous nous sommes mises au travail.

C'était un cauchemar. Enfin, pour Mary Anne et moi. Pour Myriam et Gabbie, c'était comme jouer à cache-cache avec un animal.

Le plus bizarre, c'était que j'avais tellement peur de Barney que j'aurais été moins ennuyée d'être obligée de dire aux Mancusi qu'il s'était perdu, que de me retrouver nez à nez avec lui.

J'ai regardé frénétiquement sous les chaises, les tables, les lits, terrifiée à l'idée de me trouver face à Barney et à sa langue fourchue.

Mais, au bout de vingt minutes de recherche, il n'y avait toujours aucun signe de Barney. Et nous avions exploré toutes les pièces du rez-de-chaussée.

– Oh, là là ! ai-je soupiré, alors que nous étions toutes rassemblées dans l'entrée. Comment vais-je m'y prendre pour annoncer aux Mancusi que Barney a disparu ?

– Partir si loin ! Il aurait mieux valu rester ici ! a crié Franck de sa cage.

Nous nous sommes mises à rire.

– Mais c'est grave ! Nous devons retrouver Barney !

– Je sais, a dit Mary Anne. Je suis désolée, Jessica. Si, si tu appelles les Mancusi, dis-leur que… tu sais… je t'aiderai.

– Hé ! s'est exclamée Myriam tout à coup. Je pense à quelque chose. Nous apprenons des choses sur les animaux à l'école ; Barney est un serpent et les serpents sont des reptiles et les reptiles ont le sang froid. Moi, si j'étais un animal à sang froid, j'aimerais me réchauffer.

– Tu veux dire que Barney pourrait être sorti ? ai-je demandé avec anxiété. Peut-être qu'il voulait prendre un bain de soleil. S'il est dehors, nous ne le retrouverons jamais.

– Allons voir quand même, a décidé Mary Anne.

À peine avions-nous commencé nos recherches que j'ai entendu Mary Anne hurler comme une folle.

– Où est-il ? me suis-je écriée, car maintenant je savais ce que signifiait son cri.

– Ici, a-t-elle gémi. Là, sous la véranda.

Je me suis précipitée. Barney était là, enroulé paisiblement, en train de se chauffer au soleil.

– Tu avais raison, Myriam, ai-je chuchoté, merci.

Puis j'ai ajouté :

– Mary Anne, comment allons-nous faire pour le remettre dans sa cage ?

Elle a réfléchi un instant.

– J'ai une idée. Les Mancusi n'ont pas un aquarium vide quelque part ?

Je ne savais pas trop. Nous avons cherché et en avons trouvé un dans le garage. Il était vide et propre.

– Parfait, a décrété Mary Anne, nous allons poser cet aquarium sur Barney en le retournant. C'est moi qui le ferai, c'est normal, puisque c'est moi qui l'ai laissé s'échapper.

Je n'ai pas discuté.

Mary Anne s'est avancée tout doucement vers Barney, en tenant l'aquarium à l'envers. Elle a marqué un temps d'arrêt.

– J'espère qu'il ne va pas se réveiller.

Moi aussi, je l'espérais.

Mary Anne s'est rapprochée sur la pointe des pieds. Alors qu'elle n'était plus qu'à quelques pas de lui, elle a abaissé l'aquarium. Barney s'est réveillé, mais il était déjà sous le bocal.

– Maintenant, a expliqué Mary Anne, nous allons glisser un morceau de carton rigide sous Barney. Puis nous le porterons à l'intérieur et le remettrons dans sa cage. C'est ma méthode pour attraper les araignées. Tu vois, je n'aime pas les araignées, mais je n'aime pas non plus les écraser et, quand j'en trouve une dans une maison, je l'attrape dans une tasse ou un verre, et je l'emmène à l'extérieur.

L'idée de Mary Anne était excellente. J'ai déniché un morceau de carton dans une pile de vieux journaux destinés à être jetés. Mary Anne l'a fait glisser très doucement sous Barney, et toutes les deux nous l'avons porté à l'intérieur de la maison, Myriam nous a ouvert la cage et nous l'avons laissé tomber dedans.

Je crois que Barney était content d'être à nouveau dans son élément. Croyez-moi, j'étais soulagée de le savoir chez lui. Mais, si j'avais su ce qui allait se passer à la réunion du club le jour suivant, j'aurais pensé qu'un serpent en liberté n'était rien du tout en comparaison.

7

La réunion du mercredi a commencé comme n'importe quelle autre réunion, sauf que je suis arrivée vraiment tôt ! C'était une des premières fois.

J'avais fait mon travail très vite chez les Mancusi ce jour-là, et les chiens s'étaient bien comportés pendant leur promenade, aussi m'étais-je rendue chez Claudia quinze minutes avant le début de la réunion.

– Bonjour, Claudia ! ai-je lancé en entrant dans la chambre.

– Bonjour, Jessica.

Claudia semblait un peu maussade, mais je ne lui ai pas demandé pourquoi. Sa tristesse avait probablement un rapport avec Kristy, et je voulais rester en dehors de ça.

Aussi me suis-je contentée de dire :

– Elle est jolie, ta chemise !

Claudia portait encore une de ses super tenues. Une longue chemise, à manches courtes, avec de grandes feuilles vertes imprimées dessus, un caleçon vert, du même vert que les feuilles, des socquettes jaunes, des baskets mauves montantes et, dans les cheveux, un bandeau avec un énorme nœud mauve sur le côté.

Claudia est tellement cool... surtout comparée à moi. Je portais un immense sweat-shirt blanc avec un motif représentant des chaussons de danse sur le devant, mais je n'avais qu'un jean, des chaussettes et des baskets ordinaires.

Franchement, j'aurais bien aimé pouvoir faire quelque chose avec mes cheveux ; ils sont bien quand ils sont tirés en arrière mais il aurait fallu quelque chose de plus.

Je me suis assise par terre. Puisqu'il n'y avait personne, j'aurais pu me mettre sur le lit, mais Mallory et moi, ça nous met mal à l'aise. Nous sommes les plus jeunes, normal qu'on s'assoie par terre !

J'allais demander à Claudia si c'était elle qui avait imprimé les feuilles sur sa chemise, quand Carla a fait irruption dans la chambre.

– Salut, les filles ! a-t-elle claironné gaiement en rejetant ses longs cheveux sur une épaule.

– Salut, a répondu Claudia, tu es de bonne humeur.

– Je me sens d'humeur positive, nous a-t-elle informées, peut-être que cela sera utile pour la réunion... Cette réunion va être formidable. Il n'y aura aucun prob...

Carla s'est tue lorsque Kristy est entrée. Sans prononcer un seul mot, celle-ci a traversé la chambre de Claudia, s'est dirigée vers le tableau d'affichage, a retiré quelques punaises, et a fixé une feuille de papier en plein sur des photos de Claudia et de Lucy.

Puis elle s'est tournée vers nous en souriant.

– Voilà ! a-t-elle annoncé fièrement, comme si elle venait d'obtenir la paix dans le monde.

– Voilà quoi ? a marmonné Claudia.

– Voilà la liste de contrôle. Je l'ai rédigée hier soir. Cela permettra...

– Et tu la punaises sur mes photos ! s'est exclamée Claudia. Jamais de la vie ! Ce sont les photos de Lucy et de moi avant son départ.

Elle s'est précipitée pour arracher le papier, qu'elle a tendu à Kristy.

– Trouve un autre endroit pour ça, madame Jordonne.

– Ah, je suis désolée, Claudia, je ne savais pas que ces photos avaient tant d'importance pour toi.

– Eh bien, si !

Personnellement, je trouvais que Claudia exagérait un peu. Je crois que Kristy le pensait aussi. Elle a punaisé à nouveau la liste sur les photos. Claudia l'a arrachée.

Kristy l'a remise en place.

Claudia l'a arrachée à nouveau. Cette fois, la liste s'est déchirée. Mallory et Mary Anne sont arrivées juste à temps pour entendre Kristy pousser un cri et Claudia hurler :

– Enlève ça d'ici, je ne la veux pas sur mon tableau. Peu importe combien de temps il t'a fallu pour la faire !

– Les filles ?

La douce voix de Mimi, la grand-mère de Claudia, est montée du rez-de-chaussée.

– Tout va bien ?

Mimi a eu une attaque l'été dernier et cela s'entend un peu dans sa façon de parler. Parfois ses mots se mélangent un peu ou viennent en désordre.

– Oui ! lui a répondu Claudia. (Elle a baissé le ton.) Tout va bien, Mimi. Excuse-nous d'avoir crié.

– D'accord, ce n'est pas grave.

Claudia et Kristy se faisaient face près du bureau de Claudia. Elles tenaient chacune un coin de la feuille de papier, bien décidées à ne céder ni l'une ni l'autre. En tout cas, pas facilement.

Nous les regardions, ébahies. Mallory et Mary Anne sur le pas de la porte, Carla assise sur le lit, et moi par terre.

– Toi, a dit Claudia d'une voix sourde à Kristy, tu n'es pas la chef de ce club.

Kristy a paru surprise. Elle a répliqué :

– Je suis la présidente de ce club.

– Alors, a répliqué Claudia, il est temps d'organiser de nouvelles élections.

– Oui, a dit une petite voix, il faut de nouvelles élections.

C'était Mary Anne.

Claudia et Kristy ont été si interloquées qu'elles ont lâché la liste. Tout le monde s'est tourné vers Mary Anne. Et puis Mallory a pris la parole. Même si elle n'est qu'une junior, elle est connue pour garder la tête froide dans les situations difficiles.

– Tout le monde s'assied, a-t-elle dit calmement, chacune à sa place. Nous avons quelques petites choses à régler. Et nous ferions mieux de nous calmer au cas où le téléphone sonnerait.

Comme si Mallory avait des dons prémonitoires, le téléphone s'est mis à sonner. Nous avons organisé un rendez-vous chez les Barrett.

Puis nous sommes toutes revenues à nos places. Kristy, du haut de son fauteuil de présidente, avait même ajusté sa visière.

– Bien, a-t-elle commencé, une proposition vient d'être faite pour… pour…

– De nouvelles élections, a terminé Claudia.

– D'accord. Je vais réfléchir à cette idée.

– Sûrement pas, est intervenue Carla, qui depuis la guerre de la liste de contrôle n'avait pas dit un mot. Tu ne peux pas te contenter de réfléchir à cette idée. Nous avons droit à des élections. J'exige des élections.

– Moi aussi, a dit Mary Anne.

– Moi aussi, a ajouté Claudia.

Mallory et moi, nous avons échangé un regard inquiet. Nous étions certaines qu'on allait bientôt nous demander notre avis. Et nous tentions de rester neutres. Évidemment, Kristy s'est tournée vers nous. Je me suis faite toute petite. Je savais qu'elle voulait que l'on prenne son parti. Si nous le prenions, le club serait divisé en deux : trois contre trois.

– Mallory, Jessica, que pensez-vous des élections ? nous a-t-elle interrogées.

Cela aurait été terriblement agréable d'être du côté de

Kristy, du bon côté. Mais je ne pouvais pas. Je ne voulais pas être entraînée dans une bagarre du club. Et je savais que Mallory non plus.

Comme Mallory gardait le silence, je me suis finalement décidée à dire :

– Ce que nous pensons des élections ?

– Oui, a acquiescé sèchement Kristy.

– Je... Eh bien, je...

J'ai haussé les épaules en lançant un regard désespéré à Mallory.

– Je... C'est que... Hum..., a-t-elle balbutié.

– Vous voulez des élections ? a insisté Mary Anne. Ce n'est pas que votre fonction changerait, mais vous devrez voter.

Mallory et moi avons bafouillé encore un peu. Je pense que chacune de nous trouvait que des élections étaient une bonne idée mais aucune de nous ne voulait l'admettre. De plus, une nouvelle crainte venait de surgir dans mon esprit. Comment voterions-nous, Mallory et moi ? Si nous votions pour que Kristy reste présidente, toutes les autres nous détesteraient. Si nous votions contre Kristy, elle nous haïrait et, qu'elle soit présidente ou secrétaire, le club resterait toujours son club parce que c'est elle qui l'avait imaginé et créé.

– Jessica, Mallory ? nous a interpellé à nouveau Kristy.

Nous n'avons même pas pris la peine de répondre. Soudain, elle a jeté le crayon qu'elle tenait.

– D'accord, d'accord, d'accord. Nous ferons des élections.

Je pense qu'elle avait compris que personne n'était de

son côté. Mallory et moi n'étions pas contre elle, mais nous n'étions pas avec elle non plus.

– Bien, a dit Claudia. Nous sommes prêtes.

– Pas maintenant ! s'est écriée Kristy comme le téléphone sonnait.

Nous avons programmé trois baby-sittings, puis elle a repris :

– Je ne veux pas qu'on perde une réunion ordinaire en élections. En plus, les gens n'arrêtent pas d'appeler pendant les réunions.

– Ils appellent aussi pas mal le reste du temps, n'a pu s'empêcher de dire Claudia.

– Quoi qu'il en soit, une réunion extraordinaire aura lieu samedi après-midi à seize heures pour les élections. Cette réunion est terminée, a décrété Kristy.

– Ouh, là, je n'aime pas ça, ai-je confié à Mallory une fois dehors.

– Moi non plus, a-t-elle répondu. Pas du tout.

8

Mardi, j'étais allée chez les Mancusi. Mallory m'a rejointe pour discuter du problème des élections, et Rebecca est venue pour jouer avec les animaux.

La nuit précédente, elle était si excitée à cette idée qu'elle n'avait presque pas dormi. Elle a cependant été d'une grande aide. Becca et moi, nous sommes arrivées un quart d'heure avant Mallory. Je voulais d'abord promener les chiens avant de nourrir les animaux pour pouvoir attendre tranquillement mon amie. J'en ai profité pour montrer toute la ménagerie à Rebecca.

– Allez, viens voir les oiseaux.

– Attends une minute, m'a-t-elle répondu.

Elle était allongée par terre en train de jouer avec Ling-

Ling et Crosby, qui appréciaient chaque seconde d'attention. Quand elle s'est relevée, je l'ai conduite vers Franck. J'allais dire : « Voici Franck. Regarde ce qu'il sait faire », quand le perroquet s'est écrié :

– Qui ski skiss ? qui ski skiss ?

Rebecca s'est mise à rire.

– C'est génial ! Mais comment a-t-il appris à faire ça ?

– Il regardait trop la télé, je suppose. Comme certaines personnes de ma connaissance, ai-je ajouté pour taquiner ma sœur. Tiens, dis : « Ça croque ! »

– Moi ?

J'ai hoché la tête.

– D'accord.

Rebecca s'est postée en face de Franck et a dit clairement :

– Ça croque !

– Biscuits Chococroc ! a répondu Franck.

Cela nous a fait rire tellement fort que nous n'avons pas entendu Mallory sonner. Au bout de trois fois, je me suis écriée :

– Oh, c'est Mallory ! Je reviens tout de suite, Rebecca.

Je me suis précipitée pour faire entrer mon amie.

– Tu en as mis du temps ! a-t-elle remarqué gaiement. (Mallory est souvent enjouée.) J'ai sonné trois fois.

Je lui ai raconté l'histoire de Franck, et bien sûr elle a voulu le voir. Rebecca lui a tout de suite dit :

– Bonjour, Mallory. Écoute ça. Hé, Franck, ça croque !

– Biscuits Chococroc, Chococroc-croc, a répliqué Franck.

Nous avons éclaté de rire.

– Allez, les filles. Il faut sortir les chiens. Cheryl paraît bien impatient, ai-je annoncé au bout d'un moment.

J'ai décroché les laisses et, avant même que j'appelle les chiens, ils ont fait irruption dans la cuisine.

– D'accord, vous trois. Prêts à sortir ? ai-je demandé. (Question idiote. Ils en mouraient d'envie.)

Je leur ai passé leurs laisses et ils m'ont tirée jusqu'à la porte d'entrée.

– Venez ! ai-je crié à Rebecca et à Mallory, qui parlaient toujours à Franck. Les chiens ne tiennent pas en place !

Alors que nous passions la porte et que nous descendions les marches, Mallory a proposé :

– On peut t'aider à les promener ? Nous pourrions prendre chacune une laisse ?

– Merci, mais il vaut mieux que je le fasse moi-même. En plus, ils ont l'habitude d'être promenés ensemble. Tu peux les tenir pendant que je ferme la porte, si tu veux.

Mallory a gardé les laisses pendant que je fermais la porte de la maison. Puis elle me les a rendues et nous sommes sorties dans la rue au pas de course, à cause de Cheryl et de ses grandes pattes.

– Surveillez Oursonne, elle fait souvent des bêtises.

– Le petit chien ? s'est étonnée Rebecca.

– Eh oui, répondis-je, par exemple, devant nous, il y a... oh non, un chat ! J'ai cru un moment que c'était un écureuil, mais un chat, c'est pire. Oursonne, ohhh !

Oursonne avait vu le chat qui se chauffait au soleil au bout de la rue. Elle a bondi et poussé un petit aboiement en tirant sur la laisse. Jacques l'a aperçu à son tour, puis ce fut Cheryl (bien que Cheryl ne soit pas intéressé par les chats). Entendant les aboiements, le chat s'est réveillé et a détalé.

– Doucement, les chiens ! ai-je crié.

Ils m'ont entraînée comme des fous vers le bas de la rue. Ma sœur et Mallory sont venues à mon secours.

– On va t'aider, Jessica !

Elles m'ont agrippée par la taille et ont tiré si fort que les chiens se sont arrêtés net et nous sommes tous – humains et animaux – tombés par terre.

Quand ils nous ont vues rigoler, les chiens nous ont léché le visage.

Il nous a fallu plusieurs minutes pour démêler les laisses et arrêter de rire, mais finalement, une fois sur nos pieds, nous avons continué notre chemin.

– Je ne savais pas qu'il était si difficile de promener des chiens, a commenté Rebecca.

– C'est surtout difficile quand tu te promènes avec Oursonne, Jacques et Cheryl, et qu'ils ont envie de chasser les chats.

De retour chez les Mancusi, j'ai fait rentrer les trois monstres et accroché les laisses.

– Bien, c'est l'heure de manger ! ai-je annoncé.

– Je peux nourrir les animaux à ta place ? a proposé Rebecca. Je ferai très attention.

Je me suis laissé attendrir.

– Bon… d'accord, mais il faut que tu suives à la lettre mes recommandations, d'accord ?

– Oui, oui, oui ! D'accord !

Rebecca était si contente qu'elle s'est mise à sautiller sur place.

– Écoute, tu peux nourrir les cochons d'Inde, les lapins et les chats. Je vais te montrer comment faire.

Je lui ai donné toutes les instructions, puis je suis allée avec Mallory nourrir les autres animaux. J'ai commencé par les chiens parce qu'ils ne pouvaient absolument pas attendre et qu'ils sont très pénibles quand ils ont faim.

– Alors, que penses-tu des élections ? m'a demandé mon amie, tandis que je remplissais l'écuelle de Cheryl.

– Oh, on est vraiment obligées d'en parler ? ai-je grogné.

– Je crois qu'on ferait bien.

– Je sais. Tu as raison. Je voulais juste... Je ne sais pas... Hé, Mallory, tu ne penses pas quitter le club, non ?

Cette idée était affreuse mais elle m'était venue à l'esprit. Si Mallory et moi, nous refusions de prendre position, serions-nous forcées de quitter le club ?

– Quitter le club ? s'est-elle exclamée. Sûrement pas. Personne ne se débarrassera de moi aussi facilement... Mais les réunions sont assez désagréables.

– Je suis d'accord, ai-je approuvé.

– Et comment allons-nous voter samedi ?

– Attends, laisse-moi réfléchir. Bon, d'accord, il y a quatre postes : la présidence, la vice-présidence, le secrétariat et la trésorerie. Toi et moi, nous resterons membres juniors et, sinon, les mêmes filles seront candidates aux mêmes quatre postes.

– Tu as raison, a acquiescé Mallory.

J'ai fini de nourrir les chiens, rincé la cuillère que j'avais utilisée, changé l'eau des bols, puis je suis entrée dans la volière.

– Hier, je pensais que si nous votions contre Kristy, si

nous l'élisions secrétaire ou autre chose, elle serait furieuse contre nous, ce qui ne serait pas bon du tout. Mais, de toute façon, ce sera toujours son club, qu'elle soit présidente ou non, parce que c'était son idée et que c'est elle qui l'a créé. Et je n'ai pas envie qu'elle nous en veuille. D'un autre côté, si nous votons pour Kristy comme présidente, toutes les autres filles seront remontées contre nous et ce n'est pas bien non plus. Finalement, ce que nous voterons n'aura pas beaucoup d'importance pour Mary Anne, Carla et Claudia mais, avec Kristy, nous sommes perdantes de toute façon.

– Attends un peu, a coupé Mallory, le vote ne sera pas secret ?

– Il devrait l'être, mais tout le monde pourra savoir qui a voté pour qui. Ça se sait toujours.

– Tu as raison. Et je viens même de penser à quelque chose de pire : avec toutes ces histoires, le club risque d'éclater. Vraiment. Et qu'est-ce qui arrivera alors ?

– Je ne sais pas, ai-je répondu en me dirigeant vers la cage des hamsters, je n'avais même pas pensé à ça.

Mallory et moi avons regardé les rongeurs.

– Ils dorment toujours les uns sur les autres ? demanda Mallory.

– Souvent, sauf celui-là, ai-je expliqué en désignant celui qui restait dans son coin. Il dort tout seul et, tu sais, il me semble qu'il est plus gros qu'au début de la semaine. Je m'inquiète pour lui.

– Au moins, il mange, a remarqué Mallory.

– Peut-être qu'il devient trop gros pour pouvoir bouger, ai-je plaisanté.

Mais je n'avais pas envie de rire, j'étais trop inquiète. Je me faisais du souci pour le hamster et pour notre réunion extraordinaire de samedi.

Mallory, Rebecca et moi avons fini de donner à manger aux animaux et de changer leur eau. Rebecca a rejoué un peu avec les chats, puis il a été temps de partir.

– Au revoir, Cheryl ! Au revoir, Ling-Ling ! a-t-elle crié. Au revoir, Barney ! Au revoir, Flappy ! Au revoir, Franck !

– Ho, ho ! a répondu Franck. *Bye bye*, les filles !

9

MARDI

Je suis toujours impatiente de garder Jackie Rodowsky, notre catastrophe ambulante, même si c'est une sorte de défi permanent.

En ce moment, Jackie traverse une mauvaise période et j'ai essayé de l'aider. Pourtant, je ne suis pas sûre d'avoir réussi. Je pense que j'aurais dû être un peu moins autoritaire avec lui...

Ça, c'est sûr ! Ce qui est bien, c'est qu'elle a appris quelque chose grâce à lui. Kristy est donc arrivée chez les Rodowsky en début d'après-midi.

Ding, dong.

– Ouaf ! Ouaf !

Bo, leur chien, s'est arrêté en dérapant devant la porte et a attendu que quelqu'un vienne. Un instant plus tard, Jackie ouvrait la porte.

– Bonjour, Kristy, a-t-il fait d'un air triste.

– Bonjour, Vilain Petit Canard, a répondu Kristy en souriant.

– Quoi ?

– On dirait le Vilain Petit Canard. Tu connais l'histoire !

– Ouais !

– Qu'est-ce qui ne va pas ?

– Je te raconterai. Viens.

Kristy est entrée. Elle a observé avec attention le visage triste de Jackie. Il avait toujours sa touffe de cheveux roux et le visage couvert de taches de rousseur. Quand il souriait, on voyait qu'il lui manquait une dent (il n'a que sept ans). Il ressemblait à un personnage de bande dessinée. Mais, ce jour-là, Jackie n'avait pas le sourire.

– Mes frères sont à leurs cours, a annoncé Jackie, mon père est au travail, et maman doit partir à une réunion.

Kristy a hoché la tête. Cela arrivait souvent. Jackie n'est inscrit à aucun cours parce qu'il a tendance à avoir des accidents. C'est notre catastrophe ambulante. Quand Jackie est quelque part, des choses bizarres semblent se produire. Des vases tombent, des plats se cassent, des boucles d'oreilles disparaissent. Il lui arrive aussi des mésaventures. Il tombe, se blesse ou perd des choses. C'est pour cela qu'il ne fait plus d'activités.

Il a essayé, mais c'était un désastre à chaque fois !

Mme Rodowsky est descendue, Kristy l'a saluée et a écouté ses instructions pour l'après-midi. Puis elle a embrassé Jackie et elle est partie.

– Alors, a repris Kristy, qu'est-ce qu'il y a, Jackie ? Tu as l'air d'avoir un gros problème.

– Oui, c'est vrai.

– Tu as envie de m'en parler ? Je ne sais pas si cela t'aidera, mais je pourrais peut-être te donner de petits conseils.

Il a poussé un énorme soupir.

– Pff, je peux toujours t'en parler. Cela ne changera rien.

– Attends, on va s'installer confortablement.

Kristy l'a conduit dans la salle de jeux et ils se sont assis sur le canapé, avec Bo entre eux.

– Tu vois, dans ma classe, notre professeur dit qu'il va y avoir des élections (« Quelle coïncidence ! » a pensé Kristy.) pour toutes sortes de petites choses comme essuyer le tableau, faire des courses, tenir le registre…

– Ça a l'air amusant.

Jackie a hoché la tête.

– C'est ce que je pensais. Je voulais me présenter pour m'occuper de Boule de Neige, c'est notre lapin. Cela m'aurait plu.

Il s'est tu et a caressé Bo derrière les oreilles.

– Mais… ? l'a encouragé Kristy.

– Mais je n'ai aucune chance de gagner.

– Pourquoi ça ?

– Parce que je me présente contre Adrienne Garvey.

Adrienne est... est... (Jackie a marqué un temps d'arrêt pour réfléchir.) Voilà, elle ne fait jamais de tache sur ses cahiers, et elle ne se salit jamais, même au cours de dessin. Et elle finit toujours son travail à l'heure. Elle n'oublie jamais son goûter, ne trébuche pas et ne renverse jamais rien !

– C'est mademoiselle Parfaite ? a suggéré Kristy.

– Oui, et tous les autres vont voter pour elle. Je le sais. Ils n'aiment pas beaucoup Adrienne, mais ils savent qu'elle est sérieuse. Elle n'oubliera jamais Boule de Neige, et elle entretiendra bien sa cage, et tout le reste.

– Et toi ?

– Moi ? Tu veux dire, qu'est-ce que je ferais ?

Kristy a acquiescé.

– Aussi bien qu'Adrienne ! s'est écrié Jackie. Franchement. Je m'occupe bien de Bo, pas vrai, Bo ? (Bo a jappé gaiement.) Mais, tu vois, Bo n'est pas à moi. Je veux dire, pas seulement à moi. Il appartient aussi à mes frères, et je ne m'en occupe pas tous les jours. Et Boule de Neige ne serait pas à moi non plus. Il appartient à toute la classe. Mais, si je gagnais, j'aurais l'impression qu'il serait un peu à moi puisque je serais le seul à m'en occuper. Et je sais que j'en prendrais bien soin. J'en suis sûr.

– Alors prouve-le aux enfants de ta classe, a proposé Kristy, montre-leur que tu es aussi soigneux et responsable qu'Adrienne. Peut-être plus soigneux.

– Et plus responsable ?

Kristy a souri.

– Oui, aussi.

– Mais comment ?

– Eh bien, réfléchis-y.

– Je… je pourrais être un peu plus soigné moi-même, a dit Jackie au bout de quelques instants, en s'asseyant bien droit.

– C'est un bon début.

– Et je pourrais essayer de bien tenir mes cahiers et de ranger mon bureau.

– C'est encore mieux.

Jackie a froncé les sourcils.

– Tu penses que tu es capable de faire tout cela ? l'a questionné Kristy.

– Bien sûr !

Pour le prouver, il s'est levé.

– Regarde-moi m'habiller. D'abord, les boutons.

Sa chemise était mal boutonnée, le bouton du haut était coincé sous son menton, et celui du bas traînait un centimètre plus bas que les autres. Jackie a défait le premier bouton qui lui est resté dans la main.

– Oh ! a-t-il fait, mais sa gaieté habituelle était revenue. Hum, Kristy, si tu pouvais… Oupsss !

Un autre bouton est tombé.

– Attends, est-elle intervenue, laisse-moi faire.

– Non, je dois apprendre à…

Trop tard. Kristy était déjà en train de reboutonner la chemise de Jackie.

– Ça y est, maintenant je pense que tu devrais faire une campagne, tu sais avec des slogans, des discours et tout ça.

– Mais, a rétorqué Jackie, je crois surtout que je devrais apprendre à remplir l'écuelle de Bo proprement. C'est bientôt l'heure de lui donner à manger.

– Bon, a fait Kristy un peu réticente, d'accord.

Elle souhaitait vraiment aider Jackie à gagner son élection pour pouvoir s'occuper de Boule de Neige. Mais elle savait aussi que Jackie plus un sac de croquettes pour chien dans les mains était égal à gros ennuis. Cependant, s'il croyait que nourrir Bo l'aiderait, elle ne pouvait qu'être d'accord.

– Où sont les croquettes de Bo ? a-t-elle demandé.

– Elles sont... Oh, je sais. Nous avons fini un sac, hier. Il faut en commencer un nouveau. Maman les range à la cave.

Kristy craignait le pire. Jackie allait transporter un sac de croquettes de la cave à la salle de jeux puis à la cuisine ?

– Fais attention !

Jackie a disparu à la cave. Un instant plus tard, Kristy a entendu des pas dans l'escalier.

– J'arrive ! Et je fais attention.

Jackie a atteint la salle de jeux sans problème. Il a souri à Kristy. Il a monté les escaliers pour se rendre dans la cuisine. À mi-chemin, le fond du sac s'est déchiré. Les croquettes se sont répandues sur les marches, jusqu'à la salle de jeux. Jackie a regardé Kristy, paniqué. Puis il s'est frappé le front avec la paume de la main.

– J'ai encore fait des bêtises !

Son visage commençait à se décomposer.

– Oh, Jackie, a dit Kristy, tout en constatant les dégâts, ne pleure pas, ce n'est pas ta faute.

Elle a voulu s'approcher de lui pour le prendre dans ses bras, mais une mer de croquettes les séparait.

Jackie se tenait sur les marches, l'air désespéré.

– Je sais que ce n'est pas ma faute, sanglotait-il.

– Tu n'y es sûrement pour rien. Le fond du sac devait être mal collé.

– Mais justement ! a répondu Jackie. Tu vois, le fond s'est cassé pendant que je le portais. Pas pendant que papa le transportait ou maman ou mes frères ou le vendeur du magasin. Mais moi. Je n'ai pas de chance. Peut-être que c'est pour ça que les enfants de l'école ne veulent pas que je m'occupe de Boule de Neige.

– Alors fais-leur oublier ta malchance, a suggéré Kristy.

– Comment ?

– En menant une campagne. Je t'aiderai dès que nous aurons mis ces croquettes dans un autre sac.

– D'accord, a dit Jackie, sans grand enthousiasme.

Kristy a pris un sac-poubelle et, ensemble, ils ont versé les croquettes dedans. Quand tout a été ramassé, elle est allée chercher l'aspirateur.

– Laisse-moi passer l'aspirateur, a supplié Jackie.

– Non, je vais le faire.

Kristy n'avait pas l'intention de laisser Jackie toucher à un appareil ménager.

– Bien, dit-elle quelques instants plus tard, après avoir arrêté l'aspirateur, voyons cette campagne.

Jackie a sorti un crayon et une feuille de papier. Ils se sont à nouveau assis dans le canapé, mais Jackie s'est relevé brusquement.

– Il faut que je donne à manger à Bo ! Tu vois. Je suis responsable. Je n'oublie pas les animaux.

Il est descendu, a donné à manger à son chien, et est revenu s'asseoir tranquillement.

– Bien, a repris Kristy, maintenant, je pense que tu devrais...

– Kristy ? l'a coupée Jackie. Je peux te dire quelque chose ?

– Oui, bien sûr.

– Je t'aime bien, mais tu es une baby-sitter vraiment autoritaire. Tu as mis les boutons de ma chemise alors que je voulais le faire tout seul, tu ne m'as pas laissé passer l'aspirateur pour que je nettoie les bêtises que j'avais faites, et maintenant tu veux préparer ma campagne pour... Oh, zut !

Jackie avait laissé tomber son crayon dans la grille du radiateur. Kristy et lui se sont penchés pour le chercher. Dans l'affolement, Jackie a oublié ce qu'il avait encore à dire à Kristy. Mais Kristy, elle, n'a pas oublié. Elle n'a pu s'empêcher d'y penser en aidant Jackie à préparer sa campagne et elle a fait de gros efforts pour ne pas se montrer autoritaire.

Était-elle vraiment quelqu'un d'autoritaire ?

10

J'avais peur de me rendre à la réunion du club vendredi. C'était un peu idiot. J'étais chez les Mancusi en train de m'occuper des animaux et de m'inquiéter pour le gros hamster. J'ai appelé Mallory.

– Salut, c'est moi.

- Salut, Jessica. Où es-tu ?

- Chez les Mancusi. J'ai presque fini. Hum, je me demandais, tu veux que je passe te chercher ; on pourrait aller à la réunion ensemble ?

– Tu as peur, toi aussi ?

Voilà ce que j'aime chez Mallory. J'imagine que c'est pour ça que nous sommes des amies si proches. Nous nous connaissons parfaitement, et nous sommes toujours franches l'une avec l'autre. Mallory savait que j'avais peur. Et elle reconnaissait qu'elle aussi. Elle aurait pu se contenter de dire : « Tu as peur ? » Mais elle avait dit : « Tu as peur, toi aussi ? »

C'était important.

– Oui, ai-je confirmé.

– OK, viens me chercher. Je me sentirai beaucoup mieux.

Mallory et moi, nous nous sommes rendues chez Claudia bras dessus bras dessous, comme pour repousser disputes, cris et insultes. Mimi nous a accueillies sur le seuil de la maison des Koshi.

– Qui est déjà là ? lui ai-je demandé.

Je devais paraître effrayée parce qu'elle m'a répondu :

– Toutes les autres. Mais ne t'inquiète pas, Jessica. Je sais que les plobrèmes vont... vont se résoudre.

J'acquiesçai.

– Merci, Mimi.

Mallory et moi avons grimpé les escaliers aussi lentement et tristement que si nous nous rendions à notre propre enterrement. Sur le palier, tout était silencieux. J'ai jeté un regard inquiet à mon amie, qui a haussé les épaules.

Ensemble, nous nous sommes arrêtées sur le seuil. Voilà la raison du silence ! Tout le monde était là mais personne ne parlait. Ni à Kristy ni à qui que ce soit.

Mary Anne était assise toute raide au pied du lit de Claudia. Elle regardait le plafond, les larmes aux yeux.

Claudia, à l'autre bout du lit, feuilletait un bouquin en silence.

Carla était assise entre Mary Anne et Claudia, et ses longs cheveux lui tombaient sur le visage, comme si elle essayait de se cacher.

Et Kristy ? Eh bien, toujours égale à elle-même, elle trônait dans son grand fauteuil, sa visière sur la tête, un crayon sur l'oreille. Je ne pouvais voir l'expression de son visage.

« Ouh, là ! ai-je pensé. Si j'attends trop longtemps ici, Kristy va dire : "Que se passe-t-il, les filles ? Vous n'allez pas rester comme ça toute la journée ? Allez, on commence." »

Mais Kristy n'a rien dit. Elle s'est contentée de nous regarder, Mallory et moi, et de nous adresser un petit sourire. Nous nous sommes alors glissées dans la chambre de Claudia et nous nous sommes assises par terre. Kristy a attendu que le réveil indique cinq heures et demie. Cette minute fut la plus longue de ma vie. Je mourais d'envie de chuchoter quelque chose à Mallory du genre : « On se croirait à la morgue... » ou « Qu'est-ce qu'on s'amuse ici ! » Mais c'était impossible. Tout le monde aurait entendu !

– Allons-y, a décrété Kristy à la demie pile.

Tout le monde était déjà prêt.

– Bien, hum, y a-t-il des questions ?

Personne n'a répondu. Puisque nous n'étions pas lundi, il n'y avait pas de cotisations à collecter, et Kristy ne nous demanderait pas si nous avions lu le journal de bord. (J'avais le sentiment que ce mot allait devenir un peu tabou pendant un certain temps.)

Elle s'est éclairci la gorge.

– Bien, a-t-elle poursuivi avec une gaieté forcée, rien à grignoter, Claudia ?

Silencieusement, Claudia a sorti un paquet de chips et un sachet de pop-corn de sous son oreiller. Elle a tendu les chips à Carla et le pop-corn à Kristy. Les paquets ont circulé, mais personne n'a pris plus d'un grain de pop-corn, même Kristy qui avait posé la question.

Je suppose que c'était juste pour dire quelque chose, et non parce qu'elle avait faim.

J'ai alors compris que notre présidente – notre reine – était aussi mal à l'aise que nous.

Dring, dring ! Dieu merci ! Un appel. Jamais je ne m'étais sentie aussi soulagée d'entendre le téléphone sonner. Comme un robot, Carla a décroché, et Mary Anne a organisé un baby-sitting pour Claudia chez les Marshall.

Dring, dring !

Un autre appel. Puis un autre et un autre.

Vers six heures moins dix, le téléphone a cessé de sonner et Kristy, plus mal à l'aise que jamais, a déclaré :

– Bon, j'ai… j'ai quelque chose à vous dire au sujet des élections de demain.

– Ça tient toujours, au moins ? s'est inquiétée Claudia.

– Bien sûr. Mais je voulais vous proposer quelque chose pour éviter le ballottage : tout d'abord, Jessica et Mallory, vous voterez, comme vous le savez.

Nous avons fait oui de la tête.

– Il y a deux raisons à cela, premièrement, vous êtes membres du club, donc vous devez voter. Deuxièmement, nous avons besoin de cinq votants pour éviter d'avoir égalité. Je sais que cela paraît confus, mais vous allez comprendre ce que je veux dire dans quelques minutes.

– D'accord.

Mallory et moi avions répondu en même temps.

– Ensuite, le vote sera secret. Je ferai des bulletins avec des cases à nos noms. Il faudra juste que nous mettions une croix dans la case correspondante. Je ne pense pas que nous puissions trouver plus secret que cela.

Un silence de plomb a accueilli la proposition de Kristy. J'ai froncé les sourcils. Personne ne se sentait donc soulagé ? Kristy a continué.

– La dernière chose, c'est que toi, Mary Anne, toi, Claudia, toi, Carla, et moi – nous quatre – pourrons participer au vote pour chaque poste, sauf celui que nous avons en ce moment. En d'autres termes, je peux voter pour l'élection de la vice-présidente, de la secrétaire et de la trésorière, mais pas pour celle de la présidente. La raison, c'est qu'excepté moi, par exemple, cinq personnes pourront choisir, parmi quatre autres, leur présidente. Un même nombre de voix est possible mais exceptionnel. De cette manière, nous pourrons éviter pas mal de tours supplémentaires.

– Autre chose ? a demandé Carla, cachée derrière ses cheveux.

– Non, je crois que c'est tout.

– Je dirais que c'est tout, est intervenue Claudia d'un ton cassant.

– Qu'est-ce que c'est censé signifier ? a répliqué Kristy.

(Je dois dire que j'étais en train de me demander la même chose.)

– Je peux répondre ? a proposé Mary Anne, la voix légèrement tremblante.

– Je t'en prie, a dit Claudia.

Mary Anne a pris une longue inspiration, probablement pour maîtriser sa voix.

– Kristy, as-tu entendu parler de la démocratie ?

Sentant le conflit, elle a répondu, sarcastique :

– Pourquoi, non, jamais. C'est quoi la démocratie ?

Mary Anne a fait de gros efforts pour ne pas être troublée par le ton de sa voix.

– Dans une démocratie, tout le monde a le droit de s'exprimer.

– C'est pourquoi nous organisons des élections, a affirmé Kristy, et c'est pourquoi nous allons toutes voter.

– C'est incroyable, a marmonné Carla, elle recommence.

– Kristy, tu veux bien écouter Mary Anne, s'il te plaît ? a ordonné Claudia.

Kristy a ouvert de grands yeux. Puis elle s'est tournée vers Mary Anne et a attendu.

– Dans une démocratie, a repris Mary Anne, tout le monde a son mot à dire dans la conduite du pays. Ce club devrait être comme une démocratie, Kristy, et ses membres devraient pouvoir s'exprimer sur la conduite des choses. Ce que je veux dire, c'est que tu aurais dû nous consulter à propos des élections, au sujet des bulletins de vote et de la façon dont se dérouleront les élections.

Kristy a rougi. J'ai cru qu'elle allait s'excuser, mais Carla a pris la parole.

– Mais noooon, a fait Carla, tu n'en fais qu'à ta tête et

tu n'agis que par rapport à ce qui te semble bien à toi. Toi, toi, toi. Tu ne penses jamais à ce que les autres veulent ou ressentent.

Ce n'est jamais une bonne idée de tenir des propos aussi définitifs. Moi, je l'ai appris à mes dépens.

Si je dis à ma mère : « Mais maman, tout le monde porte cela », elle répond : « Tout le monde ? Ton grand-père ? P'tit Bout ? », vous voyez, ce genre de chose.

Évidemment, Kristy a sauté sur l'occasion et a rétorqué :

– Ah bon ? Je ne pense jamais aux autres ? Qu'est-ce qui s'est passé quand Claudia s'est cassé la jambe et a voulu quitter le club ? Je ne l'ai pas aidée peut-être ? Je l'ai même aidée à voir le bon et le mauvais côté des choses. Et quand…

– Mais, Kristy, est intervenue Mary Anne d'une toute petite voix, il y a tellement de fois où tu nous ignores. Tu ne…

La voix tremblante de Mary Anne s'est brisée et elle a éclaté en sanglots.

Carla s'est levée d'un bond.

– Oh, bravo, Kristy. C'est vraiment super. Regarde ce que tu as fait.

– Ce que j'ai fait ? Je n'ai rien fait ! Mary Anne pleure tout le temps. Elle n'a pas besoin de moi.

Carla n'a pas répondu. Elle a quitté la chambre de Claudia, en colère.

– Sois là demain à quatre heures, lui a crié Kristy.

Elle nous regarda toutes et ajouta :

– Vous aussi. La réunion est finie.

Mary Anne est restée sur le lit et Claudia s'est approchée d'elle gentiment. Mallory et moi avons attendu que Kristy s'en aille. Puis nous sommes parties aussi. Nous avons descendu doucement l'escalier.

Une fois dehors, j'ai demandé à Mallory :

– Alors, la réunion a été aussi terrible que tu le pensais ?

– Oui, et pour toi ?

– Pire. C'était pire que je croyais. Et tu as un bon pressentiment pour demain ?

– Pas vraiment. Et toi ?

– Non plus, allez, au revoir, Mallory.

– Au revoir, Jessica.

11

Le samedi matin, je me suis réveillée avec une boule dans la gorge. Je me sentais comme avant une représentation de danse. Nerveuse, nerveuse, nerveuse.

Qu'allait-il bien pouvoir se passer à cette réunion ? Je restais allongée dans mon lit à me tracasser.

C'était drôle. Je ne vivais à Stonebrook que depuis quelques mois, mais le Club des baby-sitters était devenu extrêmement important pour moi. Peut-être parce que c'était le premier endroit, avec la maison de Mallory, où je m'étais sentie complètement acceptée, où cela n'avait vraiment pas d'importance que je sois noire.

Et si le club devait éclater, si les filles se fâchaient entre elles au point de décider d'arrêter, que se passerait-il ?

Je savais que j'aurais toujours Mallory, et que je resterais amie avec les autres filles, mais cela ne serait plus pareil. Sans parler du fait que j'adore garder des enfants et que je n'aurais plus tout le travail que le club me procurait. J'ai poussé un long soupir, pour essayer de me détendre. Je me suis étirée. Et enfin je me suis assise. Peut-être que, si je restais au lit, je pourrais arrêter le temps et faire que quatre heures n'arrive jamais. Malheureusement, j'étais trop grande pour y croire. Je suis sortie du lit, j'ai enfilé mes vêtements, et je suis descendue. Mais je ne suis pas allée dans la cuisine prendre mon petit déjeuner. J'ai regardé l'heure. Ouf, il n'était pas trop tôt pour passer un coup de fil à Mallory. Je me suis étendue sur le canapé du bureau.

– Allô ? a répondu une petite voix.

– Bonjour... Claire. (Ce devait être la petite sœur de Mallory qui a cinq ans.)

– Oui. C'est Jessica ?

– Oui. Ça va ?

– Ça va. J'ai perdu une dent ! Et devine... la petite souris aussi l'a perdue.

– Elle l'a perdue ? Comment tu le sais ?

– Parce que j'ai trouvé l'argent sous mon oreiller et j'ai trouvé la dent par terre. La petite souris a dû la faire tomber après avoir déposé l'argent.

Je me suis retenue de rire.

– J'imagine que même la petite souris fait des erreurs. Je pourrais parler à Mallory, s'il te plaît ?

– Bien sûr. Mallory, petite bêbête gluante, le téléphone !

Quelques instants plus tard, j'ai entendu la voix de mon amie :

– Allô ?

– Salut, c'est moi.

– Salut, Jessica. Combien de temps as-tu parlé avec Claire ?

– Seulement quelques minutes.

– Tant mieux. Elle est de mauvaise humeur, au cas où tu ne le saurais pas.

J'ai ri.

– Alors, prête pour cet après-midi ? ai-je demandé.

– J'espère.

– À ton avis, qu'est-ce qui va se passer ?

– Ah, ça, je n'en ai pas la moindre idée.

– Sais-tu pour qui tu vas voter ?

– J'ai essayé de ne pas y penser, à tel point que ça a marché et maintenant je ne sais pas pour qui voter.

– Oh ! Moi non plus.

Mallory a soupiré.

J'ai soupiré.

– Bon, je ferais mieux d'aller me préparer. J'ai des tas de choses à faire avant la réunion du club. M. et Mme Mancusi rentrent demain, je voudrais m'assurer que tout est en ordre chez eux. Je dois aller promener les chiens et nourrir tous les animaux comme d'habitude, mais je veux aussi nettoyer les cages et changer la litière des chats, etc.

– D'accord. Tu pourras passer me chercher cet après-midi ? Ce serait bien d'aller à la réunion ensemble, a proposé Mallory.

– Bien sûr, je viendrai à quatre heures moins le quart.

Après avoir raccroché, je suis allée dans la cuisine, où j'ai trouvé maman et P'tit Bout.

– Bonjour !

– Bonjour, ma chérie.

– Où sont papa et Becca ?

– Ton père est au bureau ce matin, et Rebecca est chez Charlotte.

Je me suis assise en face de P'tit Bout qui était dans sa chaise haute et je lui ai fait des grimaces.

– Maman ?

Ma mère m'a regardée par-dessus le livre de cuisine qu'elle était en train dc consulter.

– Oui ? Tu ne manges pas ? Tout le monde a déjà pris son petit déjeuner.

– Si, si, mais je veux te demander quelque chose avant.

Maman a compris que c'était important. Elle s'est installée en face de moi à la table.

– Qu'est-ce qui t'arrive ?

Du mieux que j'ai pu, je lui ai expliqué ce qui se passait au club. Je lui ai tout raconté : la façon dont Kristy pouvait être autoritaire parfois, que les autres filles étaient fâchées, et ce qui pourrait se passer aux élections de l'après-midi.

– Da da ? a émis P'tit Bout du haut de sa chaise.

Il jouait avec un trousseau de clés en plastique et deux anneaux rouges.

– Jessica, je pense que tu veux me demander comment tu dois voter, n'est-ce pas ? m'a questionnée ma mère.

– Bon... oui, enfin juste un petit conseil, ou quelque chose comme ça.

– Mais je ne peux pas te répondre. Tu dois te faire ta propre opinion. Je vais te donner une petite piste : vote pour la personne qui, à ton avis, correspond le mieux au poste. Ne te soucie pas du reste.

– D'accord. Merci, maman.

J'ai pris mon petit déjeuner, en me sentant un peu abandonnée. Ma mère était toujours de bon conseil. Pourquoi ne me disait-elle pas pour qui voter ? Je savais que ce n'était pas la peine d'insister. Je devais réfléchir et prendre ma décision moi-même, et j'avais tout le temps d'y penser pendant que je travaillerais chez les Mancusi.

Je suis tout d'abord allée promener Oursonne, Cheryl et Jacques. Il était tard ce matin et les chiens étaient pressés de sortir. Ils essayaient de traverser le gazon alors que je tentais de fermer la porte.

– Attendez !

J'ai donné un tour de clé, et les chiens m'ont tirée dans la rue. Nous avons couru comme des fous, dépassant les gens, les bicyclettes et les boîtes aux lettres. Enfin les chiens ont ralenti le pas et j'ai pu me détendre un peu.

J'ai décidé de penser aux élections. J'ai examiné chaque poste, en commençant par celui de la trésorière. Carla était une bonne trésorière. Elle collectait toujours nos cotisations, n'oubliait jamais de payer Samuel, elle nous avertissait toujours quand il y avait un problème de trésorerie. Mais si elle n'aimait plus faire ce travail, alors... Claudia ne pourrait certainement pas être trésorière, elle est nulle en maths. Mary Anne est bonne en maths, mais elle est très bien comme secrétaire. Il ne restait que Kristy. Le problème, c'est que je ne pouvais pas l'imaginer en trésorière du club.

« Ça ne mène à rien », ai-je conclu en ramenant les chiens chez les Mancusi.

J'ai réfléchi à un autre poste, celui de vice-présidente. Claudia était une très bonne vice-présidente, en plus, elle avait son propre téléphone et sa ligne privée. Mais, bon, elle en avait assez. Alors ? Kristy pourrait être notre vice-présidente, mais comment ferait-elle pour répondre à tous ces appels qui arrivaient en dehors des heures de réunion ? Elle ne pourrait pas, à moins de transférer le siège du club chez elle. Peut-être qu'elle pourrait demander à sa mère et à son beau-père d'avoir une ligne privée. Ça semblait terriblement compliqué d'intervertir les rôles au club.

Je ne pouvais résoudre le problème, aussi ai-je arrêté d'y penser pendant que je m'occupais des animaux. J'ai fait entrer les chiens dans la maison et je les ai nourris. Puis j'ai changé leur eau. Ils ont mangé vite (et salement) et sont partis. J'ai nettoyé la cuisine.

Puis je me suis occupée des chats. Puisqu'ils étaient dans la salle de séjour et dormaient, j'ai lavé les écuelles. Je leur ai servi leurs croquettes. J'ai nettoyé leur bac, j'ai trouvé l'aspirateur, et je l'ai passé pour ôter les grains de litière tombés par terre.

Je me suis donné du mal. J'ai pris soin des oiseaux et de leurs cages, des lapins et de leur clapier, des poissons et de leur aquarium.

Il était temps de passer aux hamsters. Je me suis penchée pour regarder dans la cage. Le gros hamster dans le coin s'est soudain réveillé et m'a fixée, les yeux brillants.

– Pourquoi es-tu tout seul ? lui ai-je demandé.

J'ai passé mon doigt dans la cage afin de le caresser mais il a fait un mouvement brusque. J'ai retiré ma main juste à temps.

– Ouah ! Qu'est-ce qui tu as ?

Un frisson glacial m'a parcourue. Il lui arrivait quelque chose. Peut-être était-ce pour cela qu'il ne voulait pas aller avec les autres et qu'il était de mauvaise humeur.

Quoi qu'il en soit, ça avait duré toute la semaine et ça avait commencé quand M. et Mme Mancusi étaient partis. Pourquoi n'avais-je rien fait ? Qu'allaient penser les Mancusi lorsqu'ils rentreraient et que je leur dirais qu'il avait été malade toute la semaine, et que j'avouerais n'avoir rien fait pour lui ? Ce n'était certainement pas très responsable. Si je gardais des enfants et que l'un d'eux soit malade ou se casse une jambe, j'aurais appelé les parents, ou le médecin ou une ambulance. Je n'allais certainement pas appeler M. et Mme Mancusi aussi loin pour un hamster mais je pouvais l'emmener chez le vétérinaire.

J'ai téléphoné à la maison. Ma mère a répondu.

– Maman ! Un des hamsters est malade. Il dort dans un coin tout seul, il devient de plus en plus gros et, tout à l'heure, il m'a presque mordue. Je crois qu'il s'est cassé quelque chose. Enfin j'ai remarqué qu'il n'allait pas bien le week-end dernier et je ne sais pas pourquoi, je n'ai rien fait, mais je n'ai rien fait et…

– Jessica, ma chérie, attends un peu, m'a coupée maman. Que veux-tu faire ?

– L'emmener chez le vétérinaire. Est-ce que tu peux m'y conduire ?

– Naturellement. Prends l'adresse du vétérinaire avec toi. Et laisse-moi quelques minutes pour préparer P'tit Bout. Ton père est toujours à son travail. Oh, fais attention au hamster, surtout s'il mord.

– D'accord, merci, maman. Tu sais où se trouve la maison des Mancusi, hein ?

Maman m'a dit que oui, j'ai raccroché. Je réfléchissais à la manière d'attraper le hamster pour l'emmener chez le vétérinaire quand soudain une pensée m'a traversé l'esprit, j'ai regardé ma montre. Il était deux heures et demie. La réunion extraordinaire du club devait commencer dans une heure et demie.

Je ne pourrais jamais y être.

12

Je n'avais pas le temps de m'inquiéter pour la réunion. Je devais préparer le hamster pour l'emmener chez le vétérinaire. Dans quoi pouvais-je le mettre ?

Dans le garage, j'ai déniché une pile de cartons. Parmi eux, il y avait une boîte à chaussures. Parfait.

J'ai rempli la boîte à chaussures de copeaux pour installer le hamster dedans. Je ne voulais pas le toucher au cas où il aurait mal. Finalement, j'ai nettoyé une boîte de pâtée pour chien, en m'assurant qu'il n'y avait pas de bord coupant, j'ai déposé des graines dedans, et j'ai placé le tout dans la cage près du gros hamster… qui est tombé dans le piège. Puis j'ai mis la conserve dans le carton à chaussures. Mon plan avait fonctionné.

Le hamster s'est installé dans la boîte à chaussures sans essayer de sortir. J'avais percé des trous dans le couvercle pour qu'il puisse respirer.

De petits coups de klaxon.

Cela devait être maman.

J'ai enfilé ma veste, saisi la boîte en faisant attention à ne pas la renverser et je suis sortie en fermant la porte à clé.

– Merci, maman, me suis-je écriée, alors que je m'asseyais à ses côtés.

Derrière moi, P'tit Bout était attaché dans son siège. Il gazouillait.

– Fais voir ton petit compagnon, a demandé maman.

Soulevant le couvercle, je lui ai tendu la boîte.

– Il semble calme, mais...

– Il a été comme cela toute la semaine.

– Bon. Allons-y. Où travaille le vétérinaire ?

Je lui ai donné l'adresse. Puis je me suis calée dans mon siège. Je me sentais soulagée de faire quelque chose.

P'tit Bout a chantonné tout le long du chemin.

Nous nous sommes arrêtées sur le parking du vétérinaire et j'ai remis le couvercle sur la boîte. J'ignorais à quoi ressemblerait le cabinet, heureusement. Maman est descendue de voiture en portant P'tit Bout et quelques jouets, et je l'ai suivie avec le hamster dans la boîte. Je n'avais jamais été chez un vétérinaire car nous n'avons jamais eu d'animaux domestiques. Je ne m'attendais pas à ça. Quelle surprise ! D'abord, c'était bruyant. La plupart des gens étaient assis avec des chiens et des chats. Les chats étaient sagement enfermés dans des paniers, excepté un siamois qui était en laisse, et ils étaient plutôt calmes. Mais deux des chats, le siamois et un chat tigré, miaulaient bruyamment. Et de nombreux chiens aboyaient, les petits poussaient des jappements aigus et les gros, des aboiements rauques. P'tit Bout regardait autour de lui, les gens et les animaux ; il écoutait les bruits, et sa lèvre inférieure commençait à trembler.

– N'aie pas peur, mon chéri, l'a rassurée maman, ce ne sont que des…

Soudain, ma mère a laissé échapper un cri. Elle a désigné quelque chose à l'autre bout de la pièce. Je l'ai vu aussi.

C'était un serpent. Et pas un petit serpent comme Barney. Mais un grand serpent enroulé autour du cou d'un garçon qui paraissait avoir quatorze ans.

On aurait dit que maman allait s'évanouir. Il fallait que je les empêche de tomber, elle et P'tit Bout, sans écraser le hamster. Heureusement, elle s'est reprise, ouf !

Et, de sa place, le garçon a dit poliment :

– Ne vous inquiétez pas. C'est un boa constrictor. Il n'est pas venimeux. Je suis désolé qu'il vous ait fait peur.

Ma mère lui a souri, tout en choisissant le siège le plus éloigné possible de celui du garçon. Elle s'est assise avec P'tit Bout sur ses genoux.

– Bien, ma chérie, tu devrais aller dire à la secrétaire que tu as un hamster malade et que tu n'as pas de rendez-vous.

– D'accord.

J'ai traversé la pièce avec le hamster, en évitant le garçon au serpent.

– Oui ? a dit la réceptionniste.

– Bonjour, expliquai-je, je m'appelle Jessica Ramsey. Je garde les animaux de M. et Mme Mancusi cette semaine, et un de leurs hamsters est malade.

– Oh, M. et Mme Mancusi...

Elle semblait se rappeler le nom. Je me suis dit qu'avec tous leurs animaux, ils devaient assez souvent aller chez le vétérinaire.

– Que lui arrive-t-il ?

– Eh bien, il ne dort pas avec les autres et il est de très mauvaise humeur.

J'ai poussé la boîte vers elle pour qu'elle regarde à l'intérieur.

– Il a l'air gros, non ? a-t-elle remarqué.

– Oui, il a beaucoup grossi. J'ai pensé qu'il souffrait peut-être. Il a quelque chose qui ne va pas.

La dame a hoché la tête.

– D'accord. Si tu es inquiète, il vaut mieux que le docteur le voie. Mais je dois te dire que, comme tu n'as pas de rendez-vous et bien que ce soit une urgence, tu vas attendre longtemps. C'est difficile de dire combien de temps. Il y a cinq vétérinaires aujourd'hui, ce qui n'est pas mal, mais il y a aussi beaucoup d'animaux.

– Entendu, mais je préfère le faire examiner.

J'ai caressé la tête du hamster avant de remettre le couvercle sur la boîte, puis je suis retournée voir maman.

Je commençais à me sentir terriblement nerveuse. J'ai consulté ma montre. Il était trois heures moins le quart. Notre réunion extraordinaire avait lieu dans un peu plus d'une heure. Pourrais-je y être ? Mais que faire ?

Assise à côté de maman, je m'efforçais de ne pas me ronger les ongles. Puis P'tit Bout s'est penché vers moi en disant « Dadou ? » ce qui signifiait qu'il voulait jouer. Nous avons joué avec de petits moules en plastique jusqu'à ce qu'une fille de l'âge de Rebecca entre dans la salle d'attente avec son père. Elle portait un chaton et s'est dirigée vers un siège libre à côté de maman. Son père parlait à la secrétaire.

– Quel adorable petit chat, a dit ma mère à la petite fille alors qu'elle s'asseyait.

Immédiatement la petite fille s'est relevée.

– Il s'appelle Booggie Wooggie, a-t-elle dit en nous le tendant.

Maman et moi l'avons pris sur nos genoux, pendant que P'tit Bout le caressait.

Booggie Wooggie était tout petit. Il était complètement blanc, sans une tache, ni une rayure ni même un poil d'une autre couleur. S'il avait été à moi, je l'aurais appelé Brume, Nuage ou Crème.

J'allais dire tout ça à la petite fille, quand elle nous a expliqué :

– Vous savez quoi, c'est très triste mais Booggie Wooggie est sourd.

– Sourd ?

La petite a hoché la tête.

– Cela arrive parfois avec les chats blancs.

Son père nous a rejoints et lui et maman ont discuté des chats blancs qui peuvent parfois être sourds. J'ai jeté un nouveau coup d'œil à ma montre. Il était trois heures dix. Il restait moins d'une heure avant notre réunion. Que pouvais-je faire ? J'étais responsable du hamster, j'en avais la garde. Si j'avais gardé des enfants ce samedi après-midi, que les parents ne soient pas revenus à temps, et que j'aie une réunion, eh bien, j'aurais manqué la réunion, c'est tout. Les responsabilités priment sur le reste. Aussi maintenant, un hamster malade passait avant tout.

Je savais que j'avais raison, mais je me suis mise à jouer avec mes doigts et à remuer mes jambes. Oh, je déteste être en retard et ne pas faire ce qui est prévu, et j'ai horreur de contrarier Kristy.

– Mademoiselle Ramsey ? a fait la secrétaire.

– Oui, je suis là.

J'ai pris le hamster dans sa boîte et je me suis levée. Maman a rassemblé les jouets de P'tit Bout. J'ai regardé ma montre pour la énième fois. Il était trois heures et demie ! Comment pouvait-il être trois heures et demie ? Il fallait que j'appelle Kristy dès que je le pourrais après être sortie de chez le vétérinaire.

L'assistante nous a conduits dans le couloir qui menait au cabinet.

– Bonjour, je suis le Dr West, a dit un homme en blouse blanche.

Il nous a serré la main.

– Alors tu as un des animaux domestiques de M. et Mme Mancusi. Voyons cela.

Pendant que le Dr West examinait le hamster, je me suis ruée dans la salle d'attente où j'avais vu une cabine téléphonique. J'ai appelé Kristy en premier.

– ... donc, je ne pourrai pas être à l'heure pour la

réunion, me suis-je excusée après avoir raconté toute l'histoire. Je suis vraiment désolée.

– Pas de problème, a immédiatement répondu Kristy, tu as fait ce qu'il fallait.

– C'est vrai ? Même si c'est un hamster ?

– Le hamster est sous ta responsabilité, dit Kristy, que ce soit des animaux ou des enfants ne change rien, tu en es responsable. C'est cela qui compte.

– Merci, Kristy.

– Écoute, je vais appeler les autres pour leur dire que la réunion est reportée. Nous essaierons d'en organiser une autre demain matin à onze heures, mais appelle-moi ce soir pour que je te confirme l'heure.

– D'accord, merci encore, Kristy.

J'ai raccroché et appelé Mallory pour lui expliquer pourquoi je ne passerais pas la prendre.

Puis je suis retournée dans le cabinet du Dr West. Ma mère et le vétérinaire souriaient.

– Qu'est-ce qu'il y a ? Pourquoi as-tu l'air si contente ?

– Parce que, répondit maman, ton hamster n'est pas un mâle mais une femelle. Et elle va avoir des petits !

– Dans les vingt-quatre heures qui viennent ! a précisé le Dr West. Tu as de la chance de ne pas l'avoir touchée aujourd'hui. Un hamster qui attend des petits ne doit pas être manipulé.

Il m'a demandé de transférer les autres dans une cage séparée de façon à ce que la mère puisse être seule avec ses petits après la naissance.

– Et ne la touche pas du tout. Une femelle qui attend des petits est très délicate, remets-la dans sa cage en renversant doucement la boîte et en la laissant sortir toute seule.

– D'accord. Merci, docteur..

Je suis retournée chez M. et Mme Mancusi toute joyeuse.

– Tu te rends compte, maman, c'est une femelle et elle va avoir des petits ! Je vais lui donner un nom, je veux pouvoir l'appeler par son nom.

Maman m'a déposée et P'tit Bout m'a fait signe par la vitre de la voiture.

– Au revoir ! Au revoir, P'tit Bout. Merci de m'avoir aidée, maman. Je rentrerai dès que j'aurai promené les chiens et terminé mon travail.

Maman m'a saluée d'un petit coup de klaxon.

J'ai couru au garage chercher l'aquarium avec lequel j'avais attrapé Barney. J'y ai versé des copeaux et déposé de la nourriture ainsi qu'un petit abreuvoir, et doucement j'y ai installé les hamsters. Puis, encore plus doucement, j'ai mis la boîte à chaussures dans la cage et j'ai laissé la future maman en sortir.

– Comment je vais t'appeler ? Suzanne ? Non, ça ne va pas pour un hamster. Sable ? C'est vrai que tu es couleur sable. Non, trop ennuyeux !

Après avoir beaucoup réfléchi, j'ai décidé de l'appeler Brume. C'est le nom que j'aurais donné à un petit chat blanc si j'en avais eu un. Le hamster n'était pas du tout blanc mais peu importe. Brume était un joli nom.

Je suis revenue à la maison tout excitée. Quand je retournerais chez les Mancusi le lendemain, Brume serait maman !

13

Le dimanche matin, je me suis réveillée de très bonne heure. J'avais beaucoup de choses à faire chez les Mancusi avant de me rendre chez Claudia.

Je devais promener les chiens, les nourrir ainsi que les chats, et finir le ménage que j'avais commencé la veille. Et, bien sûr, je voulais vérifier si Brume avait eu ses bébés.

Je me suis précipitée pour voir la maman hamster aussitôt après avoir refermé la porte. Quand je suis arrivée à la cuisine, j'ai ralenti pour avancer à pas de loup. J'ai regardé dans la cage de Brume.

Rien. Juste le hamster dans son nid au milieu des copeaux.

– Oh, tu ne les as pas encore eus, ai-je soupiré, déçue.

Je commençais à me demander si le Dr West ne s'était pas trompé. Et alors ? Eh bien, M. et Mme Mancusi rentreraient dans l'après-midi. Je leur raconterais toute l'histoire et les laisserais décider quoi faire. Au moins, Brume serait allée chez le vétérinaire.

En plus, le Dr West avait dit que les bébés naîtraient dans les prochaines vingt-quatre heures. Il ne restait que sept heures. J'ai dû laisser Brume pour aller promener les chiens, j'ai rempli leurs gamelles et nourri les chats, fini le nettoyage, et puis… je suis partie pour notre réunion extraordinaire du club. Je suis passée prendre Mallory en chemin, puisque nous avions décidé d'arriver chez Claudia ensemble.

Mon amie m'attendait devant chez elle. Dès qu'elle m'a vue, elle a couru à ma rencontre.

– Alors, le hamster a eu ses bébés ?

– Pas encore. J'espère qu'elle va les avoir. J'aurais voulu que ça arrive avant le retour des Mancusi.

– Peut-être que nous pourrions aller voir après la réunion, a suggéré Mallory.

– Oh ! Bonne idée ! On pourrait toutes y aller.

Elle a fait la grimace à cette pensée, mais s'est contentée de dire :

– Tu sais pour qui tu vas voter ?

J'ai hoché doucement la tête.

– Je crois que oui. Je ne serai sans doute plus vraiment sûre de moi avant de voter mais pour le moment je sais.

– C'est drôle, a remarqué Mallory, je ressens la même chose… Si on se disait pour qui on va voter ?

– Non, il vaut mieux pas. Il faut s'en tenir à ce que nous avons décidé. Si on en parle, on risque de changer d'avis.

– D'accord.

D'ici quelques minutes, nous allions arriver chez Claudia. Nous nous sommes regardées.

– *Pom pom pom pom*, a fredonné Mallory d'un ton lugubre sur l'air de la *Cinquième Symphonie* de Beethoven.

J'ai ri ou plutôt j'ai essayé de rire.

Mallory a ouvert la porte. Nous sommes entrées et montées directement. Kristy était déjà arrivée, occupée à ranger des feuilles de papier.

– Salut, les filles, a lancé Claudia en nous accueillant.

– Salut, avons-nous répondu en nous installant à nos places habituelles, c'est-à-dire par terre.

– Qu'est-ce…

Claudia a été interrompue par l'arrivée de Mary Anne et de Carla, qui paraissaient toutes deux un peu endormies.

Lorsque tout le monde a été installé, Kristy nous a posé une question qui nous a surprises.

– Raconte-nous pour le hamster, Jessica.

J'ai sursauté. Je m'attendais à voter tout de suite…

– Eh bien, les nouvelles sont bonnes. Le hamster n'est pas malade.

– Oh, c'est merveilleux ! s'est écrié Carla. C'était donc une fausse alerte ?

– Pas exactement, en fait, c'est une femelle. Je l'ai appelée Brume, et Brume va… (J'ai regardé Mallory, laissant planer le suspense.)

– Quoi ? a crié Mary Anne.

– ... avoir des petits ! me suis-je exclamée. Sûrement beaucoup. Le Dr West m'a expliqué que les hamsters en ont souvent de six à douze. Ce sont exactement ses mots. Et cela peut arriver d'une minute à l'autre car, hier après-midi, il a dit que la naissance devrait avoir lieu dans les vingt-quatre heures.

– C'est génial ! a dit Carla en poussant de petits cris.

– Des bébés ! s'est écriée Mary Anne.

– Plein de bébés ! a renchéri Claudia.

– Les Mancusi vont être fous de joie ! a conclu Kristy.

Pendant un moment, j'ai eu l'impression d'être à une réunion habituelle du club, bien avant celle où nous avions commencé à nous disputer sans arrêt. Puis Kristy a dit :

– Quand la réunion sera finie, on pourrait peut-être aller chez M. et Mme Mancusi pour voir comment va Brume. (Mallory m'a donné un coup de coude.) Mais maintenant, nous avons à faire.

J'ai vu passer une ombre sur les visages gais et impatients.

Kristy a tapoté sa pile de papiers pour en faire un tas bien rangé.

– Bon, j'ai fait ces bulletins de vote, comme je l'avais annoncé. Chaque feuille comporte en en-tête la fonction. En dessous figurent les noms des personnes. Tout ce que vous devez faire, c'est mettre une croix dans la case correspondant à la personne que vous aimeriez voir occuper le poste. D'accord ?

Tout le monde a hoché la tête.

– Super, commençons donc par la trésorière.

Elle a tendu un bulletin à Mary Anne, Claudia, Mallory et moi, et en a pris un.

– Tout le monde vote, sauf Carla, a-t-elle rappelé.

Mary Anne a levé la main.

– Heu, Kristy, ex... excuse-moi, mais je dois dire quelque chose à ce propos.

– Oui ?

– Eh bien, c'est juste que... que... prenons un exemple : Carla ne veut plus être trésorière, d'accord, mais elle sait peut-être qui pourrait la remplacer. Après tout, elle est bien placée pour ça. Je comprends ce que tu as dit à propos des ballottages, mais je pense que nous devrions toutes voter. S'il y a ballottage, nous voterons à nouveau. S'il y a trop de tours supplémentaires, alors il faudra envisager de n'être que cinq à voter. Mais nous devons d'abord voter toutes les six.

Je devais reconnaître que Kristy et Mary Anne avaient toutes les deux raison. Kristy a écouté la proposition de Mary Anne et l'a prise au sérieux. (Et Mary Anne n'a pas pleuré !)

– D'accord, a fait Kristy. Votons sur la base de ce que vient de dire Mary Anne. Votons à main levée. Celles qui sont d'accord pour que tout le monde vote, levez la main.

Cinq mains se sont levées. (Devinez qui n'avait pas levé la sienne ?)

– Bien. Je crois que nous allons toutes voter, a repris Kristy. Heureusement que j'ai préparé des bulletins supplémentaires, au cas où il y aurait des erreurs, donc, nous sommes prêtes.

Kristy a tendu un bulletin à Carla. Puis elle nous a donné à chacune un stylo à bille bleu.

Mon cœur battait la chamade. Mon bulletin de vote portait la mention trésorière en haut ; en dessous figuraient les noms de Kristy, Claudia, Mary Anne et Carla. Une case avait été dessinée sur la gauche en face de chaque nom. J'ai marqué un temps d'arrêt, mais je savais ce que j'allais faire. J'ai pris le stylo et fait une croix dans la case correspondant à Carla. Pour moi, c'était la meilleure trésorière que nous puissions avoir. Mais j'étais presque sûre qu'elle allait me tuer quand elle apprendrait ce que j'avais fait (si elle l'apprenait). Ces élections avaient lieu parce que chaque membre en avait assez de sa fonction et voulait changer. Eh bien, tant pis. Je n'y pouvais rien. Carla, trésorière, tel était mon choix.

J'ai jeté un coup d'œil autour de moi, essayant de mesurer la tension. C'était drôle, mais il ne semblait pas trop y en avoir. Les filles étaient occupées à voter, il est vrai, mais, fait remarquable, personne ne se disputait. Je pense que nous étions soulagées que le jour de l'élection soit enfin arrivé, quoi qu'il en résulte.

Lorsque tout le monde a eu voté, nous avons plié nos papiers en quatre et les avons tendus à Kristy, qui soigneusement en a fait une pile. Puis elle a distribué les bulletins pour le poste de secrétaire, quelques minutes plus tard, pour celui de la vice-présidente, et enfin pour le poste de présidente. À chaque fois, j'ai voté rapidement, sachant ce que j'avais à faire.

Une fois les bulletins de vote pour le poste de présidente ramassés, Kristy a déclaré :

– Laissez-moi jeter un rapide coup d'œil aux bulletins. Si je vois beaucoup de problèmes, je vous demanderai de m'aider à compter.

Kristy a déplié les bulletins de vote pour l'élection de la trésorière et les a parcourus.

– Hum…

Elle a regardé les bulletins pour l'élection de la secrétaire.

– Euh…

Elle a jeté un œil sur les bulletins de vote pour l'élection de la vice-présidente.

– Eh bien….

Et puis elle a regardé les bulletins de vote pour la présidente.

Là, elle a éclaté de rire.

– Qu'est-ce qu'il y a ? s'est inquiétée Claudia.

– Vous n'allez pas le croire. J'ai du mal à le croire moi-même.

– Mais quoi ? a demandé Carla.

– Nous avons toutes réélu à l'unanimité les mêmes personnes aux mêmes fonctions ! Nous avons toutes voté pour Carla comme trésorière – même Carla. Nous avons toutes voté pour Mary Anne comme secrétaire – même Mary Anne. Et ainsi de suite. Vous avez même voté pour moi comme présidente.

Il y a eu un moment de silence. Puis nous nous sommes toutes mises à rire. Carla riait si fort qu'elle en pleurait. Kristy riait si fort que j'ai cru qu'elle allait tomber de son fauteuil. Et moi, tout en riant, je réfléchissais. Maintenant, je comprenais ce que maman avait voulu dire quand je lui avais demandé comment voter. Elle voulait dire (mais elle souhaitait que je le comprenne par moi-même) que nous ne devions pas nous inquiéter de savoir comment réagiraient les autres à nos choix. Le but d'une élection est de voter pour la meilleure personne dans une fonction donnée. Point final. Et nous l'avions compris. Nous avions compris que la meilleure personne pour le poste était celle qui l'occupait déjà et que nous voulions la maintenir dans sa fonction.

Les rires se sont tus, et Kristy s'est redressée dans son fauteuil.

– Alors, comment ça se fait ?

J'ai levé la main, le cœur battant à tout rompre. Je ne parle pas beaucoup aux réunions d'habitude, mais j'étais presque sûre d'avoir la bonne réponse, cette fois.

– Je crois, ai-je commencé, que nous avons compris que nous avions déjà élu les personnes qui correspondaient le mieux à chacun des postes. Je veux dire que Carla est organisée, mais Mary Anne l'est plus encore, et Carla est meilleure dans la tenue des comptes, aussi fait-elle une trésorière parfaite et Mary Anne, une parfaite secrétaire. Il aurait été difficile de nommer quelqu'un d'autre que Claudia comme vice-présidente, et Kristy, tu mérites vraiment d'être la présidente puisque c'est toi qui as eu l'idée du club.

Tout le monde m'a regardée en hochant la tête.

J'ai ajouté encore une chose :

– Vous êtes d'accord avec les résultats des élections ? ai-je demandé. Vous en aviez plutôt assez de votre boulot, il y a quelque temps.

– Je peux continuer, a immédiatement répondu Carla. Il y a certaines choses dans mon travail que je n'aime pas, mais je pense que je suis la meilleure pour ce boulot. Et je pense que cela perturberait le club si nous changions les choses.

Mes amies ont souri à nouveau. Puis le visage de Kristy s'est assombri.

– J'ai quelque chose à dire. Je suis d'accord, nous avons compris que nous occupions chacune la bonne fonction. Mais je dois admettre que, bonne fonction ou pas, j'ai été trop autoritaire. Peut-être que j'ai beaucoup d'idées, mais je ne devrais pas vous les imposer. C'est… c'est comme ce problème avec Samuel, j'imagine. À mon avis, il n'agit pas comme un caïd parce qu'il va entrer à l'université. Je pense qu'il est inquiet parce qu'il a peur d'y aller, du coup, il devient odieux avec tout le monde. Moi, je fais un peu la même chose. Jackie Rodowsky me l'a fait remarquer. Je veux dire, il m'a fait remarquer que j'étais trop autoritaire avec lui. Alors, je vais faire des efforts. Je ne vais plus vous imposer de règles. Lorsque j'aurai une nouvelle idée, nous voterons, d'accord ?

– D'accord ! s'est écriée Claudia.

Ainsi, la réunion s'est terminée sur une note joyeuse. Et lorsque Kristy a suggéré à nouveau d'aller chez M. et Mme Mancusi, tout le monde voulait voir Brume. Et Mallory était d'accord. Elle était contente que notre club soit redevenu un club.

Moi aussi !

Nous sommes arrivées chez les Mancusi un peu avant midi et demi. M. et Mme Mancusi devaient rentrer assez tard dans l'après-midi.

J'ai ouvert la porte, un peu comme une grand-mère nerveuse. Comment allait Brume ? Avait-elle eu ses petits ? Combien de temps fallait-il à un hamster pour mettre au monde ses bébés ?

– Suivez-moi, Brume est dans la cuisine.

(Je ne sais pas pourquoi je chuchotais.)

Je marchais sur la pointe des pieds, et Mallory, Kristy, Claudia, Carla et Mary Anne faisaient de même derrière moi. Je me suis arrêtée sur le pas de la porte, à l'écoute de bruits inhabituels, bien que je n'aie jamais entendu ceux que font des hamsters nouveau-nés.

Enfin, j'ai regardé la cage de Brume. Elle était là, je voyais son corps brun doré… Et, à côté, il y avait quatre minuscules corps roses ! Ils n'avaient pas de poils du tout et leurs yeux étaient fermés. Je retenais mon souffle.

– Elle les a eus ! Brume a eu quatre petits.

Tout le monde s'est rassemblé autour de la cage.

– Il y en a même cinq, a remarqué doucement Kristy.

– Oh, beurk ! s'est exclamée Mary Anne, en faisant un pas en arrière. C'est dégoûtant.

– Non, c'est beau, a affirmé Carla.

– Cinq petits. Je me demande comment les Mancusi vont les appeler, a ajouté Mallory.

– Je me demande s'il y en aura plus de cinq.

– Je me demande s'ils vont les garder, s'est interrogée Claudia. Tu crois qu'ils vont les garder, Jessica ?

– Je ne pense pas qu'une cage supplémentaire de hamster représente plus de travail.

– Est-ce que nous devons faire quelque chose d'autre pour Brume et ses petits ? a proposé Mary Anne, même si elle ne voulait plus regarder dans la cage.

– Je ne crois pas, le Dr West a dit qu'il ne fallait pas toucher les petits, même si je pense qu'il y en a un qui est mort. Il a dit que Brume saurait quoi faire. Et que les petits (en fait, il a dit la portée) s'éparpilleront dans la cage mais que Brume s'en occupera.

Nous les avons observés quelques minutes encore. Finalement, j'ai suggéré :

– Peut-être que nous devrions laisser Brume seule. Si j'étais dans une cage avec mes bébés hamsters, je n'aimerais pas voir six visages en train de me fixer.

– Si tu étais dans une cage avec tes bébés hamsters, tu serais un miracle de la science, est intervenue Mallory.

– Non, elle serait dans un zoo, s'est moquée Kristy.

Nous avons quitté la cuisine et sommes passées dans la salle de séjour.

– Oh, a fait Claudia, qui c'est ?

– C'est Poudre. Hé, vous voulez voir les autres animaux ?

– Merci, mais j'ai déjà fait connaissance avec Barney, a aussitôt répliqué Mary Anne.

– Il y a d'autres animaux ici, et Kristy et Carla ne sont jamais venues…

– Ça croque ! Ça croque !

– Aaah ! a hurlé Kristy. Il y a quelqu'un dans la maison, nous ne sommes pas seules.

Carla s'est mise à rire.

– C'est un oiseau, non ?

J'ai acquiescé.

– Nous en avions un, a expliqué Carla, il y a très longtemps. Je crois que c'était une perruche. Elle s'appelait Bizz. Elle disait quelques mots. Mais le plus drôle, c'est le jour où elle s'est posée dans un plat de purée.

J'ai failli m'étrangler de rire.

– Carla ! C'est vrai ?

– Je vous le jure !

Cela devait être vrai.

Nous avons gloussé comme des folles sans pouvoir nous calmer. Puis j'ai laissé Kristy et Carla faire connaissance avec les animaux.

– Hé, Mary Anne ! a crié Kristy alors que nous étions

sous la véranda. Où est le couvercle de la cage de Barney ?

Mary Anne s'est mise à hurler sans même regarder la cage. Si elle avait regardé, elle aurait vu que le couvercle était fermement en place. Kristy a dû avouer sa plaisanterie pour empêcher Mary Anne de courir chez elle. Enfin, j'ai proposé de sortir Cheryl, Jacques et Oursonne pour la promenade quotidienne. Je pensais que mes amies aimeraient ça. Aussi nous sommes parties avec les chiens pour une longue promenade. Quand nous sommes revenues, j'ai dit :

– Les filles, je ne veux pas vous mettre dehors, mais je dois nourrir les animaux. Et il vaudrait mieux que je sois seule pour le retour de M. et Mme Mancusi.

– Bien sûr, a approuvé Kristy, c'est normal.

Mes amies partirent. Je suis restée seule dans la maison, mais ce n'était pas pour longtemps. Les Mancusi allaient bientôt rentrer. J'ai téléphoné à mes parents pour leur dire où j'étais et les avertir que je rentrerais plus tard. Puis j'ai regardé Brume. Elle avait maintenant dix petits, et ils entouraient leur mère en une énorme pile de pattes et d'oreilles. Je pense qu'elle devait avoir fini de mettre ses petits au monde. Maintenant, elle pouvait s'occuper d'eux.

Tandis que j'attendais les Mancusi, j'ai trouvé un rouleau de papier crépon (dans le garage, avec toutes les boîtes) et attaché un gros nœud rouge à chaque collier des chiens.

– Vous êtes magnifiques tous les trois !

– Ouaf ? a fait Jacques d'un ton interrogateur, en redressant la tête.

– Oui, tu es très beau.

J'allais faire des nœuds pour les chats quand j'ai entendu une voiture s'arrêter devant la maison.

– Devinez qui revient ! ai-je dit aux chiens.

Bien sûr, ils n'en avaient pas la moindre idée mais, quand j'ai couru à la porte d'entrée, ils m'ont suivie. J'ai ouvert la porte et fait un signe de la main à M. et Mme Mancusi alors qu'ils déchargeaient leurs bagages. Ils furent surpris de me voir, mais ils m'ont souri en me faisant un signe de la main. J'ai essayé de leur ouvrir la porte en grand pour les laisser passer en retenant les chiens en même temps. Ce n'était pas facile. Mais j'y suis arrivée. Dès que les Mancusi ont été entrés, j'ai crié :

– Vous savez quoi ? Un des hamsters a eu des petits... Oh j'espère que vous avez passé de bonnes vacances !

– Mon Dieu ! s'est exclamée Mme Mancusi. Un des hamsters a eu des petits ? Comment avons-nous pu manquer cela ? Ils vont bien ?

– Tout va bien, l'ai-je rassurée, j'avais vu que quelque chose n'allait pas, alors hier, j'ai demandé à ma mère de nous conduire, le hamster et moi, chez le vétérinaire. Le Dr West l'a examiné et il m'a dit ce qu'il fallait faire.

– Oh...

M. et Mme Mancusi ont poussé un soupir de soulagement. Ils ont posé leurs valises et m'ont suivie dans la cuisine, les chiens sautaient de joie à nos côtés.

– Elle est là, j'ai mis les autres hamsters dans l'aquarium sur la table.

Je me suis écartée afin que M. et Mme Mancusi puissent voir Brume.

– Ah, Salomé ! s'est écriée Mme Mancusi.

– Comment avons-nous pu manquer cela ? Je suis désolée, Jessica. Mais je dois te féliciter. Tu as fait un travail formidable dans une situation très difficile. Nous t'en sommes très reconnaissants.

– Je suppose, a ajouté M. Mancusi, que, dans l'excitation du départ et les problèmes de garde, nous n'avons même pas remarqué que Salomé attendait des petits.

– Bon, tout s'est bien passé, Bru... je veux dire Salomé a dix petits.

M. et Mme Mancusi les ont admirés durant quelques instants. Puis ils se sont tournés vers moi.

– Merci encore, Jessica, reprit M. Mancusi, tu t'es montrée très responsable.

Il m'a tendu de l'argent. (Beaucoup plus que je n'aurais été payée pour une autre garde.)

– Waouh ! Merci... Vous êtes sûr que ce n'est pas trop ?

– Pas du tout.

– Au fait, a dit Mme Mancusi, as-tu des amıs qui voudraient un hamster ? Nous donnerons les petits à des personnes qui s'en occuperont bien – dans trois semaines. Quand les petits seront sevrés.

– Oh, nous n'avons jamais eu d'animaux à la maison. Je suis sûre que ma sœur Rebecca aimerait en avoir un, et moi aussi. Eh bien, je vais faire passer le mot. Je pense que je peux vous aider à leur trouver une famille !

Je n'arrivais pas à y croire. Un animal domestique ! Est-ce que maman et papa seraient d'accord ? Je l'ignorais. Ni Rebecca ni moi n'avions jamais demandé un animal.

Quand je me suis dirigée vers la porte d'entrée, les chiens m'ont suivie.

– Au revoir, Cheryl. Au revoir, Jacques. Au revoir, Oursonne.

Les Mancusi se tenaient derrière les chiens.

– Ils t'aiment vraiment, a remarqué M. Mancusi, oh, et nous, nous aimons beaucoup leurs nœuds. Très joli !

J'ai souri.

– Je vous remercie encore. Si vous avez besoin de faire garder vos animaux une autre fois, dites-le-moi. Et je vais trouver des foyers pour les petits hamsters. Je vous le promets.

Nous nous sommes dit au revoir et je suis rentrée chez moi. Je me sentais prête à exploser avec toutes ces nouvelles à annoncer. Les petits de Salomé et les foyers qu'il fallait leur trouver. Peut-être que l'un d'eux deviendrait notre premier animal familier.

– Maman ! Papa ! ai-je crié en faisant irruption dans la maison.

La famille Braddock était de retour. Mes cours de danse avaient repris. Ma vie redevenait normale. Les animaux me manquaient, mais je pourrais probablement aller les voir quand je voudrais.

J'étais sûre que j'aurais la permission d'aller promener les chiens de temps en temps.

Comme ma vie était redevenue normale, j'ai gardé les petits Braddock le lendemain, un lundi, puis je me suis rendue chez Claudia.

Je suis arrivée cinq minutes avant le début de la réunion. J'avais même battu Kristy mais, évidemment, elle est à la merci de Samuel, et ne peut pas vraiment maîtriser son heure d'arrivée.

Claudia et Carla étaient déjà là.

– Salut, vous deux ! ai-je lancé en entrant.

– Salut, ont-elles répondu en souriant.

Carla a ajouté :

– Tu as l'air drôlement contente.

– Contente de retrouver Mat et Helen ? a demandé Claudia.

– Oui, mais il y a autre chose. Je vous en parlerai quand tout le monde sera là.

– D'accord, a dit Claudia, vous voulez des chips ?

– Oh, je meurs de faim ! me suis-je exclamée, bien que je surveille ma ligne car je dois rester en forme pour la danse.

– Hum, tu peux m'aider à les trouver ? Elles doivent être sous le lit, mais où ?

Claudia, Carla et moi, nous avons rampé sous le lit. Une tonne de choses étaient stockées là-dessous : des boîtes de fournitures de dessin, des cartons à dessin et des croquis, des magazines pour faire des collages, et toutes sortes de choses. Et comme Claudia est très « bonne » en orthographe elle avait écrit dessus : « dessains » ou « pinture et pinseaux ». J'ai trouvé le paquet de chips dans une boîte où il était écrit « matériel pour colage ».

– Les voilà !

Quand nous nous sommes relevées toutes les trois, nous avons trouvé Kristy, Mallory et Mary Anne qui nous regardaient. Nous avons éclaté de rire toutes les six.

– C'était très intéressant ! a dit Kristy.

– Mon postérieur, c'est ce que j'ai de mieux, a affirmé Carla, qui avait l'air sérieux.

Il y avait encore des éclats de rire alors que nous prenions nos places habituelles. Kristy s'est installée dans le grand fauteuil. Elle a ajusté sa visière et coincé un crayon derrière son oreille.

Puis elle a sorti une nouvelle liste de sa poche, l'a dépliée, lissée, et punaisée sur le tableau d'affichage de Claudia, par-dessus les photos d'elle et de Lucy.

– Voilà, a-t-elle annoncé, satisfaite.

Claudia, Mary Anne, Carla, Mallory et moi la regardions fixement. Je pense que je devais être bouche bée, et les autres aussi.

– Je rêve ! a murmuré Claudia.

Mais, alors qu'on pensait qu'elle allait bondir pour étrangler Kristy, Kristy s'est précipitée et a arraché la liste du tableau.

– Maintenant, regardez bien, tout le monde.

Elle a déchiré la liste et l'a jetée au panier.

– Adieu, petite liste. C'était la dernière. Vous ne la reverrez ni n'en entendrez plus parler.

Tout d'abord, nous ne savions que penser. Puis on a fini par échanger quelques sourires.

– Tu veux dire que c'était une plaisanterie ? s'est exclamée Claudia. Oh, là, là ! Kristy !

Notre présidente nous a souri. Elle ressemblait au chat d'*Alice au pays des merveilles*.

Carla lui a jeté une chips. Je pense qu'une guerre des chips aurait commencé si le téléphone n'avait pas sonné.

– Oh, non ! Nous n'avons même pas commencé la réunion ! s'est écriée Kristy. Carla n'a pas collecté les cotisations, je n'ai pas…

Dring, dring !

Elle a arrêté de râler et de tempêter pour répondre au téléphone.

– Allô, le Club des baby-sitters.

Un samedi après-midi de baby-sitting a été planifié pour moi chez les jumelles, les petites Arnold. Puis Kristy s'est remise au travail.

– Carla, mademoiselle la trésorière ?

– J'ai besoin de vos cotisations, a enchaîné Carla.

Elle a fait alors sa collecte tandis que nous gémissions.

– Je partirai avec toi après la réunion et réglerai Samuel, a-t-elle précisé à Kristy.

– D'accord. Merci. Peut-être que cela le mettra de meilleure humeur.

Kristy a fait une pause.

– Bien, autre chose à propos du club ?

– J'ai quelque chose à vous demander à toutes, ai-je annoncé, mais cela peut attendre la fin de la réunion.

– Bien. Et sinon ? a-t-elle repris. Personne n'a rien à ajouter ?

Tout le monde a secoué négativement la tête.

– Bien, dans ce cas, c'est à toi, Jessica. Oh, au fait, avez-vous remarqué que je n'ai pas vérifié si vous aviez lu le journal de bord ?

– Heu, oui, a acquiescé Carla.

– Bien. Je ne contrôlerai plus. Je vous fais confiance pour le lire. Pas de question. Pas de liste.

– Tu nous feras vraiment confiance ? a demandé Mary Anne.

– Absolument.

Le téléphone a sonné à nouveau, et Mary Anne a noté un autre rendez-vous. Quand tout a été organisé, j'ai enfin pu m'exprimer :

– Devinez quoi. Brume s'appelle en réalité Salomé et elle a eu dix petits hier. (Mallory le savait déjà, puisque nous nous disons tout. Mais les autres l'ignoraient.)

– Dix petits ! s'est écriée Mary Anne. Que vont en faire M. et Mme Mancusi ?

– Eh bien, justement, c'est ce que je voulais vous annoncer. Les Mancusi sont prêts à les donner à toute personne qui s'occupera bien d'eux. Et maman et papa ont dit que Rebecca et moi pouvions en avoir un ! Notre premier animal ! Nous avons décidé de l'appeler Brume, peu importe sa couleur, et que ce soit un mâle ou une femelle.

– Oh, génial ! se sont écriées en chœur Mary Anne et Kristy. (Elles ont chacune un animal à la maison.)

– Et, ai-je continué, je suis en train de chercher autour de moi des personnes qui veulent un hamster. Cela vous intéresse ?

Claudia a fait non de la tête :

– Ils sont mignons mais je déteste nettoyer leur cage.

Mary Anne a fait de même :

– Un hamster ne survivrait pas une minute à Tigrou.

Kristy a secoué la tête :

– Nous avons déjà suffisamment d'animaux à la maison.

Carla a décliné l'offre :

– J'aime bien les hamsters mais, si j'avais un animal, j'en voudrais un plus gros, un chat ou un chien.

J'ai regardé Mallory. Elle semblait pensive :

– Nous sommes dix à la maison, mais nous n'avons pas d'animaux. Je ne vois pas pourquoi nous ne pourrions pas en avoir un. Les petits aimeraient un hamster. Les garçons aussi. Nous tous aussi d'ailleurs.

Elle a plongé sur le téléphone.

– Maman, maman ! (J'imaginai très bien Mme Pike en train de dire : « Mais qu'y a-t-il donc ? ») Maman ! Les Mancusi vont donner des petits hamsters. Dans environ trois semaines, je crois. On pourrait en prendre un ? Ce serait une bonne expérience pour Claire et Margot. Et je pense que Nicky aimerait avoir un animal... Oui ?... Je sais... D'accord... D'accord, merci ! C'est génial ! À tout à l'heure, maman.

Mallory a raccroché.

– Nous pouvons en adopter un ! Nous allons avoir notre premier animal aussi !

Je n'avais jamais vu autant d'excitation.

Le téléphone a sonné pour trois nouveaux baby-sittings.

Lorsque la sonnerie a retenti pour la quatrième fois, Mary Anne a ouvert l'agenda, tandis que nous asseyions avec impatience. J'ai décroché.

– Allô, le Club des baby-sitters.

– Bonjour, a répondu une toute petite voix, je... c'est Jackie Rodowsky. Kristy est là ?

– Bien sûr, Jackie. Ne quitte pas.

J'ai tendu le combiné à Kristy, en lui chuchotant :

– C'est Jackie Rodowsky.

Elle a froncé les sourcils.

– Bonjour, Jackie.

C'est tout ce qu'elle a dit, et Jackie a fondu en larmes.

– Qu'est-ce qui ne va pas ? Ta maman est là ?

– Oui, elle est là, et je vais bien. Je veux dire, je ne me suis pas fait mal. Mais nous avons eu les élections aujourd'hui à l'école.

– Alors qu'est-il arrivé ?

– J'ai perdu. Adrienne m'a battu. J'ai essayé et essayé de montrer aux autres élèves que je pouvais m'occuper de Boule de Neige. Mais je crois qu'ils ne m'ont pas cru.

Jackie s'est tu un instant. Quand il a repris la parole, sa voix était toute tremblante.

– Je voulais… je voulais juste un animal pour pouvoir m'occuper de lui. C'est tout.

– Jackie, a répondu Kristy gentiment, je suis désolée que tu aies perdu et que les autres enfants ne t'aient pas fait davantage confiance. Vraiment. Cela arrive. Mais écoute-moi, est-ce que je pourrais parler à ta mère une minute, s'il te plaît ?

Il y a eu un silence puis Kristy a dit :

– Bonjour, madame Rodowsky. C'est Kristy Parker. Jackie m'a raconté pour les élections à l'école aujourd'hui et je me demandais s'il pourrait avoir un animal à lui ? Je crois qu'il en veut un, et je sais où il pourrait trouver un petit hamster… Oui… Vraiment ? Oh, c'est génial ! Puis-je parler à Jackie à nouveau ?

Aussitôt Kristy a annoncé la bonne nouvelle à Jackie.

– À moi ? Mon hamster ? Super génial ! Comment je vais l'appeler ? C'est un mâle ou une femelle ? Il est de quelle couleur ?

Kristy ne pouvait pas répondre à toutes ces questions, aussi nous avons décidé que j'emmènerais Jackie chez M.

et Mme Mancusi dans quelques jours. Les petits hamsters ne seraient pas encore tout à fait prêts à quitter leur mère, mais Jackie voulait les voir, les caresser et jouer avec eux pour pouvoir choisir celui qu'il préférerait.

Il a remercié Kristy une douzaine de fois avant de raccrocher.

– Eh bien, tout est bien qui finit bien, a-t-elle conclu.

– Hein ? a fait Claudia.

– Je veux dire, tout finit bien pour tout le monde. Tous nos problèmes sont résolus. Le hamster malade attendait en fait des petits et ils sont nés sans problème, et maintenant les familles de Jessica et de Mallory vont avoir leur premier animal domestique, et Jackie a perdu les élections mais il a gagné un hamster. Tout finit bien.

– Oui, ai-je admis en souriant.

Le réveil digital de Claudia est passé de dix-sept heures cinquante-neuf à dix-huit heures.

– La réunion est terminée, a annoncé notre présidente.

Je suis partie avec Mallory.

– Je me demande, je me demande si je pourrais demander à Rebecca d'appeler le hamster Mancusi au lieu de Brume.

– Oh ! s'est écriée Mallory. C'est le nom que je voulais donner à mon hamster.

– Vraiment ?

– Non, a-t-elle gloussé.

Nous avons encore piqué un fou rire.

– Je t'appelle ce soir ! ai-je crié à Mallory en la quittant.

Les meilleures amies du monde ont toujours des tas de choses à se dire.

LE CLUB DES BABY-SITTERS

MARY ANNE cherche son chat

①

– Je n'y comprends rien, m'a dit Carla alors que nous ralentissions à l'approche d'un croisement. Je me demande comment Tigrou fait pour coincer ses jouets derrière le réfrigérateur. On ne peut même plus les attraper.

J'ai haussé les épaules. Puis j'ai inspecté la rue. La voie était libre, et nous avons traversé le carrefour. J'ai haussé les épaules.

– Tout ce que je sais, c'est que je devrais pouvoir les retrouver, quand même. Eh bien, non, ils se glissent dans l'interstice et je ne les revois jamais.

– Une sorte de trou noir pour jouets de chat, a commenté Carla.

J'ai ri.

– Il n'y a rien sous le frigo. J'ai regardé avec une lampe torche. Tout se passe derrière. Et je ne peux pas y accéder.

– Et voilà pourquoi nous parcourons la ville à bicyclette, uniquement pour acheter des jouets pour chat, a conclu Carla.

– Exactement !

Au cas où vous ne le sauriez pas, Carla Schafer est mon amie. (Moi, c'est Mary Anne Cook.) En réalité, Carla est l'une de mes meilleures amies. Et Tigrou est mon chaton. Rien qu'à moi. C'est un chat gris tigré avec de très jolies rayures. D'après moi, il est réellement intelligent. Intelligent et beau. Et il sait attraper les mouches, ce qui est difficile. Je veux dire quand on n'a que des pattes.

Carla et moi, nous nous dirigions vers le centre de Stonebrook, Connecticut, dans le but de faire provision de jouets pour Tigrou, afin qu'il puisse continuer à les perdre derrière le réfrigérateur. Il adore les balles en plastique avec un grelot à l'intérieur. Elles se vendent par trois, et il en perd environ trois par semaine, et cela me revient une fortune. Heureusement, je gagne pas mal d'argent avec le baby-sitting.

Carla et moi, nous nous sommes arrêtées à un feu rouge. Nous avions atteint la grande rue de Stonebrook (enfin, « grande », c'est un bien grand mot pour une si petite ville), et nous nous trouvions à trois rues seulement de l'animalerie.

– Hé, qu'est-ce que ton père a dit pour hier soir ? demanda Carla.

Nous nous sommes mises à rire. La mère de Carla et mon père sortent ensemble de temps en temps. Nous souhaitons réellement qu'ils se marient, mais nous ne pouvons pas nous empêcher de nous moquer. C'est tellement bizarre de voir nos propres parents se donner rendez-vous. Surtout l'un avec l'autre. Ils sortent aussi avec d'autres gens, mais quand la maman de Carla a rendez-vous avec mon père, elle se maquille, inspecte vingt fois sa tenue dans le miroir et demande encore à Carla de vérifier. Et mon père se met un après-rasage qui sent le dentiste, il est tout stressé et peut à peine me parler. Puis ils vont passer la soirée quelque part. Quel duo !

D'ailleurs, s'ils sortent ensemble, c'est parce que les parents de Carla sont divorcés et que ma mère est morte il y a très longtemps. Je ne me souviens pas du tout d'elle.

– Je crois que mon père s'amuse bien quand ils sortent ensemble, ai-je affirmé. Et ta mère ?

– Pareil.

Puis elle a arrêté sa bicyclette devant une boutique.

– C'est là ! Hé, je viens de penser à quelque chose…

– Quoi ?

– Eh bien, il n'y a pas beaucoup d'espace derrière ton réfrigérateur, exact ?

– Mm…

Nous avons accroché nos bicyclettes à un lampadaire.

– Probablement juste assez d'espace pour l'épaisseur d'un jouet, exact ?

– Mm…

– Donc, les jouets de Tigrou sont probablement alignés derrière le frigo. Et, au bout d'un moment, il n'y aura plus de place pour aucun autre jouet, exact ?

– Mm…, ai-je répondu alors que nous entrions dans la boutique.

– Donc les jouets de Tigrou ne pourront plus se perdre, et tu ne seras plus obligée de continuer à en acheter.

– Mais oui ! Tu as raison !

Franchement, Carla est la logique même.

Je me suis dirigée vers le rayon chats où j'ai pris deux paquets de balles pour Tigrou. Dans l'un, elles étaient moitié rose et moitié vert. Dans l'autre, moitié orange et moitié jaune. J'aime lui apporter un peu de variété dans ses jouets. Puis j'ai cherché la nourriture pour chats. Je pouvais peut-être lui acheter quelques friandises.

Je comptais ma monnaie, quand Carla m'a posé la main sur le bras.

– On ferait mieux d'y aller. Réunion du club dans quarante-cinq minutes.

– OK. Laisse-moi juste acheter ça.

J'ai fait la queue à la caisse avec mes jouets, en pensant au Club des baby-sitters. Mes amis les plus proches en font tous partie : Kristy Parker (mon autre meilleure amie), Claudia Koshi, Jessica Ramsey, Mallory Pike, Carla et Logan Rinaldi (un membre associé, qui normalement ne participe pas aux réunions. Je vous expliquerai plus tard). Logan est mon petit ami, et il est incroyable en tout. Il a un look incroyable, il est incroyablement beau et intelligent, bref, il est incroyablement incroyable.

Le Club des baby-sitters est plus une petite entreprise qu'un club. Mes amis et moi travaillons pour les familles du voisinage. Nous avons beaucoup de boulot et nous gagnons pas mal d'argent. Moi, je dépense une bonne partie de ce que je gagne dans ce magasin pour animaux. Le club a été créé par Kristy Parker, notre présidente. (J'en suis d'ailleurs la secrétaire.) Par certains côtés, Kristy est comme moi mais, par beaucoup d'autres, elle est exactement mon contraire. Je pense que c'est pour ça qu'elle a été ma première meilleure amie. Et aussi parce que nous habitions l'une à côté de l'autre lorsque nous étions enfants. Voici ce que nous avons en commun : nous sommes petites pour notre âge, nous avons les cheveux châtains et les yeux marron. Voici nos différences : je suis timide et calme ; Kristy est expansive et ne mâche pas toujours ses mots. Je commence à faire attention à ce que je porte ; Kristy s'en moque. Elle est toujours en jean, sweat-shirt et baskets. (Bon, pas en plein été, bien sûr, mais vous voyez ce que je veux dire.)

Kristy a plus d'idées que n'importe qui de ma connaissance. Elle est toujours en train de penser à des choses à faire, ou de trouver des solutions à des problèmes. On peut presque voir fonctionner les rouages de sa cervelle. Récemment, sa vie n'a pas été facile. Pas atroce, simplement pas facile. Auparavant, elle vivait avec sa mère, ses trois frères et leur colley, Foxy, juste à côté de chez moi. (Ses parents sont divorcés.) Puis sa mère a rencontré un millionnaire, Jim Lelland, et ils ont décidé de se marier. Après la cérémonie, la famille de Kristy a déménagé dans la grande maison de Jim, à l'autre bout de la ville. La maison était beaucoup plus grande, bien sûr, mais Kristy se sentait déracinée. Elle avait quitté son ancien voisinage et ses amis. Et puis Foxy, son colley, est mort, ce qui a été terriblement triste. D'un autre côté, Kristy a gagné un demi-frère et une demi-sœur qu'elle aime beaucoup. Ensuite, on lui a donné un adorable chiot… Et puis ses parents ont adopté une petite fille de deux ans ! Kristy n'a pas vraiment le temps de s'ennuyer !

La vice-présidente du Club des baby-sitters est Claudia Koshi. Quelle différence avec Kristy et moi ! Claudia, qui habite en face de l'ancienne maison de Kristy, est très très belle. Elle est américano-japonaise, ses yeux sont magnifiques, noirs et en amande. Ses cheveux sont longs et noirs et elle se fait plein de coiffures différentes. Son teint est parfait. Mais ce sont surtout ses vêtements qui me stupéfient. Claudia mélange les choses les plus étranges et porte toujours des tenues très cool. Comme une grande chemise avec un gilet coloré, porté sur une jupe noire très courte. Aux pieds, des bottines noires. Aux oreilles, de grands anneaux noirs. Avec les cheveux en chignon retenus par des épingles en forme d'hippocampes. Elle combine toutes ces choses et le résultat est fantastique.

Claudia raffole des romans d'Agatha Christie, des trucs sucrés et salés mais surtout de son travail artistique. Elle est vraiment douée et prend des tas de cours. Elle est bonne en dessin, en peinture, en poterie, en tout ce que vous voudrez. Hélas, aux yeux de ses parents, son talent artistique et ses dons ne compensent pas le fait qu'elle est une très mauvaise élève. Sa sœur aînée, Jane, est un génie. Heureusement pour Claudia, sa grand-mère Mimi vit avec eux et elle et Claudia sont très proches, même maintenant, alors qu'il arrive à Mimi d'avoir l'esprit qui s'égare, à cause de l'âge et de la maladie.

Carla est notre trésorière, et vous en savez déjà pas mal

sur elle, mais je vais vous en dire davantage. Carla ne vit pas à Stonebrook depuis longtemps. Elle a grandi en Californie avec ses parents et son jeune frère, David. Mais ses parents se sont séparés, et Mme Schafer a emmené Carla et David vivre à Stonebrook, laissant M. Schafer à quatre mille cinq cents kilomètres de là. La maman de Carla a choisi Stonebrook parce qu'elle y a grandi, et voilà pourquoi elle et mon père se connaissent – ils sont allés au lycée ensemble. Quoi qu'il en soit, Carla aime le Connecticut, mais David ne s'y est jamais fait. La Californie et son père lui manquaient. Aussi, après quelque temps, il est retourné là-bas. Ça a été dur pour Carla. Maintenant, sa famille est coupée en deux. Mais elle est très pragmatique. Elle prend les choses comme elles viennent. Elle n'est pas exactement désinvolte, mais très indépendante. Carla résout ses problèmes et prend ses décisions toute seule. Et c'est elle qui gère presque entièrement l'ancienne maison où elle vit avec sa mère parce que Mme Schafer est un peu étourdie. Très gentille, mais sur une autre planète. Je me demande quelle sorte de belle-mère elle ferait.

Carla a la plus longue et la plus claire des chevelures blondes qu'on puisse imaginer, et des yeux bleus lumineux. Elle fait très californienne, comme tous les produits naturels qu'elle mange. (Carla ne toucherait jamais aux saletés dont Claudia raffole.) Je suis ravie que Carla se soit installée ici, parce que c'est une super meilleure amie. Et c'est super que nos parents sortent ensemble.

Jessica Ramsey et Mallory Pike sont les membres juniors du club. Parce qu'elles sont les plus jeunes. Elles ont onze ans et sont en sixième au collège de Stonebrook, les autres filles du club ont treize ans et sont en quatrième. Comme Kristy et moi, Jessica et Mallory sont meilleures amies, avec pas mal de ressemblances et aussi de différences. Laissez-moi vous les décrire, et vous déciderez vous-mêmes. Je commence par Jessica.

Je ferais bien d'être plus simple (bien que je le sois rarement), et de dire franchement que la famille de Jessica est noire. Ils se sont installés à Stonebrook peu avant le début de l'année scolaire. Il y a peu de familles noires par ici, et beaucoup de gens leur ont mené la vie dure, au début, mais les choses se sont améliorées depuis. Jessica fait de la danse classique, et elle est très douée (je l'ai vue à l'œuvre). Ses cheveux sont tirés en chignon sur sa nuque, et elle a de très longues jambes. En dehors de la danse, Jessica aime la lecture (mais elle doit porter des lunettes pour lire).

Elle est très proche de sa famille. Elle vit avec ses parents, sa jeune sœur Rebecca, son petit frère P'tit Bout et un hamster. Elle ne se sent pas très bien intégrée dans l'école, et trouve que ses parents la traitent parfois comme un bébé. Mais la plupart du temps elle est heureuse, surtout depuis qu'elle a rencontré Mallory.

Mallory, elle, est blanche, rousse, avec les cheveux frisés. Elle a sept frères et sœurs (ainsi que deux parents et un hamster). Elle porte aussi des lunettes, elle aime beaucoup lire et aussi écrire et dessiner (elle pourrait bien avoir envie d'écrire un jour des livres pour enfants), et elle non plus ne se sent pas vraiment bien à l'école, et trouve aussi qu'il arrive à ses parents de la traiter comme un bébé. Leurs parents ont permis depuis peu à Mallory et Jessica de se faire percer les oreilles, mais elles voudraient pouvoir porter des tenues plus à la mode. Vous voyez tout ce que Mal et Jessi ont en commun !

Je pense que c'est tout ce qu'il y a à en dire. Logan fait aussi partie du club, mais je vous ai déjà parlé de lui. C'est celui qui est incroyablement incroyable, vous vous souvenez ? Et puis il y a Louisa Kilbourne, que je ne connais pas très bien (c'est un autre membre associé, comme Logan, qui ne participe pas à nos réunions), ainsi que Lucy MacDouglas, qui faisait partie du club mais qui a déménagé. Je vous en dirai davantage sur tout le monde un peu plus tard. Promis.

– Voici votre monnaie, mademoiselle, a dit l'homme derrière la caisse du magasin.

Il m'a tendu un dollar et le sac de jouets pour chat.

– Merci, ai-je répondu (je déteste qu'on m'appelle mademoiselle).

Carla et moi, nous nous sommes dirigées vers la sortie du magasin. Je suis alors passée devant les poudres anti-puces.

– Hum, ai-je fait en m'arrêtant, je me demande si Tigrou n'en aurait pas besoin.

– Comment vont ses parasites ? a demandé Carla.

– Oh, il ne doit plus en avoir maintenant.

– Alors filons !

Carla m'a entraînée hors de la boutique. Nous avons détaché nos bicyclettes et nous nous sommes mises à pédaler.

– Carla ? ai-je repris alors que nous étions à peu près à mi-chemin.

En vérité, j'ai crié. Elle pédalait devant moi et le vent était contre nous.

– Quoi ?

– On peut passer chez moi avant la réunion ? Je veux donner ses jouets à Tigrou. On a le temps.

Je voulais aussi regarder la boîte aux lettres. J'adore ça. Je ne sais pas pourquoi. Il y a rarement quelque chose pour moi.

– OK, a répondu Carla.

Nous nous sommes donc arrêtées chez moi. Nous avons laissé nos bicyclettes dans l'allée et couru à l'intérieur, où j'ai ouvert les paquets de jouets de Tigrou. J'ai inspecté la boîte aux lettres. Évidemment, il n'y avait rien pour moi. Mais quelquefois il y a des surprises. On ne sait jamais. Puis nous sommes reparties en courant et avons traversé la rue vers la maison de Claudia. C'était l'heure de la réunion du mercredi après-midi.

2

Carla et moi n'étions pas les premières à la réunion, mais nous n'étions pas non plus les dernières. Kristy Parker et Claudia Koshi étaient déjà là.

Kristy était assise à sa place officielle, droite comme un i dans son fauteuil de présidente, sa visière sur la tête, un crayon sur l'oreille. Elle était en train de consulter notre agenda.

Claudia faisait quelque chose que nous l'avions déjà vue faire un millier de fois. Elle était à plat ventre sous le lit, en train de fouiller dans le bazar entreposé là-dessous. Elle cherchait soit du matériel de peinture soit des trucs à manger. Vous voyez, la chambre de Claudia est une sorte de… bon, désolée, mais « souk » est le meilleur mot que je puisse trouver. OK, elle n'est pas mal, mais elle est en désordre. Claudia a besoin de toutes sortes de choses pour ses projets, et il n'y a tout simplement pas assez de place sur les étagères et dans son placard. Aussi a-t-elle entreposé des boîtes de matériel sous son lit, et partout où elle le pouvait. Elle est aussi accro aux sucreries et aux trucs salés, et elle cache des chips, bonbons, Mars et M&M's. Tout ça parce que ses parents ne sont pas d'accord et lui ont interdit d'en manger. Mais elle ne peut pas s'en empêcher. Il y en a partout : dans les boîtes de matériel de peinture, dans les tiroirs et même sous son oreiller.

Ainsi Carla et moi n'étions pas trop surprises de voir Claudia à moitié sous son lit. Je ne suis pas censée grignoter juste avant le dîner. Malgré tout, j'espérais que c'était de la nourriture qu'elle cherchait et non du matériel de peinture. J'avais un peu faim.

– Salut, vous deux, a lancé Kristy, comme Carla et moi entrions dans la chambre. Quoi de neuf ?

Nous venions toutes de nous voir à l'école, mais ça ne faisait rien. Chaque fois que nous nous voyons, c'est comme si nous ne nous étions pas parlé depuis une semaine.

– Nous sommes allées en ville pour acheter des jouets à Tigrou, ai-je répondu. Que fait Claudia ?

– Che cherche mes chit-chats, a-t-elle répondu de sous le lit.

– Ah, des Kit-Kat ! s'est exclamée Kristy.

– Comment tu as fait pour comprendre ce qu'elle disait ? a demandé Carla alors qu'elle et moi nous installions avec précaution sur le lit.

(Nous ne voulions pas écraser la vice-présidente.)

Kristy a haussé les épaules.

– L'habitude.

Claudia a émergé de sa cachette avec un paquet entier de Kit-Kat.

– Miam ! a soupiré Kristy, comme si elle allait s'évanouir de bonheur.

Pendant que Claudia déballait les friandises, Jessica et Mallory sont arrivées.

– Génial. Nous sommes toutes là, a annoncé Kristy. Commençons.

Mallory et Jessica ont pris leur place habituelle, par terre, Claudia a fait passer les sucreries à la ronde, et Kristy a fait la lecture de l'ordre du jour. En tant que présidente, c'est l'une de ses tâches.

Peut-être ferais-je mieux de vous en dire un peu plus sur le club et son fonctionnement. Nous nous réunissons trois fois par semaine, chaque lundi, mercredi et vendredi après-midi, de dix-sept heures trente à dix-huit heures. Nos clients nous appellent à ce moment quand ils ont besoin d'une baby-sitter et nous organisons le travail nous-mêmes, selon les disponibilités de chacune. Comment les parents savent-ils quand il faut nous appeler ? Bien, je vais revenir au début et vous raconter comment le club a démarré. Cela vous permettra de comprendre.

C'est Kristy qui a lancé le Club des baby-sitters. Voilà surtout pourquoi elle est présidente. Au début de la classe de cinquième, Kristy et sa famille habitaient encore à côté de chez moi et en face de chez Claudia. Le petit frère de

Kristy, David Michael, avait six ans, et Kristy et ses deux grands frères, Samuel et Charlie (qui étaient au lycée), étaient suffisamment responsables pour le garder quand il fallait, car Mme Parker (bon, maintenant, Mme Lelland) avait un emploi à plein temps. Mais, un jour, la maman de Kristy a eu besoin de quelqu'un pour l'après-midi, et personne – ni Kristy, ni Samuel, ni Charlie – n'était libre. Elle a donc pris le téléphone et a passé appel sur appel, pour trouver quelqu'un. C'est alors que Kristy a eu sa grande idée. Quelle perte de temps pour sa mère, d'avoir à faire tant de tentatives au téléphone. Ne serait-ce pas plus facile si elle pouvait joindre plusieurs baby-sitters d'un seul coup de fil ? Il y en aurait sûrement une de libre.

C'était ça ! Kristy rassemblerait plusieurs de ses amies, nous nous rencontrerions quelquefois dans la semaine et, quand quelqu'un appellerait, l'une de nous devrait se libérer pour aller garder des enfants. Ainsi, la personne qui appelait aurait la quasi-garantie de trouver une baby-sitter. Kristy nous a proposé, à Claudia et à moi, de faire partie de son club. Quand nous avons décidé qu'il nous fallait encore quelqu'un, Claudia nous a présenté Lucy MacDouglas, une nouvelle amie à elle. Lucy et ses parents venaient juste de quitter New York pour Stonebrook. Nous avons tout de suite apprécié Lucy et lui avons demandé de se joindre à nous. Puis nous avons passé quelques annonces pour faire connaître notre service de baby-sitting et le moyen de nous contacter. Et bientôt, les affaires ont commencé. Kristy, Claudia, Lucy et moi sommes devenues les premières présidente, vice-présidente, trésorière et secrétaire du Club des baby-sitters.

Quand Carla s'est installée ici, nous avions tant de travail que nous avons eu besoin d'elle, et lorsque Lucy a dû retourner à New York, nous l'avons remplacée par Jessica et Mallory. Ainsi notre club s'est agrandi pour se composer de six membres. En fait, pour moi, nous sommes sept. Lucy n'est pas réellement partie; elle est simplement la succursale new-yorkaise du club !

Kristy gère le club comme une véritable affaire. Elle assure que c'est la seule manière de procéder. Du coup, nous tenons un agenda et un journal de bord. L'agenda est réellement important. Il est plein d'informations. En tant que secrétaire, je dois consigner les noms et adresses de nos clients et des choses comme ça, et également enregistrer toutes nos vacations sur les pages de rendez-vous. Carla, qui est la trésorière, tient également notre comptabilité dans l'agenda.

Le journal de bord, c'est quelque chose que la plupart des filles n'aiment pas beaucoup. Nous devons y décrire chacun de nos baby-sittings. Nous avons l'obligation de le lire une fois par semaine pour savoir ce qui s'est passé pour tout le monde. Je dois admettre que découvrir comment les autres règlent les problèmes est utile… mais c'est vraiment fatigant d'écrire dans cet agenda.

C'est une idée de Kristy, bien sûr, et c'est encore une des raisons pour lesquelles elle est présidente. Elle arrive toujours avec de nouveaux projets et des idées pour maintenir le dynamisme du club. Par exemple, elle a imaginé les coffres à jouets. Ce sont des boîtes décorées pleines de jeux, de jouets et de livres (qui nous appartenaient quand nous étions petites.) Chacune de nous en a fabriqué un. Lorsque j'apporte le mien quelque part, les petits sont captivés : les jouets des autres sont toujours plus intéressants que les siens. Ainsi les petits sont contents et leurs parents aussi et, quand les parents sont satisfaits, ils font à nouveau appel à nous ! Les coffres à jouets sont bons pour les affaires.

En tant que vice-présidente, le travail de Claudia consiste… bon, elle n'a pas exactement d'attribution. Elle est vice-présidente, parce qu'elle a un téléphone à elle et une ligne privée, si bien que sa chambre est le meilleur endroit pour faire nos réunions. Nous n'avons pas besoin d'utiliser la ligne de quelqu'un d'autre trois fois par semaine. Claudia est formidable pour prêter ses affaires et partager ses goûters. Vous savez déjà en quoi consiste mon travail. Je note et j'organise les baby-sittings. Pour cela, je dois connaître les jours et les heures des cours de peinture de Claudia, des leçons de danse de Jessica, des rendez-vous chez l'orthodontiste de Mallory, etc. Je me plains parfois de mon travail, mais dans l'ensemble je l'aime bien.

Carla a pris le poste de trésorière, quand Lucy est partie à New York. Elle ramasse les cotisations chaque lundi et s'assure qu'il y a en permanence assez d'argent dans la trésorerie. Nous utilisons cet argent pour les fournitures des coffres à jouets (crayons, livres à colorier, tout ce qui s'use), pour payer les frais du frère aîné de Kristy, Samuel, qui la conduit et la ramène des réunions, maintenant qu'elle vit à l'autre bout de la ville, et pour organiser une fête de temps en temps. Nos juniors, Jessica et Mallory, n'ont pas vraiment de tâches attribuées. Comme elles sont les plus jeunes, elles n'ont pas la permission de garder des enfants le soir sauf s'il s'agit de leurs propres frères et sœurs. Elles sont néanmoins d'une aide précieuse. Elles prennent pas mal de gardes l'après-midi, ce qui permet aux plus âgés de travailler en soirée.

Enfin, il y a Logan et Louisa, nos intérimaires. Ils n'assistent pas aux réunions, mais nous pouvons les appeler au cas où aucune d'entre nous n'est disponible. Croyez-le ou non, ça arrive. Et nous détesterions être obligées de dire à l'un de nos clients que nous n'avons personne. À propos, Louisa Kilbourne est une amie de Kristy. Elle habite en face de chez elle, dans son nouveau quartier.

Le jour où je suis allée acheter des jouets pour Tigrou, Kristy avait à peine ouvert la réunion que le téléphone s'est mis à sonner. Nous nous sommes regardées en souriant. Un appel si tôt, c'était bon signe.

Claudia a tendu la main vers l'appareil, un charmant bracelet se balançant à son poignet.

– Allô, ici le Club des baby-sitters.

Il y a eu un silence. Puis elle a couvert le combiné de la main.

– Oh, Mary Aaaaanne, m'a-t-elle dit sur un ton chantant, c'est pour toiiiiii.

J'ai pris l'appareil, tout en jetant un coup d'œil à Kristy. Elle n'aime pas que nous recevions des appels personnels pendant les réunions.

– Allô ?

– Salut ! a répliqué une voix très chère.

Logan ! J'étais vraiment heureuse de l'entendre. J'espérais seulement qu'il appelait pour le boulot.

– Qu'y a-t-il ? lui ai-je demandé.

– J'ai besoin d'une baby-sitter, a-t-il répondu avec son accent du Sud (la famille de Logan est arrivée récemment du Kentucky).

– Pour Cissy et Hunter ?

Cissy est la sœur de Logan, elle a neuf ans, et Hunter est son petit frère de cinq ans. Aucune d'entre nous ne les avait encore gardés jusque-là, car c'est Logan qui s'en occupe habituellement.

– Oui. C'est pour samedi après-midi. Mon père et ma mère ont programmé un tennis avec des amis, et je dois aller au collège pour l'entraînement de base-ball. Il était prévu que je les garde, mais c'est difficile. Est-ce que quelqu'un peut venir ?

Je mourais d'envie d'y aller, bien sûr, mais je devais faire comme d'habitude.

– Je vais consulter l'agenda, et je te rappelle dans quelques minutes, d'accord ?

– D'accord.

Voici comment nous nous organisons au club. Celle à qui est adressé l'appel ou qui répond au téléphone n'accepte jamais un travail d'emblée. Le travail est pour tout le monde.

J'en ai informé les autres, tout en consultant les pages de rendez-vous de l'agenda.

– Bien, Kristy, Mallory et moi sommes disponibles.

Mes amies se sont montrées très généreuses et m'ont laissée prendre la garde. J'ai rappelé Logan.

– C'est quoi tous ces éternuements ? ai-je demandé après lui avoir annoncé que c'était moi qui viendrais.

– Oh, c'est mon frère. C'est la saison des allergies.

– Pauvre Hunter. Et…

Je me suis interrompue. J'avais vu Kristy me faire les gros yeux pour me faire comprendre que la conversation avait assez duré.

Aussi ai-je dit au revoir rapidement. La réunion s'est poursuivie. Quand elle a pris fin, je suis sortie à toute vitesse, saluant Mimi, la grand-mère de Claudia qui, en pleine confusion, a répondu :

– J'en prendrai six, s'il vous plaît.

Puis je suis rentrée en courant pour jouer avec Tigrou.

3

Mon père a toujours été sévère avec moi. Très sévère. Il n'y a pas si longtemps, je devais porter des tresses ainsi que les vêtements qu'il choisissait pour moi, vivre dans une chambre de petite fille, ne pas rouler à bicyclette en ville, ne pas téléphoner après dîner à moins que ce ne soit pour les devoirs, etc.

Je pense que mon père a institué ces règles parce qu'il essayait d'être aussi une bonne mère. Cela peut sembler drôle, mais je suis sûre que c'est vrai. Il était inquiet de devoir élever seul une fille et voulait que je tourne bien, aussi avait-il décidé qu'il devait pratiquement régenter ma vie. Heureusement, lui et moi avons récemment eu une grande discussion. Je lui ai montré que j'avais grandi et mûri plus vite qu'il ne le pensait, et il s'est rendu compte qu'il n'avait pas à vivre ma vie à ma place. Aussi m'a-t-il laissé défaire mes tresses et changer ma chambre afin qu'elle ne fasse plus aussi bébé. Puis de grands changements sont intervenus. Maintenant, je peux sortir avec mes amies et téléphoner après le dîner. Mais papa reste papa. Les appels téléphoniques sont limités à dix minutes. Et si Logan vient me voir quand mon père n'est pas là, il doit rester dehors. Il n'a pas le droit d'entrer dans la maison.

Voilà pourquoi nous étions assis tous deux à l'extérieur, un vendredi après-midi tellement gris qu'il pleuvait presque. Mais nous n'avions pas le choix. évidemment, nous aurions pu aller à l'intérieur. Comment papa l'aurait-il su ? Mais je ne suis pas capable de transgresser l'une de ses règles. J'ai peur qu'il ne le découvre d'une manière ou d'une autre. Par magie, peut-être. De toute façon, une règle est une règle.

D'ailleurs, il ne pleuvait pas, et il faisait assez chaud, aussi être dehors n'était pas vraiment désagréable. Comment aurait-ce été possible avec Logan près de moi et Tigrou jouant à nos pieds ?

Logan avait défait le lacet d'une de ses baskets et l'agitait sous le museau du chaton. Pour lui, c'était un jeu formidable. Il essayait de l'attraper. Il se tenait sur ses pattes de derrière et tendait son ventre rond aussi loin qu'il le pouvait.

– Regarde, comme il est mignon !

Je dis ça, oh, soixante-cinq fois par jour.

Logan a fait la grimace. Il l'avait bien entendu dix ou douze fois depuis qu'il était là.

J'ai changé de sujet :

– Je suis contente qu'on soit vendredi. J'aime l'école et tout ça, mais…

– Mais il n'y a rien de mieux que deux jours sans, a complété Logan.

– Exact.

– Tu te rends compte, ça arrive une fois par semaine. Quelle chance on a ! J'aimerais remercier celui qui a organisé les choses de cette façon.

Tigrou s'est lassé de jouer avec le lacet, et il nous a quittés d'un bond. Il a attaqué un insecte. Couru après une feuille qui tombait d'un arbre.

– Comme il est mignon, ai-je soupiré.

Puis j'ai crié :

– Attention, Tigrou !

Il a le droit d'aller dehors depuis deux semaines. Parfois, je le laisse même sortir tout seul. Il peut rester des heures au jardin, tout heureux, à jouer et à sommeiller. Je me fais un peu de souci quand même, lorsqu'il est seul dehors. Alors je me rappelle combien ça a été important pour moi quand papa m'a finalement laissée sortir. Je me demande s'il s'inquiète pour moi chaque jour comme moi pour Tigrou.

– Tu es bien calme, a repris soudain Logan.

Je me suis tournée vers lui.

– Je pensais à la manière dont mon père me traite et dont je traite Tigrou et…

– Quoi d'autre ? m'a-t-il coupée brusquement.

Je me suis tue. Il me parle rarement ainsi. J'ai décidé de ne pas en tenir compte.

– Comment va l'entraînement de base-ball ?

– Bien.

– Comment est l'entraîneur ? Quel est son nom ?

– Blake.

La conversation peinait. Bon alors... Et maintenant ?

– Saluuut, a crié une petite voix.

Ce ne pouvait être que celle de Simon Newton. Je jetai un coup d'œil : c'était bien lui, au fond de notre jardin.

– Salut !

La famille de Simon habite tout près, aussi les filles du club, surtout Claudia, travaillent tout le temps chez les Newton. Simon a quatre ans et a une toute petite sœur, encore un bébé, nommée Lucy Jane.

Simon a traversé la pelouse en courant.

– Oh, chouette ! s'est-il exclamé. Il y a Tigrou.

Le chaton l'a regardé comme s'il était fatigué. Il était assis dans l'herbe – de manière élégante, sa queue enroulée autour de ses pattes de devant. Mais il ne faisait rien, en tout cas, en apparence. Peut-être faisait-il une chose secrète de chat.

– Je peux jouer avec Tigrou, Mary Anne ? S'il te plaît ? a supplié Simon.

– Bien sûr, mais fais attention. Je ne suis pas sûre qu'il veuille jouer pour le moment.

Simon s'est allongé près de lui. Ils se sont observés. J'ai regardé Logan. Normalement, dans de telles circonstances, nous nous serions tournés l'un vers l'autre en souriant. Mais il fixait le vide.

– Hé, ho, Logan, reviens sur terre ! ai-je crié les mains en porte-voix. Reviens sur terre !

– J'y suis, Mary Anne, a-t-il répliqué, sans prendre la peine de me regarder.

Je me suis sentie piquée au vif.

Dans l'herbe, Simon progressait vers Tigrou.

– Tigrou, Tigrou, Tigrou, Tigrou, Tigrou, chuchotait-il, en agitant la main.

Le chaton s'est immédiatement mis en position d'arrêt. Il tournait la tête à droite et à gauche, suivant les mouvements de la main de Simon. Soudain : attaque ! Il a atterri sur la main de Simon (heureusement ses petites griffes sont à peu près aussi dures que des aiguilles de pin).

Simon s'est mis à glousser.

– Tigrou !

Il a roulé sur le dos et a attrapé mon chat par le ventre.

J'ai regardé à nouveau Logan. Cette fois, au moins, il souriait.

– C'est adorable, ai-je commenté.

– Oh là là, a dit Simon, comme j'aimerais avoir un animal. J'aurais un… chien. Non, un lapin. Non, un… un poulet. Non, un chat. Je veux dire un chaton. J'aurais un petit chat juste comme Tigrou. Gris et blanc. Et bondissif.

– Bondissif ?

Logan et moi avions repris l'expression en même temps. J'ai donné un coup de coude à Logan pour le dissuader de rire. Il s'est abstenu.

– Salut, Simon !

– Salut, Simon !

– Salut, Myriam ! Salut, Gabbie ! Salut ! salut ! a crié Simon.

Myriam et Gabbie Perkins étaient là, à côté, dans leur

jardin. Elles sont amies avec Simon. La famille Perkins a emménagé dans la maison de Kristy, quand Kristy, sa mère et ses frères sont partis vivre chez Jim. Comme j'ai perdu alors ma meilleure amie, j'estime avoir eu de la chance qu'une famille aussi agréable la remplace. Nous travaillons pas mal chez les Perkins. Myriam a six ans, Gabbie en a presque trois, et leur petite sœur Laura est un bébé.

– Venez ! a crié Simon aux filles.

– On est envahi par les mômes, ai-je alors cru entendre, mais je n'en étais pas sûre.

Logan n'avait quand même pas pu dire ça ?

– Non, viens, toi, a répondu Gabbie. Viens, Simon. Nous avons quelque chose à te montrer.

– D'accord.

Simon a posé Tigrou sur le sol. Il nous a dit au revoir, et a couru chez elles.

– Tu veux quelque chose à boire ? ai-je demandé à Logan.

– Oui, s'il te plaît.

Je savais exactement ce qu'il voulait. C'est dire à quel point nous nous connaissons. Je n'avais même pas besoin de le lui demander.

– Je reviens tout de suite, ai-je ajouté en me levant.

Logan n'aimait pas être obligé d'attendre dehors (je le voyais à sa mine), mais que pouvions-nous faire ? J'ai couru à l'intérieur, ouvert des bouteilles de limonade, et je suis ressortie en courant toujours. J'en ai tendu une à Logan en me rasseyant.

– Alors, ai-je dit en m'installant sur la marche, comment vont Cissy et Hunter ?

– Tu veux savoir ce qui t'attend demain ?

– Non ! me suis-je récriée, tout en sachant que Logan me taquinait.

Il a souri.

– Bien, les allergies de Hunter vont toujours aussi mal, et Cissy traverse une crise.

– Une crise ?

– Oui. Elle dit que nous la traitons comme un bébé. Je pense qu'elle veut être un peu plus indépendante. Elle le pourrait si elle avait quelques amies. Elle ne s'en est pas fait depuis que nous habitons ici.

J'ai hoché la tête en regardant la rue.

Quelques instants plus tard, j'ai annoncé :

– Je pense que nous allons bientôt avoir de la compagnie.

Charlotte Johanssen venait dans notre direction. Elle a neuf ans, et nous la gardons souvent. Et elle me fait penser à moi : jolie, mais timide, essayant désespérément de faire plaisir aux gens.

– Salut, Charlotte ! ai-je lancé. Tu veux venir voir Tigrou ?

Je me suis tournée vers Logan en chuchotant :

– Tu es d'accord, non ?

– Bien sûr.

Logan avait un drôle de ton, mais je ne m'en suis pas souciée. J'ai regardé Charlotte s'approcher de Tigrou. Maintenant, il était un peu plus vif. Il a attendu que Charlotte l'ait presque atteint, puis il s'est écarté d'un bond. Elle s'est mise à glousser. Elle s'est assise dans l'herbe et a fermé les yeux.

– Oh, je ne peux pas vous voir, monsieur Tigrou, chantait-elle. Alors revenez vers moi, revenez.

Charlotte était assise sans bouger, ouvrant furtivement les yeux de temps en temps. Tigrou a rampé vers elle, et sauté directement sur ses genoux.

– Ouais ! s'est exclamée la fillette, en ouvrant les yeux et en l'attrapant.

Logan riait, Charlotte et moi aussi.

– Il est tellement mignon, me suis-je écriée.

Tigrou nous regardait tous trois avec surprise. Qu'était-il arrivé ?

– Hé ! a repris Charlotte en retournant le chaton sur le dos, si je pouvais réaliser trois souhaits, vous savez ce que je demanderais ?

– Quoi ? avons-nous demandé en même temps.

– Tigrou. Pour moi toute seule.

– Et les deux autres souhaits ? a voulu savoir Logan.

– Tigrou et Tigrou.

Nous nous sommes mis à rire tous les trois – en regardant Logan, je me suis souvenue de quelque chose. Je me suis rappelée pourquoi il m'avait tant plu quand j'avais fait sa connaissance. Bon, je dois admettre que, la première fois que je l'ai vu, je l'ai seulement trouvé super beau. Mais, plus tard, j'ai aimé un tas d'autres choses. Par exemple, il est gentil avec les enfants. Et il rit facilement. Sauf qu'aujourd'hui il n'était pas dans un de ses meilleurs jours. Mais précisément qu'il ait ri maintenant m'avait rappelé ce trait de caractère.

En revanche, je ne comprends pas pourquoi Logan m'aime. Pourquoi un garçon me préférerait-il, moi si timide, à Claudia, si belle et si extravertie ? Ou à Carla, si sûre d'elle ?

Je ne le savais pas alors, et je ne le sais toujours pas maintenant. Mais Logan m'a prise par les épaules, et nous avons longuement regardé Charlotte et Tigrou. À ce moment, il importait peu de savoir pourquoi Logan m'aimait.

Enfin, Charlotte s'est levée.

– Il faut que j'y aille.

Logan s'est levé également.

– Moi aussi. (Je pense qu'il commençait à avoir froid.)

J'ai soupiré.

– Bon.

Charlotte est partie en courant, Logan a sauté sur son vélo et s'est éloigné en pédalant.

J'ai ramassé Tigrou.

– Viens, grand tigre. Il est temps de rentrer. J'ai une réunion et tu es resté dehors assez longtemps.

Mais il s'est débattu en miaulant. Il ne voulait pas quitter le jardin. Finalement, je l'ai laissé dehors. En traversant la rue pour aller chez Claudia, je le voyais poursuivre quelque chose d'invisible dans l'herbe.

4

– Hé, Tigrou, où que tu sois ! ai-je appelé. Viens me voir !
Notre réunion était terminée, et j'étais de retour à la maison. Il était temps de préparer le dîner.

Papa et moi aimons dîner très tôt, et il rentre du travail entre six heures et six heures et demie le soir. Aussi, dès que j'arrive à la maison, je suis toujours très occupée.

Ce soir-là, j'avais mis une grande casserole d'eau sur le feu. Au petit déjeuner, papa et moi avions décidé que nous voulions des spaghettis pour dîner. Et avec ça, une salade et quelques croûtons à l'ail. Je ne suis pas très bonne cuisinière, mais je sais préparer un repas rapidement.

J'étais en train de sortir des légumes du réfrigérateur quand j'ai pris conscience de quelque chose. Tigrou ne courait pas entre mes pieds comme d'habitude. Je lui donne toujours à manger quand je prépare le dîner – et il le sait.

Où était-il ? Il n'était pas venu quand je l'avais appelé. J'ai vérifié que sa chatière était bien ouverte. C'était le cas. J'étais étonnée qu'il ne soit pas rentré pendant que j'étais chez Claudia. Il savait qu'il était presque l'heure de dîner… non ?

Bon, voyons un peu. Peut-être était-il dans la maison. Il dispose d'une incroyable quantité de bonnes cachettes.

– Tigrou, Tigrou, Tigrou ! ai-je appelé en sortant sa nourriture.

J'ai choisi une boîte au foie et au bœuf. J'en ai pris un quart dans une cuillère et l'ai déposé dans son écuelle. Puis j'ai versé un peu de lait et remué le tout. Vous n'allez pas me croire : en fait, le lait n'est pas bon pour les chats, mais il n'est pas mauvais pour les chatons. Et Tigrou est si petit que je dois mélanger la nourriture nécessaire à sa croissance avec quelque chose qui la réduise en bouillie.

Je posai son plat préparé sur son tapis, son tapis spécial où il est écrit : « C'est bon ! » Puis je l'ai appelé à nouveau.

Pas de chat.

– Je sais que tu te caches, ai-je dit à haute voix. Tu n'as pas faim ?

Pas de Tigrou.

– Très bien. Je vais te chercher.

Dans notre maison, il y a un million d'endroits où un chat pourrait se cacher. Il y en a également plusieurs où un chaton peut rester coincé. Deux fois, Tigrou s'est endormi dans le placard de ventilation et, pour une raison quelconque, les portes s'étaient rabattues sur lui. Je suis allée vérifier.

– Tigrou !

J'ai ouvert le placard. Pas de chat.

Parfois, il grimpe dans un endroit en hauteur, tel que la hotte de la cuisine, et ne peut plus redescendre. J'ai regardé sur la hotte. Pas de Tigrou.

Bon. Il était temps d'entreprendre une recherche pièce par pièce. En général, je fouille chaque pièce à fond. Si je ne le trouve pas dans l'une, je ferme la porte (s'il y en a une) et je vais dans la suivante.

J'ai commencé par l'étage. J'ai inspecté les chambres et les salles de bains. Pas de Tigrou, alors j'ai fermé la porte du palier en haut de l'escalier et je suis descendue au rez-de-chaussée.

J'étais à quatre pattes, en train de regarder sous une chaise, quand j'ai entendu mon père m'appeler.

– Je suis ici, papa !

Je suis sortie de sous la chaise et je me suis relevée.

– Quoi de neuf ? m'a demandé mon père.

Il a traversé la pièce et m'a embrassée.

– Il y a une casserole d'eau sur la plaque, mais elle n'est pas allumée, et il y a des légumes partout sur la table. On dirait que tu as interrompu la préparation du dîner en plein milieu.

– Désolée. C'est vrai. Je n'arrive pas à retrouver Tigrou. Et je l'ai cherché partout. Enfin, partout dans la maison. Il n'a jamais manqué le dîner.

– Dans ce cas, nous ferions mieux de chercher dehors, a dit papa.

Je l'ai regardée, reconnaissante.

– Tout de suite ? Ce serait génial.

– Je vais chercher les lampes torches.

J'ai passé une veste, papa a trouvé les lampes. Il m'en a tendu une et nous sommes sortis.

– Tiiigrou ! Tiiiigrou ! avons-nous appelé.

Nous avons fait tout le tour du jardin. Nous avons dirigé nos torches sous les buissons, en haut des arbres, dans le massif. Plus cela durait, plus je me sentais mal. J'avais une terrible sensation au creux de l'estomac, comme si j'avais avalé un gravier en train de se transformer en pierre puis en rocher.

Papa s'en est rendu compte et il s'est écrié :

– J'ai une idée !

Il est rentré dans la maison en courant.

Il est revenu avec deux des jouets de Tigrou. Il m'en a donné un, et nous avons refait le tour du jardin, en les secouant pour faire sonner les grelots.

– Viens jouer ! Tiiiigrou, viens jouer !

Pas de chat (le rocher venait de prendre les proportions d'une montagne).

– Papa ! Je ne pense pas qu'il soit ici. Vraiment pas.

Mon père a passé son bras autour de mes épaules.

– C'est possible. Peut-être qu'il est parti à l'aventure. De toute façon, je ne pense pas que ce soit utile de continuer à le chercher dehors. Il fait trop noir. D'ailleurs, s'il était dans les environs, il serait revenu.

J'ai hoché la tête.

– Je sais.

– Alors rentrons.

C'était comme si quelque chose d'énorme se formait dans ma gorge. Probablement le bloc de pierre.

– Je suggère que nous fassions un bon petit dîner, a proposé joyeusement mon père. Si Tigrou est allé s'amuser, alors nous pouvons en faire autant.

J'ai regardé le bol de Tigrou. La nourriture commençait à se figer et le lait devenait marron. Il ne mangerait probablement pas ce soir. C'était triste.

Papa qui avait suivi mon regard a dit :

– Quand j'étais petit, notre voisin d'à côté avait un chat qui disparaissait au moins une fois par semaine. Il aimait juste faire de petites virées.

– Mais Tigrou est si petit !

J'ai allumé le gaz sous la casserole d'eau, pendant que papa entreprenait de couper tomates, concombres, céleri et carottes pour la salade. Il ne semblait pas inquiet. Pourquoi étais-je si soucieuse ? Parce que je suis une inquiète de naissance, voilà.

Nous avons dîné. Enfin, papa a dîné. Moi, j'ai essayé, mais tout ce que j'ai pu avaler, c'est trois feuilles de salade.

– Mary Anne, quelle heure est-il ? m'a-t-il questionnée.

– Sept heures et demie. (Pourquoi me demandait-il ça ? Il avait sa montre.)

– Et quand as-tu vu Tigrou pour la dernière fois ?

– Juste avant cinq heures et demie.

– Alors il n'a disparu que depuis deux heures. Peut-être qu'il fait un somme quelque part.

– Il a eu un après-midi plutôt mouvementé, ai-je expliqué. Un tas de visiteurs. Et il peut dormir quand il y a du bruit.

– Je dirais même qu'il pourrait dormir en pleine tornade, a renchéri papa.

Je reprenais espoir. À tel point que j'ai appelé Carla pour lui annoncer :

– Tu ne devineras jamais. Tigrou est parti faire un petit somme, et il s'est si bien caché que papa et moi n'arrivons pas à le trouver !

Carla s'est mise à rire. Elle adore les histoires de Tigrou. Puis elle a répondu :

– Bon, c'est mon tour. Tu ne devineras jamais. Nos parents vont encore sortir ensemble.

– Ah bon ? Papa ne m'a rien dit.

– Enfin ce n'est pas un truc extraordinaire. Ils vont juste aller ensemble à une réunion de parents d'élèves. Mais c'est déjà ça, tu ne crois pas ?

– Si. C'est quelque chose.

Nous avons bavardé exactement pendant les dix minutes qui me sont permises. Nous avons raccroché. Elle m'a rappelée. Nous avons discuté encore dix minutes. C'est une manière de contourner le règlement de papa sans vraiment le transgresser.

Après le second appel, nous avons raccroché pour de bon ; je ne voulais pas tenter le diable. J'ai regardé un peu la télé.

J'ai lu deux chapitres d'un roman policier. J'ai vérifié la liste de mes devoirs pour le week-end. Et puis j'ai consulté ma montre. Dix heures ! Non seulement il était presque temps d'aller au lit, mais cela faisait quatre heures et demie que Tigrou avait disparu. Je suis entrée dans le bureau de mon père qui travaillait sur des dossiers.

– Excuse-moi, mais tu crois que Tigrou est encore en train de dormir, ça fait quatre heures et demie !

– Hum !

Papa regardait dans le vague.

– Il est dix heures. Tu sais où est Tigrou ? lui ai-je demandé.

Il n'a pas compris la plaisanterie, mais il paraissait vaguement surpris.

– Il n'est toujours pas rentré ? Il va revenir, Mary Anne. Il est allé faire une petite balade. Tous les chats font ça, tu sais.

Je n'étais pas convaincue, mais je me suis quand même couchée. J'ai laissé ma fenêtre ouverte pour le cas où il reviendrait et se mettrait à miauler. Puis je me suis allongée. Mais je n'arrivais pas à m'endormir. Comment aurais-je pu dormir alors que Tigrou avait disparu ? Et il n'était pas rentré, comme l'avait dit papa.

Il avait disparu.

À onze heures et demie, mon père est allé se coucher. Je le sais parce que j'étais encore éveillée. Je me suis mise à genoux sur mon lit et j'ai jeté un œil par la fenêtre. Mais je ne pouvais rien voir. Le ciel était encore couvert, et les nuages cachaient la lune. Je me suis recouchée. Enfin, j'ai sombré dans le sommeil. Je me suis réveillée en sursaut à une heure et demie, croyant avoir entendu miauler.

– Tigrou ? Tigrou ?

Rien. Je devais avoir rêvé.

La même chose s'est reproduite à trois heures dix du matin, à cinq heures moins le quart, à six heures vingt, et à sept heures trente, quand finalement j'ai décidé de me lever.

J'ai couru à la cuisine.

–Tigrou est-il revenu ? ai-je demandé à mon père.

Il était à table, devant une tasse de café et le journal.

Cette fois, il paraissait plus soucieux que surpris.

– Non, il n'est pas revenu.

Je me suis laissée tomber sur ma chaise.

Et maintenant ?

Papa avait fait des crêpes pour le petit déjeuner. J'ai essayé de les manger, mais je n'y arrivais pas. Au lieu de cela, j'ai quitté la table, je me suis habillée, et je suis sortie pour le chercher dans le jardin. Les nuages étaient partis, le temps était ensoleillé et lumineux, mais je n'ai pas trouvé Tigrou. J'étais contente de ne voir aucun cadavre sur la route ou sous les grands arbres, mais… où pouvait-il bien être ?

J'ai passé toute la matinée à le chercher et à m'inquiéter. Quand est venue l'après-midi, je me suis rendu compte que je devais partir chez Logan. C'était la dernière chose que j'avais envie de faire. Mais papa restait à la maison. Il pourrait guetter Tigrou. Et, avec un peu de chance, à mon retour, Tigrou serait rentré lui aussi.

5

– Aaatchoum ! Aaatchoum !... Aaatchoum ! Une série d'éternuements, voilà la première chose que j'ai entendue quand Cissy m'a ouvert la porte des Rinaldi.

– Bonjour, Cissy !

Je m'efforçai autant que possible de me comporter normalement.

– C'est Hunter que j'entends ?

Cissy a acquiescé. Elle a refermé la porte derrière moi.

– Pauvre Hunter. Il n'arrête pas d'éternuer.

– Où est Logan ? ai-je demandé.

J'espérais pouvoir tout lui raconter à propos de Tigrou avant qu'il aille à son entraînement. Jusque-là, je n'avais eu l'occasion d'en parler à aucun de mes amis.

– Oh, il est déjà parti. Et dis donc, il était de mauvaise humeur, a expliqué Cissy, en me faisant entrer dans le salon. Il nous a à peine parlé.

– Ouais, il a juste grogné, a ajouté une voix enrouée. Comme ça. Grrr. Grrr.

J'ai souri.

– Salut, Hunter.

– Salut, Mary Anne !

Je connaissais assez bien Cissy et Hunter, bien que je ne les aie jamais gardés. J'avais seulement passé beaucoup de temps chez eux. Et j'aurais été contente de les garder, si je ne m'étais pas fait autant de souci pour Tigrou.

Hunter s'est traîné dans le salon, s'est assis sur le divan et a éternué. Cissy lui a tendu un mouchoir.

– Berci, a-t-il dit. Il doit y aboir de la boussière itsi.

J'ai souri. Cissy et Hunter font une bonne équipe de frère et sœur. Ils ne se ressemblent pas du tout, mais ils s'entendent très bien. Cissy ressemble à Logan. Elle a ses yeux et son nez mais, à l'inverse de son grand frère, sa chevelure est très blonde, épaisse et raide. Hunter, quant à lui, a la même chevelure châtain et bouclée que son frère – mais son visage est complètement différent. Il ressemble plus à son père, tandis que Logan et Cissy ressemblent plutôt à leur mère. J'étais en train de penser à ça quand M. et Mme Rinaldi ont fait leur entrée dans la pièce, avec leurs affaires de tennis.

– Hello, Mary Anne.

Mme Rinaldi s'est penchée vers Hunter.

– Oh, maintenant, tes yeux sont touchés aussi.

– Ils sont rouges, a répondu Hunter d'un air pitoyable. Ils me piquent.

Sa mère a hoché la tête.

– Y a-t-il quelque chose de spécial que je pourrais faire pour Hunter ? lui ai-je demandé.

– Non, a-t-elle répondu. Il vaudrait mieux qu'il reste dans sa chambre, mais je ne veux pas l'obliger à rester enfermé. Cependant, ne le laisse quand même pas aller dans celle de Logan, c'est un vrai capharnaüm.

– Une usine à poussière, a renchéri Cissy.

– Hunter a-t-il des comprimés contre l'allergie ?

– Oui, mais il vient juste de les prendre. Il va aller très bien, n'est-ce pas, citrouille ? a dit Mme Rinaldi en lui prenant le menton dans la main.

– Oui, a-t-il affirmé.

– Et n'oublie pas que je suis là pour t'aider, est intervenue Cissy. Je dirai à Mary Anne tout ce qu'elle aura besoin de savoir. Sur Hunter ou ses allergies ou…

Le père de Logan a tapoté l'épaule de sa femme.

– Chérie, nous allons être en retard. Nous devrions y aller.

– Bien sûr, allons-y.

Cissy avait l'air vexée, mais ils sont partis, Mme Rinaldi lançant encore des instructions par-dessus son épaule, tandis qu'ils attrapaient leurs raquettes de tennis et filaient par la porte de derrière. J'ai regardé Cissy et Hunter. J'étais sur le point de proposer que nous allions tous les trois dans la chambre de Hunter, quand il a dit :

– Jouons à gache-gache. C'est bien. Nous bouvons dous y jouer.

– Huntie, non ! s'est exclamée Cissy. Tu ne peux pas courir et te cacher dans toute la maison. Réfléchis. Le sous-sol.

– Oh, le zou-zol. Aaahtchoum !

– Et te cacher derrière les rideaux.

– Rideaux. Aaahtchoum !

– Et te coucher sur les tapis et derrière les divans.

– Dabis. Divans. Aaaaaaatchoum !

– Il vaudrait encore mieux que tu ailles dehors, a conclu sa sœur.

– Oh non. Bas dehors. Il y a de l'hebe, des veuilles et du polled.

– Polled ? ai-je répété.

– Il veut dire du pollen, a chuchoté sa sœur.

– Bon, alors montons jouer dans la chambre de Hunter, ai-je décidé. Hunter, tu y seras mieux.

Bien qu'il ait voulu jouer à cache-cache, Hunter semblait soulagé par cette suggestion. Pauvre petit ! Ce devait être terrible d'être si mal pendant si longtemps. Cette pensée m'a rappelé Tigrou. Où était-il ? Était-il malade ? Était-il coincé quelque part ? Ou bien avait-il cessé de vivre ?

– Barry Adde ?

Nous étions en haut de l'escalier, et Hunter tirait sur ma chemise.

– Regarde nos bortes. Cebbe de Logad et la bienne.

J'ai regardé. Elles étaient fermées.

– Nous devons les laisser ferbées, parce que ma chambe est sans poussière, et celle de Logad est…

– Une porcherie, a insisté Cissy.

Puis elle a ajouté précipitamment :

– Je vais fermer la mienne aussi. Ma... ma chambre n'est pas très bien rangée non plus.

Elle a ouvert la porte de la chambre de Hunter.

– Entrez tous les deux. Je reviens tout de suite. J'ai juste quelque chose à faire dans ma chambre avant de fermer la porte.

Cissy nous a laissés. Elle était certainement d'une aide précieuse. Si tous les enfants que je garde étaient comme elle, mon travail serait vraiment facile.

Hunter et moi sommes entrés, avons fermé la porte... et j'ai retenu mon souffle. J'étais déjà venue dans sa chambre, mais j'avais oublié combien elle est vide : parquet nu, murs nus, ni rideaux, ni dessus-de-lit, ni rien pour décorer. Presque aucun jouet à part quelques-uns dans son placard. Je deviendrais folle dans une chambre pareille.

Hunter, qui m'avait surprise à regarder sa chambre, a dit vivement :

– J'ai blus de jouets, bais ils sont en bas.

– Oh, Hunter, je sais que tu as des jouets, ai-je répliqué sur un ton enjoué un peu forcé.

Il se laissa choir sur son lit.

– Aaahtchoum !

– À tes souhaits.

– Berci. Du beux saboir à goua je suis allergig ?

– Vas-y, dis-moi.

– OK, boilà. Boussière, boisissures, polled, chats, chiens, chebaux – bon, doudes sordes de boils et de cheveux, excebté ceux des hubains. Je de suis bas allergig à boi-bêbe.

J'ai souri.

C'est alors que Cissy est revenue.

– Qu'est-ce qu'on fait, maintenant ? Je peux aider à quelque chose ?

« Tu peux me dire pourquoi tu es si attentionnée », ai-je pensé. C'était une nouvelle Cissy. L'ancienne était mignonne comme tout, mais celle-ci n'était... pas naturelle.

– Cherchons quelque chose à faire, ai-je dit.

– Au zeu de l'oie ? a suggéré Hunter. Les betits chebaux ?

– Et si on jouait au bureau ? a proposé Cissy. Là, ça pourrait être ton bureau, Huntie. Non, attends. Vétérinaire. Tu est le véto et Mary Anne et moi, nous t'apportons nos animaux malades.

Oh, pourquoi Cissy avait-elle suggéré ça plutôt que toute autre chose ?

Mais Hunter a dit :

– Vous voulez que je sois le vétérinaire ? O... aaatchoum ! Chouette. C'est un zeu bien.

– Mary Anne, toi la première, a décidé Cissy. Je serai l'assistante. Ça te va ?

Le garçon a hoché la tête.

Alors j'ai fait semblant d'amener un cocker au cabinet de Hunter.

– C'est Duffy, ai-je dit, lui donnant un nom qu'il pouvait prononcer. Je pense qu'il s'est blessé à la patte. Il boite.

Il a soulevé une patte imaginaire.

– Euh, exagtement ce gue je bensais. Duffy s'est gassé les phalanges.

– Je me demande comment c'est arrivé ?

Hunter a réfléchi.

– Il… il doit aboir glissé dans la baignoire. C'est gomme ça que baba s'est cassé le bied.

Cissy et son frère se sont regardés et ont éclaté de rire. Et j'ai ri, moi aussi, malgré le souci que je me faisais pour Tigrou.

– Je vais aller nous préparer un goûter, a décrété Cissy.

– Bon… d'accord, ai-je aquiescé.

On pouvait lui faire confiance pour la cuisine. Elle a dévalé l'escalier. Soudain, je me suis élancée derrière elle.

– Hé, Cissy ! Est-ce que Hunter a des allergies alimentaires ?

– Juste les céréales. Et le lait. Et les fraises. Et le poisson. (Rien que ça !) Mais ne t'inquiète pas, je sais ce qu'il peut manger.

Quelques minutes plus tard, elle entrait avec précaution dans la chambre de Hunter avec le plateau du goûter. Nous nous sommes assis sur le sol nu et avons mangé. J'essayais d'être très soigneuse. Si Hunter était allergique aux céréales et à la poussière, cela le rendait-il allergique aux miettes de gâteau ? Je me suis efforcée de ne pas en laisser autour de moi.

Quand nous avons eu fini de manger, Cissy, toujours aussi serviable, a emporté le plateau et a nettoyé la cuisine. Elle est revenue, et nous avons continué le jeu du vétérinaire, puis nous avons joué au jeu de l'oie et aux petits chevaux. On s'est bien amusé, bien que Cissy ait interrompu le jeu pour aller ranger quelque chose dans sa chambre, mais je ne pensais qu'à Tigrou. Était-il revenu, maintenant ? Était-il en train de manger dans son bol, ou enroulé sur les genoux de papa ?

Où était-il ?

6

Dès que M. et Mme Rinaldi ont été rentrés, j'ai sauté sur mon vélo et filé à la maison. Logan et moi ne sommes pas exactement voisins, aussi ai-je dû pédaler un certain temps.

Je savais que c'était un bon exercice, mais j'étais impatiente. Tigrou était-il ou non à la maison ?

J'ai tourné dans notre allée, filé jusqu'au bout, et jeté mon vélo par terre. Puis j'ai poussé violemment la porte qui a claqué derrière moi.

– Papa ! Papa !

– Je suis dans le bureau, Mary Anne.

Je me suis précipitée.

– Papa, est-ce qu'il est revenu ?

Mon père s'est contenté de me regarder et j'ai compris que la réponse était non.

– Il est absent depuis vingt-quatre heures maintenant, ai-je fait remarquer.

Papa a hoché la tête.

– Il est temps de faire quelque chose.

Je n'ai pas attendu sa réaction. J'étais déjà dans la cuisine. Je ne suis pas toujours géniale en cas d'urgence, mais là, je savais quoi faire.

J'ai appelé Kristy Parker. Non seulement elle est l'une de mes deux meilleures amies, mais elle est pleine d'idées. De bonnes idées. Et elle aime les animaux. C'était la personne idéale avec qui réfléchir et parler.

– Tigrou a disparu ?

Kristy a poussé un cri de surprise quand je lui ai appris la mauvaise nouvelle.

– Depuis presque vingt-quatre heures.

– Alors il n'y a qu'une seule chose à faire. Je convoque une réunion d'urgence du club. Peux-tu être chez Claudia dans une heure ?

– Oui, bien sûr.

– Parfait. Alors on s'y retrouve.

Un peu moins d'une heure après la fin de ma conversation téléphonique avec Kristy, tout le monde était rassemblé dans la chambre de Claudia. C'était incroyable.

Les visages étaient sombres. Je pense que c'était parce que nous possédions toutes au moins un animal à la maison, et que mes amies pensaient à ce qu'elles ressentiraient si le leur avait disparu. Moi, évidemment, je pensais à Tigrou. Et j'essayais de ne pas pleurer. Je suis championne pour les larmes. N'importe qui au club vous le dirait.

Kristy est entrée directement dans le vif du sujet, et, pour une fois, j'étais contente de la voir prendre les choses en main, même si elle se montrait un peu autoritaire.

– Nous avons un problème. Ce n'est pas un problème de baby-sitting, mais il touche l'une d'entre nous. Tigrou a disparu, et nous devons faire quelque chose. Mary Anne, si tu nous résumais la situation ?

– Bien…

Ma voix tremblait, alors j'ai recommencé.

– Bon, quand je suis venue à notre réunion d'hier, j'ai laissé Tigrou dehors. Il ne voulait pas rentrer. Il lui est déjà arrivé de rester seul dehors, et j'ai pensé que ça se passerait bien. Seulement… seulement…

J'ai dû m'arrêter. Je ne pouvais pas continuer. J'ai scruté les visages qui m'entouraient. Kristy était dans son fauteuil de présidente, mais elle ne portait pas la visière, et le crayon qui d'habitude surmonte son oreille était resté posé sur le bureau. Claudia et Carla étaient assises solennellement sur le lit, Jessica et Mallory par terre. Leurs genoux étaient ramenés contre leur poitrine, mains croisées par-dessus, et elles me regardaient avec compassion. J'étais assise derrière le bureau de Claudia, face aux autres.

Je me suis éclairci la voix.

– Seulement, quand je suis revenue de la réunion, il n'était plus là. Mon père et moi l'avons cherché dehors, mais il n'est pas rentré. Et il n'est revenu ni la nuit dernière ni aujourd'hui. Voilà, c'est tout.

– Oh, Mary Anne ! s'est exclamée Carla. Je suis tellement désolée.

– Moi aussi, ont murmuré les autres filles.

– Alors qu'allons-nous faire ? a demandé Kristy.

Comme personne ne disait rien, elle a répondu elle-même à la question.

– Nous allons le trouver. Nous allons considérer que Tigrou est une personne disparue.

– Nous pourrions placarder des affiches ! a proposé Mallory.

– Avec le portrait de Tigrou ! a enchaîné Claudia. Je pourrais le dessiner.

– Oui, et l'affiche pourrait dire quelque chose comme : « Perdu chaton gris. Répond au nom de Tigrou », a complété Jessi.

– Nous devrions en dire plus sur le signalement, a affirmé Kristy. Faire une description plus complète, je pense. Vous savez, sa taille, son âge, ses signes particuliers.

– Et mettre : « A été vu pour la dernière fois vendredi après-midi », ai-je précisé.

– Et ajouter quelque chose comme : « au cas où vous l'auriez trouvé, appelez au numéro de téléphone de Mary Anne », a suggéré Mallory.

Dominant l'assemblée, dans son fauteuil, Kristy était en train de mettre au point un de ses plans. Je ne suis pas spécialement perspicace. Mais il est difficile de ne pas remarquer quand Kristy est en effervescence. Je l'ai entendue prendre une grande inspiration, puis – je le jure – elle s'est tortillée dans tous les sens un peu comme un petit chien.

Claudia, qui s'en était également rendu compte, a demandé :

– Kristy ? Tu veux nous dire quelque chose ?

Carla, Jessica et Mallory essayaient d'étouffer des gloussements.

Et Kristy a explosé :

– Oui, j'ai une idée géniale ! Nous pourrions offrir une récompense. Il faudrait ajouter sur l'affiche « Cent dollars de récompense à qui retrouve Tigrou sain et sauf. » Ou quelque chose comme ça.

Eh bien, il fallait le reconnaître, c'était une idée géniale.

– Il y a un problème, a déclaré Carla, notre trésorière. Où allons-nous trouver l'argent ?

– J'ai quatre dollars, a annoncé Jessica.

– J'en ai trois et demi, a poursuivi Claudia.

– Cinq et demi, a renchéri Mallory.

– Seulement deux, a avoué Carla. Je viens juste d'acheter des boucles d'oreilles. Désolée, Mary Anne…

J'ai secoué la tête en souriant. Mes amies étaient incroyables.

– J'ai cinq dollars et soixante-quatre cents, a précisé Kristy. Je le sais exactement.

– Et moi, ai-je continué doucement, j'ai quatre dollars et soixante-quinze cents. Je donnerais jusqu'à mon dernier sou pour retrouver Tigrou. Je voudrais avoir quatre cents dollars.

Carla écrivait sur une feuille de papier.

– Voyons ça, dit-elle. Hum, toutes ensemble nous avons… vingt-cinq dollars et trente-neuf cents !

Nous étions assez désespérées.

– Attendez, continua Carla. Laissez-moi chercher quelque chose.

Elle a pris l'enveloppe de la trésorerie et a fouillé à l'intérieur. Elle en a sorti une liasse de billets et de la petite monnaie.

– Que fais-tu ? s'est inquiétée Kristy.

– Je cherchais seulement quatre dollars et soixante et un cents. Si nous additionnons tout, notre récompense sera de trente dollars. Ça ferait bien sur l'affiche, non ?

Cinq têtes ont opiné. Je me suis mise à pleurer.

– Mary Anne ? Qu'est-ce qui ne va pas ? a demandé Carla. Ne t'en fais pas. Il y a encore plein d'argent dans la trésorerie. J'ai juste retiré de quoi arrondir à trente.

– Oh, ce n'est pas ça, ai-je expliqué en reniflant. (Claudia me tendit un mouchoir.) C'est vous ! Donner l'argent que vous gagnez si durement. Je sais que vous économisez pour les choses dont vous avez besoin. Et maintenant, vous donnez tout pour Tigrou.

– Et pour toi aussi, a ajouté Carla.

Et ce fut un nouveau flot de larmes. Je pleurais sur moi, sur Tigrou, mais surtout parce que mes amies étaient si merveilleuses.

J'ai pleuré jusqu'à ce que Carla vienne me prendre dans ses bras. Peu à peu, mes sanglots se sont calmés.

Juste au moment où je reprenais le contrôle de mes nerfs, j'ai entendu Mallory qui disait :

– Qu'allons-nous faire pour ce pauvre petit Tigrou ?

– Hein ? a fait Kristy.

– C'est dans *La Maison de Winnie l'Ourson*, a expliqué Mallory. Nous l'avons lu à haute voix à la maison. Cette phrase est le début d'un des refrains de Winnie. Vous savez, ses chansons. Le reste raconte comment faire manger Tigrou le tigre. Mais cette première phrase me fait penser au Tigrou de Mary Anne.

J'ai hoché lentement la tête.

– Oui, qu'allons-nous faire pour le pauvre petit Tigrou ?

J'ai failli me remettre à pleurer, mais Kristy a décrété :

– Venez, nous avons du travail. Si nous pouvions fabriquer un exemplaire de l'affiche, ma mère pourrait aller ce soir à son bureau en faire des photocopies. Puis nous…

– Elle va aller à son bureau un samedi soir ? l'a coupée Claudia.

– Peut-être, a répliqué Kristy. C'est quelque chose d'important. Combien de copies dois-je lui demander, d'après vous ?

Nous sommes convenues d'un nombre. Puis nous nous sommes mises à travailler sur l'affiche. Quand nous avons eu fini, voilà à quoi ça ressemblait :

PERDU chaton tigré gris
mâle, à poil ras
Répond au nom de Tigrou
Vu pour la dernière fois vendredi après-midi
Appeler le 547-9102

Sous cette annonce, Claudia a dessiné un portrait de Tigrou qui lui ressemblait vraiment. Il avait fallu que j'aille chercher des photos pour qu'elle puisse travailler. J'aurais fait n'importe quoi pour aider à le retrouver.

Et au bas de la page, en grosses lettres, il était écrit :

*** 30 DOLLARS DE RÉCOMPENSE ***
à qui ramènera Tigrou sain et sauf

Nous avons posé l'affiche sur le lit, et nous nous sommes penchées toutes les six pour la regarder.

Mimi est entrée à ce moment.

– Qu'est-ce que image ? a-t-elle demandé. (Mimi a eu une attaque l'été dernier qui a affecté son élocution.)

– C'est Tigrou, a expliqué Claudia à sa grand-mère. Il a disparu et nous allons aider à le retrouver.

Mimi semblait perplexe.

– Aubergines, voilà ce qu'elle dit.

Puis elle a quitté la pièce.

Un silence a suivi son départ.

– Je pense que l'affiche est parfaite, ai-je déclaré.

– J'espère seulement que ça marchera, a ajouté Carla.

– Ça marchera. Ça doit marcher, a assuré Jessica avec véhémence.

– Où allons-nous mettre les affiches ? a demandé Claudia.

J'étais sûre qu'elle essayait de ne pas penser à Mimi. J'espérais qu'elle savait qu'aucune d'entre nous n'accordait la moindre importance à l'incident.

– Sur les lampadaires et dans les boîtes aux lettres. Nous en mettrons partout dans le quartier, a répondu Kristy.

– Bon, je ferais bien d'appeler Samuel pour qu'il vienne me chercher. Retrouvons-nous ici demain à midi.

Nous avons approuvé le plan et j'ai couru à la maison, espérant y trouver mon chat.

Mais pas de Tigrou.

Alors j'ai appelé Logan pour lui faire part des nouvelles.

– Oh, c'est moche, a-t-il marmonné vaguement.

Quoi ? Tigrou avait disparu et c'est tout ce que Logan trouvait à dire. Qu'est-ce qui lui arrivait ?

– Logan, il a disparu depuis vingt-quatre heures !

– Je suis réellement désolé… Oh ! Maintenant, je comprends.

– Tu comprends quoi ?

– Ce qui n'a pas marché à l'entraînement aujourd'hui. Je suis en train de regarder des enregistrements de nos parties.

Je n'en croyais pas mes oreilles. Mais je me suis contentée de lui dire calmement au revoir, puis j'ai raccroché.

7

Samedi

J'avoue que mon frère et ma soeur sont des enfants faciles à garder. Enfin d'habitude.

En général, ils sont calmes et tranquilles lorsqu'ils sont à la maison mais, quand on sort, il faut ouvrir l'oeil. On ne sait jamais ce qui peut arriver...

Mais, ce samedi, nous étions tous les trois à la maison et tout se passait bien. Papa et maman étaient partis à une soirée de l'entreprise de mon père et devaient rentrer tard. Je dormais sur le canapé quand ils sont revenus. Ça, c'était la fin, car avant, il y a eu le dîner. Avec Rebecca, pas de problème. Mais P'tit Bout, quelle catastrophe!

Je comprenais, à la simple lecture de ce commentaire dans le journal de bord, combien Jessica, Rebecca et P'tit Bout étaient proches. C'est adorable. Ah, là, là, comme j'aimerais avoir un frère et une sœur. Ou juste un des deux !

Ou Tigrou.

En tout cas, dès que M. et Mme Ramsey ont été partis, Rebecca a dit à sa grande sœur :

– Jessica, j'ai faim.

– Je sais. Moi aussi. Mais je veux faire manger P'tit Bout d'abord. Je pense que ce sera plus facile. On mangera toutes les deux, quand il aura fini.

– D'accord, a répondu Becca à contrecœur.

Elle n'avait pas très envie d'attendre, mais préférait dîner avec sa sœur.

Jessica a préparé un sandwich au fromage et un peu de raisin pour son frère. Elle a coupé le sandwich en petits morceaux, car il apprend à manger tout seul. Puis elle a assis le bébé dans sa chaise haute et a posé l'assiette et le biberon de lait devant lui.

P'tit Bout a souri.

Il a pris un morceau de sandwich, l'a ouvert, a mis le fromage dans sa bouche et a fait tomber le pain par terre. Puis il a écrasé un grain de raisin dans sa main, en éclatant de rire.

– Da ! da !

Il a saisi un autre grain de raisin et l'a envoyé voler à travers la pièce en riant encore plus fort.

Une demi-heure plus tard, le biberon de P'tit Bout était vide, de même que son assiette. Mais le fromage était écrasé sur la chaise, les mains du bébé étaient pleines de raisin broyé, et la cuisine était jonchée de pain, de fromage et de raisin.

– Tu sais quoi ? a dit Jessica à sa sœur. Je crois qu'il n'a rien mangé. Il a bu son lait. Bon, il a grignoté un morceau de fromage, mais le reste est étalé partout dans la cuisine.

Rebecca a rigolé.

– Le plus drôle, c'est quand il m'a lancé un grain de raisin directement de sa bouche à mon nez. Je sais qu'il l'a fait exprès.

Elle a aidé Jessica à nettoyer la cuisine. Puis Jessica a débarbouillé P'tit Bout. Et elles ont dîné ensemble tandis que P'tit Bout les observait depuis son parc.

– Nous, on a des croque-monsieur, a lancé joyeusement Rebecca.

– Oui, parce qu'on est grandes et qu'on sait manger. Mais, si tu me lances quelque chose à travers la table, je te mets dans la chaise haute.

Rebecca a pouffé.

Elles ont mangé et, quelques instants plus tard, Jessica a murmuré :

– Qu'allons-nous faire pour le pauvre petit Tigrou ?

– Qu'est-ce que tu veux dire ? a demandé Becca.

Jessi lui a parlé des répliques de Winnie l'Ourson, et de la disparition de Tigrou.

– Oh, là là ! C'est affreux, répondit Becca. Tu sais qui va être vraiment triste ? Je veux dire à part Mary Anne ?

– Qui ?

– Charlotte. Elle adore Tigrou. Elle voudrait qu'il soit à elle.

– Oui, Tigrou est vraiment mignon. Et Charlotte n'a pas d'animal.

– Je suis réellement contente que Brume vive dans une cage, a ajouté Rebecca. Comme ça, elle ne peut pas s'en aller.

Brume est le hamster des Ramsey. C'est leur premier animal familier. Jessica et Rebecca pensent qu'il est à croquer. Il est mignon. Tout petit, parce qu'il est jeune. Il a de toutes petites pattes avec des griffes qu'on peut à peine voir. Et sous sa truffe, qui est rose, des moustaches presque transparentes. En plus, il est joli. Sa fourrure est brun doré et blanc et ses yeux, noirs et brillants.

Devinez où Jessica l'a eu ? Elle ne l'a pas acheté dans une animalerie. Il est venu de chez des voisins, les Mancusi. Ils partaient en vacances et cherchaient quelqu'un pour garder leurs animaux. Alors ils ont appelé le club ! D'ordinaire, Kristy n'aime pas que nous gardions des animaux, mais Jessica était libre pour une semaine, aussi s'est-elle chargée de ce travail. Et elle s'est retrouvée en train de s'occuper de chats, de chiens, de hamsters, de lapins, d'un serpent dégoûtant qui s'est perdu un après-midi, de quelques poissons, et je ne me rappelle plus quoi encore. Toujours est-il qu'un jour, elle s'est aperçue qu'une femelle hamster allait avoir des petits. Les Mancusi ont été ravis d'en donner un à Jessica (soit dit en passant, la famille de Mallory en a pris un également).

– Je suis contente que Brume vive dans une cage, moi aussi, a renchéri Jessica. être enfermé peut sembler cruel, mais au moins c'est sans danger.

– Hé ! s'est écriée Rebecca. J'ai une idée. Les Mancusi pourraient peut-être donner un petit chat à Mary Anne. Je veux dire, si Tigrou ne revient pas.

– Peut-être… C'est vrai, deux de leurs chattes vont avoir des petits.

– Il y en aura peut-être un qui ressemblera à Tigrou ! s'est exclamée Rebecca.

– Peut-être, a répété Jessica.

Puis elle a ajouté :

– Je me demande juste si Mary Anne voudrait un autre petit chat… Je veux dire, imaginons que quelque chose arrive à Brume…

– Qu'est-ce qui pourrait arriver à Brume ?

– Rien. Je disais seulement que si quelque chose arrivait…

– S'il arrivait quoi ?

Rebecca avait posé son sandwich sur son plateau. Elle regardait sa sœur d'un œil inquiet.

Jessica a soupiré.

– Rien. Mais réfléchis un peu : si tu perdais Brume, est-ce que tu voudrais un autre hamster ? Pour le remplacer ?

– Pas question !

– Bon. Je pense que c'est le cas de Mary Anne par rapport à Tigrou. Je ne suis pas sûre qu'elle voudrait un chaton de remplacement. Pas tout de suite.

– Mais c'est bien de savoir que les Mancusi sont là au cas où, a précisé Rebecca.

– Oui, a admis Jessica. C'est bien de savoir qu'ils sont là.

– Atchououm ! Atchououm ! a crié P'tit Bout dans son parc.

Il était debout, les bras ballants, et regardait ses grandes sœurs.

Jessica et Rebecca se sont mises à rire. La nouvelle invention de P'tit Bout est de faire croire qu'il éternue. Mais ses éternuements sonnent faux. Il ne fait que hurler « Atchoum ! » qui quelquefois devient « At-chou ! » ou même « At-tou ! »

Comme elles avaient fini de dîner, Rebecca a repris :

– Jessica, je peux faire marcher P'tit Bout ?

– Bien sûr, a-t-elle répondu, se demandant pourquoi sa sœur posait une telle question.

P'tit Bout n'était pas encore très assuré sur ses petites jambes, mais Rebecca l'avait très souvent aidé à se balader partout.

Elle a vite aidé Jessi à débarrasser les assiettes. Puis elle a couru sortir son petit frère du parc.

Il poussait des cris de bonheur.

– Jessica, Jessica, Jessica, viens voir P'tit Bout ! appelait-elle.

Jessi était en train d'essuyer la table.

– Rebecca, je l'ai déjà vu marcher.

– Ouais, mais tu n'as pas vu ça. S'il te plaît, viens.

– Bon, d'accord.

Jessi s'est approchée.

Rebecca avait posé P'tit Bout sur la moquette de la salle de jeux et il se tenait debout en équilibre instable. Elle a reculé.

– P'tit Bout, viens !

Elle a tendu les bras.

– Viens !

P'tit Bout a fait une embardée en direction de Rebecca. Tout en marchant, il s'encourageait lui-même.

– Yé ! Yé ! Yé !

Voilà ce que Rebecca voulait montrer à Jessica qui s'est mise à rire.

– Qui lui a appris ça ?

– Je ne sais pas ! Il a trouvé ça tout seul.

Puis il a été l'heure pour P'tit Bout d'aller au lit. Jessica lui a lu des comptines pour l'endormir. Il est trop petit pour les comprendre, mais elle pense que la lecture est importante à tout âge. Puis elle a laissé Rebecca lire quelques pages dans son lit, et finalement, quand Rebecca elle-même a été endormie, Jessica est descendue avec un exemplaire de *Lassie chien fidèle* et s'est allongée sur le divan du salon. C'est l'histoire d'un chien, mais elle s'est surprise à penser à Tigrou, se demandant la même chose que moi. Que lui était-il arrivé ? Était-il en sécurité ? Était-il blessé ? S'il était blessé quelque part, allions-nous le retrouver ? Et… mais où pouvait-il bien être ?

8

– Mary Anne, Mary Anne ! Ma mère l'a fait !
– Fait quoi ?
On était dimanche matin et je venais de me réveiller. Mon cerveau se mettait à peine en fonctionnement.

Tout ce que je savais, c'est que Kristy était à l'autre bout du fil et qu'elle était tout excitée.

– Elle a photocopié les affiches ! J'ai toute la pile ici. Je suis sur le point de partir. Nous pouvons faire les environs.

Je voulais retrouver Tigrou plus que tout. Mais il était seulement huit heures et demie du matin. Je n'étais pas habillée. Et j'étais certaine que Claudia et Carla n'étaient même pas réveillées. Je me suis contentée de balbutier :

– Faire les environs ? Qu'est-ce que ça veut dire ?

– Tu sais bien, poser les affiches. Les distribuer. En recouvrir le quartier.

– Oh… là, Kristy, c'est vraiment sympa de la part de ta mère d'être allée à son bureau hier soir. Elle a dû faire tout ça, juste pour les affiches.

– C'est que Tigrou est important.

– Merci, et écoute, j'ai hâte, hum, de couvrir le voisinage d'affiches. Mais tu ne penses pas qu'il est un peu tôt ? Je suis encore en chemise de nuit. Et… et… (Bon, j'ai traversé la pièce, regardé par la fenêtre… les rideaux de Claudia étaient tirés. J'étais sûre qu'elle dormait encore. Je parie que Carla dormait aussi. Et j'avais envie de téléphoner à Logan. Peut-être viendrait-il nous aider.) Est-ce qu'on peut se retrouver à midi ?

– Midi ? a répété Kristy, déçue. Bon, d'accord. Et comment on fait ? J'appellerai Jessica, Mallory et Claudia, si tu téléphones à Carla et Logan. Dis-leur d'être dans ton jardin à midi.

– Ça marche.

À midi, j'étais dans mon jardin. Et je me suis mise à appeler Tigrou. Il m'était impossible de me trouver quelque part sans l'appeler ni le chercher.

– Tiiiigrou ! Viens, Tigrounet, Tigrounet !

J'ai appelé, sifflé, agité ses jouets. J'ai sorti de la nourriture pour chat. Pas de Tigrou.

J'étais soulagée quand la vieille voiture des Parker s'est arrêtée devant chez nous. Kristy en a bondi et Samuel m'a fait un signe de la main. Je lui ai répondu.

Mon amie avait une liasse de feuilles à la main.

– Oh, laisse-moi voir, ai-je crié en courant à sa rencontre.

Elle m'a tendu la feuille du haut de la pile.

– Génial. C'est génial, Kristy. Je ne sais pas comment te remercier.

– Tu es ma meilleure amie. Nous n'avons pas à nous dire merci. Mais ce serait bien si l'affiche nous ramenait Tigrou.

– Je ne te le fais pas dire.

Comme nous admirions notre travail, Claudia est arrivée. Puis ce fut le tour de Carla et Mallory. Et bientôt, tout le monde s'est retrouvé dans mon jardin.

Avec ses affiches à la main, Kristy était dans son élément. Elle dirigeait les opérations.

– Maintenant, a-t-elle commencé, l'idée est de distribuer les affiches dans tout le voisinage. D'ici ce soir, il ne doit plus y avoir une seule personne dans le quartier qui ignore que Tigrou a disparu. J'ai plein de rouleaux de ruban adhésif, et je veux que vous n'oubliiez aucun lampadaire. Peut-être une affiche de chaque côté. Ensuite il faudra en mettre dans les boîtes à lettres. Il y a pas mal de rues par là.

Nous sommes alors partis tous les sept. Logan et moi faisions équipe.

– Mary Anne ? a fait Logan, alors que nous collions des affiches sur les deux côtés d'un lampadaire, je suis vraiment désolé pour Tigrou.

– C'est vrai ?

– Bien sûr.

– Je pense que c'est la pire des choses qui me soit jamais arrivée.

Logan a souri.

– Oh, allez. N'exagère pas, Mary Anne. C'est triste de perdre son chat, mais tu ne crois pas que tu dramatises un peu ?

Je n'avais rien à répondre à ça.

De l'autre côté de la route, Mallory glissait une affiche dans une boîte à lettres, courait vers la maison suivante et, avec dextérité, en jetait une autre.

– Hé ! ai-je crié. Tu t'entraînes pour les jeux olympiques des distributeurs d'affiches ?

– Je pense seulement que, plus vite nous distribuerons les affiches, plus vite nous retrouverons Tigrou.

Et elle a poursuivi sa course.

Logan et moi mettions des affiches dans les boîtes à lettres quand mon père est passé en voiture. Il m'a fait signe en ralentissant. Je lui en ai tendu une.

Mon père a approuvé.

– Très pro… Trente dollars de récompense ! C'est impressionnant. D'où vient l'argent ?

– Un peu de la trésorerie du club, mais surtout de nous. Nous nous sommes cotisées.

– Cela devrait certainement attirer l'attention.

– Tu le penses ? Génial.

– Je vais au supermarché faire des courses. Veux-tu que je prenne quelques affiches ? Je pourrais en mettre au moins deux là-bas. Peut-être y a-t-il d'autres commerçants ouverts qui pourraient me laisser coller une affiche sur leur vitrine.

Je suis restée sans voix. C'était bien mon père ? Lui qui déteste faire de telles choses, demander des faveurs et tout ça.

– Ce serait formidable, papa, mais tu es sûr de vouloir ?

– Pour Tigrou, oui.

– Alors, c'est d'accord.

Je lui ai donné un petit tas d'affiches en le remerciant mille fois. Il a démarré.

Logan et moi avons continué. Comme nous arrivions à un carrefour, il a tourné à gauche et moi, à droite. Je me suis retrouvée seule. Je marchais vite, si vite que, au bout de quelques rues, j'avais mal aux jambes. Mais ça en valait la peine pour Tigrou.

« Oh, Tigrounet, où es-tu ? »

C'était la question qui me tourmentait depuis vendredi. « Où es-tu ? » Mais il y avait une autre question, pire encore, et qui me torturait aussi depuis vendredi. Elle était si effrayante que le seul fait d'y penser m'était insupportable. Et c'était : Tigrou était-il vivant ? Et s'il était parti loin ? Et s'il avait été heurté par une voiture ? Le conducteur ne saurait pas à qui il appartenait. Alors il l'emmènerait chez un vétérinaire, expliquerait ce qui était arrivé, et le véto dirait : « Je suis désolé, nous ne pouvons rien faire », et alors ils se débarrasseraient de Tigrou. Ils ne pourraient faire autrement. Il ne porte pas de collier avec son identité.

« Mort, me disais-je en marchant. Mort, mort, mort. »

J'ai glissé une affiche dans une boîte aux lettres.

« Mort, mort, mort. »

J'arrivais près d'un lampadaire, j'ai sorti le rouleau de ruban adhésif de ma poche et j'ai collé une affiche. J'étais en train d'en poser une autre de l'autre côté quand j'ai entendu une voix demander :

– Qui est Tigrou ?

J'ai sursauté. En me retournant, j'ai vu un garçon qui semblait avoir à peu près dix ans. Il cherchait à lire l'affiche placardée derrière moi.

– Tigrou, c'est mon petit chat.

Le garçon a hoché gravement la tête.

– Tu l'as vu ?

– Peut-être. Tu as très envie de le voir revenir, non ?

– Oh oui !

– Il y a vraiment une récompense ?

– Oui.

– Bon, alors d'accord. Hier, heu… non, heu… Avant-hier, j'ai vu un… un chaton gris avec des rayures tigrées.

– Ça ressemble à Tigrou ! me suis-je écriée.

– Et il avait le poil ras – je suis sûr que c'était il, pas elle. Et, heu, il répondait au nom de Tigrou.

J'ai regardé l'affiche que je venais de poser avec méfiance.

– Comment sais-tu que son nom était Tigrou ? lui ai-je demandé.

– Parce que c'était écrit sur son collier ?

– Désolée. Il ne porte pas de collier, ai-je répliqué sèchement.

Le garçon ne semblait pas du tout gêné d'avoir proféré un si gros mensonge.

– C'est pour quoi la récompense ? a-t-il insisté. Pour une information permettant de trouver ce chat ou quelque chose comme ça ?

– Non, pour le retrouver. Pour me le restituer en main propre.

J'ai remis le rouleau dans ma poche. Puis j'ai filé précipitamment. Qu'est-ce qui n'allait pas chez les gens ? L'argent était donc la seule chose à laquelle ils pensaient ?

J'ai marché et marché encore. J'ai distribué mes prospectus dans tout le voisinage, jusqu'à ce qu'il ne m'en reste plus un seul. Puis je suis rentrée à la maison. J'ai trouvé Mallory, Jessica et Carla assises sur ma pelouse.

– On a fini ! a annoncé Jessica.

– J'ai fini la première, a précisé fièrement Mallory.

Je me suis assise avec elles, mais à peine étais-je par terre que Carla s'est dressée d'un bond.

– Nous ne devrions pas rester ici comme ça. Nous devrions chercher Tigrou.

– Mais j'ai regardé partout.

– Alors il faut chercher encore plus. Ce n'est qu'un bébé. Il est si petit. Peut-être qu'il est coincé quelque part.

Les recherches se sont donc poursuivies avec nous quatre. Sept, quand Logan, Claudia et Kristy sont revenus. Puis Charlotte Johanssen qui passait par là s'est jointe à nous. Simon, Myriam et Gabbie allaient se mettre à jouer à Superman, Nicky Pike était sorti faire un tour de bicyclette avec son ami Mathew Braddock, mais tous se sont arrêtés de jouer et nous ont aidés à chercher Tigrou. J'étais justement en train de raconter à Logan l'incident du garçon que j'avais rencontré pendant que je collais mes affiches, quand Simon m'a tirée par la manche.

– Mary Anne ! Mary Anne !

Je me suis penchée vers lui.

– Qu'est-ce qu'il y a, Simon ?

– Nicky Pike a dit que, si on trouve Tigrou, on gagne trente dollars.

– C'est vrai.

– Si j'avais trente dollars, j'achèterais mille voitures de course.

J'ai soupiré. « Nous y revoilà », ai-je pensé.

– Mais tu sais quoi ? a continué Simon. Ce que je veux d'abord, c'est que Tigrou revienne.

J'ai serré fort Simon dans mes bras.

9

Nous n'avons pas retrouvé Tigrou cet après-midi-là. Et ça ne m'a pas vraiment surprise. Mais j'étais étonnée l'après-midi suivant quand Simon Newton m'a proposé de chercher encore mon chat.

C'était lundi. Je gardais Simon et Lucy Jane, et le temps était superbe. Ça aurait été merveilleux d'aller dehors. Mais il me semblait que nous avions déjà cherché Tigrou partout. Dans tous les endroits possibles. En tout cas, dans les parages. Et je ne pouvais pas emmener les enfants plus loin même pour une chasse au chaton.

– Tu ne veux pas retrouver Tigrou ? s'est inquiété Simon.

– Bien sûr que si ! ai-je répondu.

– Alors cherchons encore. Nous avons pu oublier un endroit. Ou peut-être… peut-être qu'il a bougé, et qu'il est dans un endroit où nous sommes déjà passés ! C'est possible, tu sais. Nous ferions mieux de chercher à nouveau partout.

Je lui ai souri.

– C'est vraiment ce que tu veux faire aujourd'hui ? Tu es sûr ?

– Ouais. Tu peux mettre Lucy Jane dans sa poussette. Et quand on sera chez toi, on demandera à Myriam et à Gabbie si elles veulent nous aider.

– D'accord, ça marche !

Quand Simon avait fait sa suggestion, il était assis à la table de cuisine, avec un verre de jus de raisin et des gâteaux secs. Et Lucy Jane terminait juste sa sieste. Aussi y avait-il beaucoup de choses à faire, avant d'aller à la chasse au Tigrou. J'ai changé Lucy Jane, lui ai fait une rapide toilette, et lui ai enfilé une nouvelle tenue d'extérieur (la salopette lavande qu'elle avait portée dans la matinée était couverte de lait, de jus de raisin, et de banane écrasée). Puis j'ai préparé un sac. Quand on s'occupe d'un bébé, on ne peut aller nulle part sans un sac. J'y ai mis des serviettes en papier, une bouteille de jus de pomme, une tétine, des couches de rechange et un jouet. Quand Lucy Jane a été prête, je me suis occupée de Simon. Il avait des moustaches de jus de raisin que j'ai essuyées.

– Tu veux aller aux toilettes ? lui ai-je demandé en prenant Lucy Jane et le sac.

– Non.

– Bon, allons-y, alors.

La poussette du bébé était dans le garage. Je me suis arrêtée devant la porte pour lui mettre un pull.

– Tu es sûr de ne pas avoir besoin d'aller aux toilettes ? ai-je insisté.

– Sûr.

Dans le garage, j'ai installé Lucy Jane dans la poussette en suspendant son sac aux poignées.

– Dernière chance pour les toilettes, Simon, ai-je répété.

– Ça va, a-t-il répliqué.

Nous sommes donc partis. Nous avions parcouru la moitié de l'allée quand Simon m'a pris le bras :

– Mary Anne ? Il faut que j'aille faire pipi.

J'ai soupiré. Mais que faire ? Nous sommes revenus sur nos pas. Dix minutes plus tard, nous étions à nouveau en route. En atteignant la maison des Perkins, Simon a tiré la sonnette.

– Pas de ouah-ouah, a-t-il remarqué.

– Shewy doit être derrière dans le jardin, lui ai-je expliqué.

Shewy est le nom du grand labrador noir des Perkins. Il aime les gens et devient tout fou quand la sonnette retentit. Habituellement, on entend un bruit de galop et un concert d'aboiements dès qu'on sonne à la porte.

Mais cette fois c'étaient de tout petits pas qui approchaient. Puis la porte s'est entrouverte et Gabbie a jeté un coup d'œil par la fente. Quand elle nous a vus, son visage s'est illuminé. Elle a ouvert en grand.

– Salut ! a-t-elle crié, ses cheveux blonds volant au vent.

– Salut ! Salut ! a répondu Simon, tout content. Toi et Myriam, vous voulez encore venir chercher Tigrou ? Mary Anne est là. Elle nous aidera.

– D'accord. Je vais proposer à Myriam.

La recherche de Tigrou provoquait une grande excitation et, en peu de temps, Simon et ses copains étaient réunis dans le jardin devant chez moi.

– C'est ici que tu as vu Tigrou pour la dernière fois, pas vrai, Mary Anne ? m'a questionnée Myriam.

J'ai hoché la tête.

– C'est exact.

Myriam, Simon, Gabbie et moi, nous nous sommes mis à siffler, appeler et regarder dans les arbres et sous les buissons. Ensuite, j'ai conduit la poussette de Lucy Jane dans le jardin de derrière pour fouiller dans notre cabane à outils, un endroit que j'étais sûre d'avoir déjà vérifié au moins une douzaine de fois. Tout à coup, je me suis sentie vraiment découragée.

– Lucy Poulette, ai-je appelé.

Et Lucy Jane a tordu son petit cou en arrière pour me voir. Elle répond à ce surnom aussi bien qu'à son prénom.

– Lucy Poulette, allons chercher le courrier dans la boîte aux lettres. Je suis fatiguée de tout ça.

« Et j'ai peur, ai-je pensé. J'ai peur que quelqu'un retrouve Tigrou mort. »

Prendre le courrier est un grand moment de la journée pour moi, et je sentais que, justement, j'en avais besoin. Aussi ai-je poussé Lucy Jane devant la maison et j'ai regardé dans la boîte par la fente. Pleine à craquer ! J'adore les boîtes aux lettres pleines. Je l'ai vidée, puis j'ai sorti Lucy Jane de sa poussette, je me suis assise sur l'escalier de devant et j'ai posé le courrier sur mes genoux. Il y en avait tant qu'il a glissé par terre. Lucy Jane riait tandis que je le ramassais.

Enfin, je l'ai empilé à côté de moi. Je l'ai trié en plusieurs tas : factures pour papa, lettres pour papa, magazines, catalogues, des trucs qu'on pouvait probablement jeter, lettre pour moi... Quoi, une lettre pour moi ? Je reçois rarement des lettres.

J'ai examiné l'enveloppe. Ce devait être Lucy. Mais non, ce n'était pas son écriture. Ooh, très excitant. Une lettre mystérieuse !

– Voilà, ai-je expliqué à Lucy Jane, pourquoi j'aime prendre le courrier. On ne sait jamais ce qu'on va y trouver. Je suis impatiente de savoir qui m'écrit.

Le bébé a gazouillé, puis a souri aux anges.

J'ai ouvert l'enveloppe.

Ce que j'ai trouvé à l'intérieur m'a donné la chair de poule.

– Oh, non ! ai-je balbutié.

Écrit en grosses lettres peu soignées, il y avait un court message :

SI VOUS VOULEZ RETROUVER VOTRE CHAT VIVANT, DEPOSEZ 100 $ DANS UNE ENVELOPPE SUR LE GROS ROCHER DE BRENNER FIELD A 16 H DEMAIN APRES-MIDI.

Un portrait de Tigrou était collé au bas de la feuille. Il avait été découpé sur l'une de nos affiches. J'ai avalé ma salive, je me sentais mal. Tigrou avait été kidnappé ? Mais pourquoi ? Parce que quelqu'un avait besoin de cent dollars ?

– Bizarre, bizarre, ai-je murmuré.

Ce que je voulais dire, c'est que c'était affreux, horrible, atroce, mais je ne pouvais dire tout ça devant un bébé.

Qu'est-ce qui me prenait ? Tigrou avait été kidnappé, et je restais assise sur mon escalier, en train de parler à Lucy Jane. J'ai bondi sur mes pieds, jeté le courrier dans l'entrée, puis je suis allée retrouver Simon et les petites Perkins.

– Écoutez, je suis désolée, mais il est temps de rentrer à la maison.

– Bien, a répondu Simon. On s'ennuie, de toute façon. Et puis il faut que j'aille aux toilettes.

– Encore ? Alors allons-y.

Nous avons raccompagné Gabbie et Myriam chez elles, puis nous sommes revenus chez les Newton.

Je me sentais toute tremblante. Je devais faire quelque chose, mais quoi ? Que fait-on quand quelqu'un demande une grosse somme pour vous rendre ce que vous aimez et qu'on n'a pas l'argent ? Mes amies et moi avions pu réunir tout juste trente dollars. Il y avait un peu plus dans la trésorerie, mais pas soixante-dix dollars. Peut-être pouvais-je utiliser les trente dollars de récompense et en emprunter soixante-dix à papa. Il devait bien avoir cette somme à la banque. Je pourrais le rembourser plus tard, avec l'argent gagné grâce au baby-sitting.

Voilà. C'était la solution. Je me sentais un peu plus

calme. J'étais dans la cuisine à côté du téléphone. De là, je pouvais jeter un œil dans le salon, où Simon regardait la télé tandis que Lucy Jane était dans son parc. Je détestais les laisser comme ça, mais je ne pouvais pas faire autrement, et puis c'était pour quelques minutes seulement.

J'ai décroché le téléphone et composé le numéro du bureau de papa. C'était occupé. J'ai réessayé trois fois. Quand finalement j'ai réussi à joindre sa secrétaire, elle m'a informé qu'il avait un client important au téléphone. Elle m'a proposé d'attendre. J'ai répondu que non, je ne voulais pas, merci. J'ai raccroché, vexée. Mon appel était important, lui aussi.

Mais peut-être était-ce mieux ainsi. Peut-être que parler à papa de la demande de rançon pour Tigrou n'était pas une bonne idée. Papa est avocat. Il trouverait ça bizarre, et ne me permettrait certainement pas d'aller à Brenner Field le lendemain.

J'ai passé un nouveau coup de fil. Cette fois, à Logan. Cissy a répondu, d'une voix très enjouée, et m'a passé son frère, qui pour une fois était à la maison. Il joue tellement au base-ball en ce moment qu'il est le plus souvent sur le terrain.

– Salut, ai-je fait d'une voix triste.

– Salut, a-t-il fait sur le même ton.

– Tu ne devineras jamais ce qui est arrivé. Tigrou a été kidnappé.

– Quoi ? (Ce n'était pas le « Quoi ? » que j'espérais. J'aurais préféré un « QUOI ? ? ! »)

– Oui, quelqu'un a déposé une demande de rançon dans ma boîte aux lettres.

Je lui ai lue, puis, en pleurant, j'ai gémi :

– Oh, Logan, qu'allons-nous faire ?

– Nous ?

– Eh bien, toi et moi et le reste du club.

Il y a eu un silence.

– Je dois réfléchir, a-t-il repris.

– Nous avons une réunion du club aujourd'hui, lui ai-je annoncé, pleine d'espoir.

Nouveau silence.

– D'accord. J'y serai. Je crois que ce serait bien de discuter du problème ensemble.

– Merci, Logan. Je vais téléphoner à Kristy pour la mettre au courant. C'était à elle de t'appeler, mais je pense qu'elle comprendra. C'est une urgence. (Kristy adore les urgences.)

Aussitôt après avoir raccroché, j'ai composé le numéro de Kristy. Elle a tout à fait compris. Certainement plus que Logan. Je ne pouvais m'empêcher de penser qu'il ne semblait pas concerné. Et c'était blessant. Mais, quand j'ai parlé à Kristy de la demande de rançon, j'ai obtenu le « QUOI ? ? ! » indigné que j'attendais.

– On se voit à dix-sept heures trente, a-t-elle précisé avant de raccrocher. Et ne t'inquiète pas. Nous allons récupérer Tigrou. Le Club des baby-sitters ne se laissera pas faire.

(10)

Mme Newton est revenue à cinq heures et quart cet après-midi-là, et j'ai pu me rendre chez Claudia quelques minutes avant le début de la réunion.

J'ai apporté la demande de rançon, l'enveloppe et tout. (Un jour, à l'époque de Halloween, j'avais reçu une mystérieuse lettre. Les autres filles m'en avaient réellement voulu d'avoir jeté l'enveloppe, aussi cette fois, j'avais pris bien soin de garder celle de la demande de rançon.)

Une fois tout le monde arrivé, y compris Logan, nous nous sommes assis, un peu mal à l'aise. C'est toujours le cas quand il assiste aux réunions. Peut-être parce que c'est un garçon. Même si nous le connaissons et l'aimons bien (surtout moi !), ça fait bizarre. Nous craignons par exemple qu'il tombe sur une culotte de Claudia, ou qu'une de nous prononce le mot « soutien-gorge » ou se mette à raconter des trucs sur une fille que nous connaissons et qui aimerait sortir avec un copain de Logan. Non pas que Kristy laisse ce genre de choses se produire pendant les réunions, mais cela arrive de temps en temps.

Enfin, bref, Kristy a déclaré :

– Aujourd'hui, nous allons avoir une réunion à la fois normale et exceptionnelle. Nous prendrons les appels téléphoniques pour le travail mais, entre deux coups de fil, nous essaierons de trouver comment traiter la demande de rançon.

Je ne sais pas pourquoi, cela m'a fait fondre en larmes.

– Oh, c'est si gentil de votre part. Vous êtes les meilleurs amis du monde... Mais où allons-nous trouver soixante-dix dollars ?

Logan était assis à ma droite sur le lit, ce qui nous obligeait à nous serrer contre Carla et Claudia, mais il n'a pas réagi quand je me suis mise à pleurer. Alors Claudia, qui était de l'autre côté, m'a prise dans ses bras. J'avais l'impression qu'elle voulait donner une petite leçon à Logan.

– Nous n'en sommes pas encore à l'argent, a précisé Kristy comme je séchais mes larmes. Il faut d'abord examiner cette demande de rançon.

– Oui, ont acquiescé les autres.

Mais le téléphone a sonné et nous avons dû nous interrompre. Une fois la garde organisée, j'ai sorti le papier de ma poche.

– J'ai gardé l'enveloppe, ai-je fait remarquer.

Mes amies ont souri. Elles savaient ce que je voulais dire. J'ai déplié le message et l'ai posé à côté de l'enveloppe sur le lit. Tout le monde s'est penché pour voir.

– Ce sont les premiers mots qui me font peur, ai-je expliqué. « Si vous voulez revoir votre chat vivant »... ça ressemble à une menace, comme si on voulait du mal à Tigrou.

J'ai recommencé à sangloter et j'ai jeté un coup d'œil désespéré à Logan, mais il regardait dans le vide.

– Bien, est intervenue Jessica, l'écriture est la même sur l'enveloppe et la lettre.

– C'est sérieux, ou c'est une plaisanterie ? s'est interrogée Claudia, notre experte en mystères. Chaque fois qu'une personne disparaît, il y a au moins un million de demandes de rançon.

– C'est vrai, a aquiescé Mallory.

– Il me semble, a objecté Carla, que, si le kidnappeur voulait nous prouver qu'il en est vraiment un, il nous aurait fourni un meilleur indice. Par exemple, une vraie photo de Tigrou, pour montrer qu'il est toujours vivant. Et pas seulement cette image découpée sur l'une de nos affiches. N'importe qui peut faire ça.

– Cette lettre a-t-elle été postée, ou seulement déposée dans ta boîte aux lettres ? m'a soudain demandé Logan.

– Mise directement dans la boîte, ai-je répliqué. (Je lui ai tendu l'enveloppe.) Tu vois ? Pas de timbre.

Il a hoché la tête.

Le téléphone a sonné à nouveau. Voyant que j'étais trop bouleversée, Carla m'a pris l'agenda des mains et a tout organisé, probablement pour la première fois.

Alors que les autres étaient occupées par cet appel, Logan m'a chuchoté :

– Mary Anne, essaye de te calmer. Tu es trop… trop sensible. Tu te conduis comme une fille.

Durant un instant, je me suis contentée de le fixer d'un œil noir, puis j'ai répliqué :

– Normal, je suis une fille !

Claudia a raccroché, Logan et moi avons été obligés d'arrêter.

– La question, a repris Kristy, c'est « qu'est-ce qu'on fait ? » L'important, ce n'est pas de savoir si cette lettre est ou non un canular. Je crois qu'il faut y répondre. C'est la seule chose à faire.

– Exact ! a affirmé Logan. Nous devrions aller à Brenner Field et attraper l'idiot qui a pris Tigrou. Nous le battrons à son propre jeu.

– Mais comment ? a voulu savoir Carla.

Le téléphone a sonné, interrompant notre discussion. Puis, d'une très petite voix, et bien que pensant le contraire une heure avant, j'ai déclaré :

– Peut-être que je devrais en parler à mon père…

– Non ! s'est exclamé Logan. Nous ne devons impliquer aucun adulte. Ni les parents ni la police.

– Pourquoi ?

– Parce qu'ils ne feront que nous gêner. C'est un gamin qui a écrit cette lettre. Vous ne croyez pas ? Regardez cette grosse écriture maladroite. Et un adulte aurait demandé plus que cent dollars. Pourquoi un adulte aurait volé un chaton, avec tous les problèmes que cela entraîne, pour seulement cent dollars ? Ça n'en vaut pas la peine.

– C'est vrai, avons-nous toutes répondu.

– Alors ? a dit Kristy.

– Bien, a poursuivi Logan tranquillement, nous ne savons pas si cette lettre vient d'un véritable kidnappeur, ou de quelqu'un qui cherche à obtenir quelque chose de la situation mais, quoi qu'il en soit, il faut le coincer.

J'ai regardé mes amies. Nous étions toutes d'accord. Ça commençait à devenir très excitant.

– Comment allons-nous faire pour attraper le kidnappeur ? a demandé Jessica.

Logan a froncé les sourcils en relisant la lettre.

– Dans une enveloppe sur le gros rocher de Brenner Field à quatre heures, a-t-il répété d'un air songeur.

– Vous connaissez le gros rocher ? Je ne sais même pas où est Brenner Field.

– C'est juste à côté, lui a dit Claudia. C'est sûrement pour ça que tu ne connais pas. Ce n'est pas vers chez toi. C'est quelque part derrière le jardin de Simon Newton.

– Et vous le connaissez ce gros rocher ?

– Oh oui, ai-je répliqué. Tout le monde le connaît. C'est un bloc de pierre à côté du champ. Et on l'appelle « le gros rocher ».

Logan a hoché la tête.

– Écoutez, j'ai une idée, mais il me faut votre aide à toutes demain.

– Nous serons là, a assuré Kristy, sans même regarder l'agenda.

– Mais Kristy ! ai-je crié. Nous avons sans doute du travail.

– C'est trop important. Nous regarderons l'agenda

dans une minute. Et nous réorganiserons tout ce qu'il faudra réorganiser.

– D'accord.

Pourquoi avais-je protesté ? J'étais celle qui souhaitait le plus le retour de Tigrou.

– Bien, a dit Logan, voici mon idée. Mary Anne se rend près du rocher à quatre heures, conformément aux instructions de la lettre. Elle laisse une enveloppe avec l'argent…

– Quel argent ? l'ai-je interrompu.

– Du faux. Des billets de Monopoly, par exemple.

– Mais si nous ne mettons pas d'argent dans l'enveloppe, pourquoi s'embêter à y mettre du faux ? Pourquoi ne pas remplir l'enveloppe avec du papier journal ou des feuilles de cahier ?

– Je ne sais pas, s'est impatienté Logan. Ils utilisent toujours des faux billets dans les séries télé ou dans les films. Peut-être que ça fait plus vrai ?

– Continuons, a enchaîné Kristy. Mary Anne remplit une enveloppe de faux billets…

– Pas trop, ai-je précisé. C'est seulement cent dollars. Dix billets de dix dollars, ça ne fait pas très épais. Il ne faut pas trop remplir l'enveloppe.

– Mary Anne ! a crié Claudia, exaspérée.

– Désolée, mais il s'agit de Tigrou. Je veux que tout se passe bien.

Kristy a soupiré.

– Logan ? Et après ?

– Ensuite, avant quatre heures, c'est-à-dire juste après la sortie de l'école, les autres se cachent à Brenner Field, dans des endroits d'où l'on peut voir le gros rocher. C'est possible ?

– Oui, a affirmé Mallory.

– Super. Alors nous nous cachons. À quatre heures, Mary Anne laisse l'enveloppe sur le rocher. Ensuite, tu auras intérêt de faire comme si tu rentrais chez toi, au cas où il t'espionnerait. Donc, tu prends le chemin qui va chez toi. Puis tu te caches discrètement. Je pense que tu voudras être là pour voir la suite. Je sens que le ravisseur va se montrer et que nous l'attraperons.

C'était un plan terrible. J'étais vraiment fière de Logan !

Nous parlions et réfléchissions à propos des endroits où se cacher quand Kristy s'est souvenue de l'agenda. J'étais la seule à m'en être souciée, puis j'avais oublié.

– Il faut vérifier l'emploi du temps pour demain, nous a-t-elle rappelé. Si beaucoup d'entre nous ont des baby-sittings, il y aura un problème, car on ne peut pas tout décommander.

En fait, une seule d'entre nous était prise et nous avons demandé à Louisa Kilbourne de la remplacer. D'autres avaient un cours particulier ou une activité, mais elles ont décidé de ne pas y aller. Nous serions tous à Brenner Field le lendemain après-midi.

Mon cœur s'est emballé. Comme c'était excitant ! On se serait cru dans un film policier. Nous allions jouer un bon tour au kidnappeur. Il avait essayé de nous avoir, et maintenant nous allions prendre notre revanche. Tigrou nous serait restitué et nous donnerions une bonne leçon au ravisseur de petit chat.

En quittant la réunion, j'étais surexcitée. Mais, tout à coup, je me suis sentie mal. Comment pouvais-je être dans un tel état ? Qu'est-ce qui m'arrivait ? Si Tigrou avait été à la maison, je n'aurais aucune raison d'être ainsi. J'aurais donné n'importe quoi pour revoir Tigrou.

11

Lundi

Chat kidnappé, enlèvement, rapt... J'ai entendu plein d'expressions, ces temps-ci, pour décrire la disparition de Tigrou. C'est fou, d'ailleurs, comme les nouvelles se répandent vite dans une si petite ville. En Californie, j'habitais une ville beaucoup plus grande que Stonebrook. Là-bas, les voisins n'étaient pas prévenus dès qu'on prenait un bain ! Mais ici, c'est différent : Marie Anne a reçu la demande de rançon cet après-midi et, ce soir, quand je les ai gardés, les petits Barrett étaient déjà au courant. Ils ne savaient rien de notre plan, heureusement, mais du message si. Et ils étaient terrorisés.

Carla ne le disait pas dans son compte rendu, mais elle était très angoissée, elle aussi. C'était une de ces soirées qui donnent la chair de poule. Les enfants étaient bouleversés par les histoires de ravisseurs d'animaux, quand l'orage s'est mis à gronder. Les petits Barrett s'appellent Buddy, Liz et Maud. Buddy a huit ans, Liz quatre et Maud seulement un an et demi. Carla les garde souvent depuis son arrivée à Stonebrook. Elle les aime énormément, bien qu'au début, elle les ait appelés « les trois petits monstres ». On peut dire qu'ils lui en ont fait voir de toutes les couleurs. Mais maintenant ils sont beaucoup plus gentils. Buddy, qui est très remuant, adore courir avec Fred, leur chien. Liz aime jouer à faire semblant. Et Maud essaie de faire comme son grand frère et sa grande sœur. Ce qui est bien aussi, c'est que leur mère est devenue plus organisée qu'elle ne l'était (M. et Mme Barrett sont divorcés). La mère de Carla est elle-même plutôt tête en l'air – elle est capable de ranger les chaussettes dans le réfrigérateur. Mais Mme Barrett avait l'habitude de faire des trucs comme oublier le ménage, ou donner à Carla un mauvais numéro de téléphone. Elle s'est améliorée, maintenant. Elle a trouvé un travail qu'elle aime beaucoup et, depuis, elle essaye vraiment de faire de son mieux.

Liz a accueilli Carla sur le pas de la porte.

– Hello ! Maman a dit que tu pouvais entrer.

– Il y a une tempête qui arrive, a remarqué Carla. Le vent s'est levé, et je sens l'odeur de l'orage.

Liz trouvait ça un peu excessif.

– Une tempête ? Tu sens l'odeur de l'orage ?

– Oui, a affirmé Carla.

Maud arrivait en trottinant de la cuisine. Elle regardait timidement Carla, bien que celle-ci l'ait souvent gardée.

– Où est ta maman ? a demandé Carla à Liz. Et ton frère ?

– Maman est en haut et Buddy en bas. Avec Fred. Il monte la garde.

– Il monte la garde ?

– C'est pour que Fred ne se fasse pas kidnapper. C'est ce qu'a dit Buddy.

« Très curieux », a pensé Carla.

À ce moment, Mme Barrett a dévalé les escaliers (elle est toujours pressée).

– Bonjour, Carla ! a-t-elle dit, essoufflée. Liz, essuie la figure de Maud, s'il te plaît.

Liz a emmené sa sœur dans la cuisine et a entrepris de la débarbouiller.

– Je vais au bureau, a continué Mme Barrett. Réunion spéciale. Tu as mon numéro de téléphone. Je devrais rentrer vers neuf heures et demie.

– Parfait, a répondu Carla.

– Les enfants doivent aller au lit dans cet ordre : Maud, maintenant ; Liz, à huit heures ; Buddy, à neuf. Ils ont dîné, et Buddy est autorisé à regarder *Dragon Ball* à la télévision. Il me l'a demandé tout à l'heure, mais j'avais la tête ailleurs. Tu peux lui annoncer la bonne nouvelle. Ça commence à huit heures.

– D'accord, a acquiescé Carla.

Mme Barrett est partie en coup de vent, Maud pleurant derrière elle. Carla a pris la fillette dans ses bras et lui a répété :

– Ta maman va revenir, ta maman va revenir. Quand tu te réveilleras, demain matin, devine qui sera là : ta maman !

– Carla, tu veux bien m'aider à monter la garde auprès de Fred ? a demandé Buddy.

Il avait placé le chien dans une boîte bricolée sur laquelle il avait dessiné un mécanisme. Il l'avait aussi entourée d'une ficelle, y avait collé des tas de choses dissuasives, et l'avait baptisée « machine anti-kidnapping-de-basset ».

– Je viendrai dès que j'aurai mis Maud au lit, a répondu Carla. D'accord ? Je serai là dans un instant.

– D'accord, si tu n'es pas un kidnappeur de basset.

Alors Carla a monté l'escalier avec le bébé dans les bras. Elle lui a fait prendre un bain, car Maud adore ça.

– Core bain ? Core bain ? ne cessait de demander Maud.

– Encore un peu. Regarde : Pince-Mi et Pince-Moi sont sur un bateau. Pince-Mi tombe à l'eau. Qu'est-ce qui reste ? Pince-Moi ! ...

Maud a ri. Mais, rapidement, Carla en a eu assez de Pince-Mi et Pince-Moi ; les doigts de Maud étaient tout fripés, aussi Carla l'a sortie du bain et l'a séchée.

– Bon, au lit maintenant, a-t-elle annoncé.

Maud s'est mise à pleurnicher. Mais, une fois dans son petit lit avec ses animaux en peluche et sa gigoteuse, elle a eu l'air tout à fait heureuse.

– Bonne nuit, Maud, a chuchoté Carla.

Elle a éteint la lumière et est sortie sur la pointe des pieds, laissant la porte entrouverte. En haut de l'escalier, elle s'est arrêtée et a tendu l'oreille. Rien. Bon. Maud avait dû s'endormir rapidement.

En bas, dans le salon, Carla a trouvé Fred toujours dans sa boîte.

– Qu'est-ce que c'est ? a-t-elle demandé.

Buddy était assis à côté de la boîte, regardant dans une direction, Liz également mais regardant dans une autre direction.

– Nous montons la garde, a répondu Buddy. Nous ne laisserons pas Fred se faire chien-napper, comme Tigrou s'est fait chaton-napper. Nous avons entendu parler de la lettre que Mary Anne a reçue. Nous savons tout sur le chaton-napping.

Heureusement, ils ne savaient rien de Brenner Field et de notre plan.

– Vous en avez entendu parler ? s'est exclamée Carla. Comment ? Je veux dire qui vous l'a dit ?

– Mathew Braddock me l'a dit par signes.

Mathew est sourd. Il communique en langue des signes, que la plupart de ses amis connaissent.

– Et qui lui avait raconté à lui ?

Ce pourrait être un indice vers la résolution du mystère.

Buddy a froncé les sourcils.

– Nicky Pike. Nicky a dit que c'était Simon Newton qui lui avait dit.

– Oh ! a soupiré Carla. (Zut. Pas d'indice là-dedans.) Alors, vous avez entendu parler de la demande de rançon ?

– Ouais, a répondu Buddy.

Liz a opiné vigoureusement.

– Et vous avez mis Fred sous protection, a continué Carla.

– Nous lui avons construit cette boîte spéciale anti-kidnapping. Nous ne voulons pas qu'il soit enlevé, lui aussi, a expliqué Liz.

– Basset-nappé, a corrigé Buddy.

– Ou Fred-nappé, a proposé Carla.

– Exact, a aquiescé Buddy. En tout cas, tu sais ce qui arrive quelquefois ? Des hommes méchants viennent dans un quartier et se mettent à enlever les animaux. Le plus souvent ils prennent des chiens et des chats. C'est plus facile parce qu'ils sont à l'extérieur. Et puis ils les vendent aux gens qui veulent avoir de gentils animaux, et les vrais propriétaires ne les revoient jamais.

– Sauf s'il y a un bon détective, qui retrouve les hommes méchants, est intervenue Liz.

– Buddy, Liz, a repris Carla, je pense vraiment que vous n'avez pas à vous inquiéter.

– Si, a affirmé Buddy. Parfois, il y a une… une vague de kidnapping d'animaux dans un quartier.

– Je ne pense pas que cela arrivera ici.

– Ça pourrait.

– Combien de temps vous allez garder Fred à l'intérieur de cette boîte ? a demandé Carla.

Buddy a froncé les sourcils.

– Je ne sais pas.

– Et si on faisait un compromis ? a suggéré Carla. Un compromis entre toi et Fred. Buddy, tu acceptes que Fred ne soit pas obligé de rester dans la boîte, et Fred accepte de n'aller dehors que si tu l'accompagnes – jusqu'à demain après-midi. Demain, nous saurons si Tigrou a réellement été chaton-kidnappé. Si c'est le cas, il pourrait y avoir un problème. Sinon, la demande de rançon n'est qu'une plaisanterie et vous n'aurez pas à vous inquiéter.

– Pourquoi le saurons-nous demain ? a voulu savoir Buddy.

– Nous le saurons, c'est tout. Fais-moi confiance, a dit Carla.

– Bon... D'accord.

Buddy a sorti Fred de la boîte et le chien a détalé comme s'il s'évadait de prison.

– Maintenant, Liz, il est..., a commencé Carla.

– Oh, non ! S'il te plaît ! encore dix minutes, c'est tout, a supplié Liz, avant même qu'elle ait prononcé les mots « l'heure d'aller au lit ».

– Désolée. Il est presque huit heures. C'est l'heure, maintenant. Dis bonne nuit à Buddy et à Fred. Puis nous monterons. Je pense que nous aurons le temps de lire une histoire.

À contrecœur, Liz a souhaité une bonne nuit à Buddy, puis a déposé un baiser sur les oreilles pendantes de Fred.

Une fois dans sa chambre, Liz s'est mise en pyjama, puis elle a choisi un livre qu'elle avait déjà lu deux fois. Enfin Carla s'est levée.

– Bien, Liz. Il est temps de dormir.

– Non, a-t-elle protesté, mais ses yeux étaient déjà à moitié fermés.

– Dors bien, a chuchoté Carla, en éteignant la lumière.

– Oui.

La voix de Liz était si faible qu'elle l'a à peine entendue.

Carla a filé en bas. Il était huit heures cinq et elle venait de se rappeler quelque chose.

– Buddy !

– Quoi ?

Elle l'a trouvé dans la salle de jeux. Il était sur le point d'ouvrir son matériel du petit chimiste.

– Devine quoi. J'ai oublié de te le dire. Ta mère est d'accord pour que tu regardes *Dragon Ball.*

– Tu as oublié de me le dire, et j'ai oublié l'émission ! (Buddy a ri.) Merci, Carla.

Il a abandonné sa chimie, a bondi sur ses pieds, a allumé le poste de télévision et y est resté collé toute la demi-heure suivante.

À huit heures trente, il est monté dans sa chambre. Il a récemment décidé qu'il préférait aller de lui-même au lit. Carla avait confiance et l'a laissé faire.

Dès qu'il a été parti, elle s'est assise dans la salle de jeux, télévision éteinte, écoutant la tempête. Le vent s'était remis à souffler, et il rugissait autour de la maison. Carla pouvait voir des éclairs et entendre de forts grondements de tonnerre, mais il ne pleuvait pas encore.

Carla adorait l'orage, mais elle était un peu perturbée par le kidnapping de Tigrou, et les histoires de Buddy sur les vagues d'enlèvements d'animaux. Un kidnappeur, se demandait-elle, essaierait-il d'entrer par effraction dans une maison pour voler un chien ? Un basset, par exemple ?

Coup de tonnerre !

En un clin d'œil, Carla avait décroché le téléphone et m'appelait. Nous avons bavardé jusqu'à ce qu'elle se sente mieux. Nous avons parlé de mon père et de sa mère (pas de rendez-vous planifiés). Puis nous avons discuté de Logan.

– Le pauvre, a dit Carla.

– Quoi ? me suis-je exclamée. Il est toujours de mauvaise humeur. Et il ne s'est pas vraiment montré très compréhensif ni sympa, ces temps-ci.

– C'est dur pour lui en ce moment, avec le base-ball.

– Ah oui ?

– Eh bien… une fois, en tout cas, j'ai cu l'occasion d'assister à l'entraînement, et il a laissé tomber une balle qu'il avait attrapée et tenait dans son gant. L'entraîneur lui a crié dessus, et ses copains de l'équipe se sont moqués de lui.

– Bon d'accord, c'est arrivé une fois, mais…

Boum ! Boum ! L'éclair a illuminé le ciel au moment même où le coup de tonnerre retentissait.

– Carla ? Nous ferions mieux de raccrocher. Les dix minutes sont passées et en plus il y a de l'orage.

Elle a acquiescé.

Nous avons raccroché, en nous demandant toutes deux ce que l'après-midi du lendemain nous réservait.

12

Comment s'était passé ce mardi à l'école, je n'en ai aucun souvenir. Je ne pouvais penser qu'à Tigrou et à notre plan de l'après-midi. Y avait-il un danger ?

Je ne le croyais pas réellement, mais on ne sait jamais. Peut-être étions-nous impliqués dans une affaire de trafic d'animaux avec des criminels ? Mais Logan avait raison – le coupable était un gamin. Et j'espérais qu'il avait bien Tigrou, car ainsi je pourrais le récupérer.

Au déjeuner, Kristy, Claudia, Carla, Logan et moi étions assis ensemble à une table aussi éloignée que possible de celles qui étaient occupées. (Jessica et Mallory déjeunent à un autre service.) Nous avions décidé de ne pas discuter du kidnapping à l'école, car une personne étrangère aurait pu entendre quelque chose, et Logan voulait revoir les détails de notre plan.

– Mary Anne ? Tu as choisi l'enveloppe ?

J'ai hoché la tête.

– J'ai pris une enveloppe normale. Mais elle a l'air pleine de billets. J'y ai mis des billets du Monopoly – quinze de dix, comme ça, elle n'est pas trop grosse.

– Bien. Et tu sais ce que tu dois faire aujourd'hui ?

– Suivre chaque étape du plan.

– Super. Les autres, vous avez repéré les cachettes ?

– Oui, a répondu Kristy. Et nous te montrerons la tienne. Et toi, Mary Anne, tu sais où est la mienne, exact ?

– Oui, dans l'herbe derrière l'érable.

Je devais savoir où se trouvait la cachette de Kristy pour la rejoindre, après avoir fait semblant de rentrer à la maison. Comme ça, elle me raconterait ce qui se serait passé une fois que j'aurais déposé l'enveloppe. J'aurais pu me cacher avec Logan, mais il voulait être seul au cas où il aurait besoin d'intervenir rapidement. Ce qu'il n'imaginait pas, c'est que, dans ce cas, je le rejoindrais en une seconde, suivie de toutes les autres.

Nous sommes toutes solidaires.

Quoi qu'il en soit, notre plan était arrêté.

– Et maintenant, a dit Kristy, il vaut mieux ne plus en parler, et déjeuner comme d'habitude. Au fait, est-ce que quelqu'un veut un peu d'yeux de poisson à la colle ? a-t-elle demandé en tendant son bol de semoule au lait à la ronde.

Je suis devenue verte.

Cet après-midi-là, nous sommes rentrées comme d'habitude à la maison, à l'exception de Kristy qui avait accompagné Claudia, sous le prétexte de passer l'après-midi chez elle. C'était plus simple ainsi.

Quand je suis arrivée chez moi, je me suis ruée sur l'enveloppe que j'avais préparée. J'avais tellement peur qu'elle ne soit plus là. (Bon et alors ? J'en aurais pris une autre et je l'aurais remplie à nouveau.) En fait, j'étais préoccupée par ce qui allait se passer à Brenner Field – et c'était pour bientôt.

J'ai regardé ma montre. Trois heures et demie. Les autres étaient probablement déjà cachés.

Trois heures quarante-cinq. Les mains tremblantes, j'ai saisi l'enveloppe. Il était temps d'y aller. Je devais être au gros rocher vers quatre heures.

J'ai quitté la maison, fermé la porte derrière moi, et pris ma bicyclette. C'était le meilleur moyen pour revenir rapidement tout à l'heure, si je voulais faire croire que je rentrais chez moi. Puis je me suis mise en route, j'ai dépassé la maison de Simon, et je me suis arrêtée près d'un bosquet pour enchaîner mon vélo à un tronc d'arbre. L'enveloppe à la main, j'ai traversé le bois et je suis entrée dans la clairière de Brenner Field. Le sol était humide et boueux depuis la tempête de la veille. Je ne voyais personne. Je savais qu'ils étaient là, mais ils devaient être terriblement bien cachés.

Comme je devais faire croire que j'étais seule, j'ai traversé tranquillement la prairie, en direction du rocher. Une fois là-bas, j'ai regardé tout autour. Le ravisseur de Tigrou était-il quelque part, tout près ? Tigrou était-il là ? Je ne voyais rien.

J'ai posé l'enveloppe sur le rocher avec une petite pierre dessus pour que le vent ne l'emporte pas. Puis je suis partie. J'ai pris le chemin exactement inverse, détaché ma bicyclette, roulé jusqu'à la maison, et posé mon vélo.

J'ai attendu cinq longues minutes. Puis j'ai filé à travers le jardin de Claudia et plusieurs autres vers celui de Simon, et j'ai rejoint le pré par un autre chemin.

En me baissant pour ne pas être vue, j'ai couru vers la cachette de Kristy, un arbre au milieu de la prairie. Je me suis glissée derrière le tronc et j'ai regardé Kristy, pleine d'espoir.

– Beau travail, a-t-elle chuchoté. Je pense. Je veux dire, tout s'est bien déroulé. Espérons seulement que personne ne t'a vue revenir. Mais il ne s'est rien passé depuis ton départ.

– Zut.

J'essayais de reprendre ma respiration. Kristy et moi jetions des coups d'œil de tous côtés. Nous ne voyions que le grand rocher. Nous le fixions sans relâche. Une demi-heure s'est écoulée.

– Je suppose que c'était une blague, ai-je enfin chuchoté. Peut-être que son auteur a pensé que nous n'avions pas pris le mot au sérieux ou que nous nous en moquions.

– Peut-être que c'est Samuel, a suggéré Kristy d'une voix maussade.

C'est alors que j'ai aperçu une tache rouge de l'autre côté de la prairie.

– Regarde ! ai-je murmuré en faisant un geste de la main.

Kristy a tourné la tête.

Nous avons redoublé toutes deux d'attention. Nous observions un garçon qui s'engageait dans Brenner Field. Il a regardé à droite, puis à gauche, plusieurs fois, comme s'il s'attendait à voir quelque chose… ou quelqu'un. Puis il a mis sa main en visière et a regardé vers le grand rocher.

– Il est seul, ai-je chuchoté, déçue. Il n'a pas Tigrou avec lui.

Kristy n'a rien répondu, puisque nous étions supposées être aussi silencieuses que possible.

Le garçon progressait dans la prairie, regardant tout autour de lui.

Soudain, j'ai eu le souffle coupé.

– C'est le gamin que j'ai rencontré quand je posais les affiches, me suis-je indignée. Il prétendait avoir vu Tigrou.

Kristy a froncé les sourcils. Nous avons repris notre observation. Le garçon avait atteint le rocher. Il a vu l'enveloppe blanche, l'a retirée de sous la pierre et l'a mise dans sa poche sans même regarder à l'intérieur. Puis il s'est éloigné.

– Attrapez-le ! a crié quelqu'un.

Logan a surgi de la cachette que lui avait assignée Kristy. Il a couru derrière le garçon. En un éclair, nous nous sommes toutes lancées à sa poursuite. Logan l'a attrapé en premier et l'a immobilisé. Puis nous l'avons encerclé.

– Où est Tigrou ? ai-je demandé.

– Tigrou ? a répété le garçon.

– Exactement.

– Je ne sais pas de quoi vous parlez.

– Tu veux dire que tu ne te souviens pas des affiches que tu m'as vue poser ?

Kristy, debout près de moi, souriait. Je l'entendais presque me dire « Vas-y, Mary Anne. » Je ne suis pas habituée à me défendre.

– Oh, hum..., a bégayé le garçon, ouais, les affiches. Maintenant, je me rappelle. Tigrou est une... bestiole qui a disparu ?

– Un petit chat, a répliqué Logan en serrant les dents. Et où est-il ?

– Où est-il ?

– Oui. Tu as eu ton enveloppe, a dit Logan d'un air féroce. Maintenant, rends-nous Tigrou.

– Quand j'aurai vu ce qu'il y a dans l'enveloppe.

Logan a réagi aussi vite qu'un serpent à sonnette. Une seconde avant, l'enveloppe était dans la main du garçon, à la suivante, elle était dans celle de Logan.

– Donne-nous Tigrou et je te rendrai ton argent.

J'ai écarquillé les yeux. Tout ça pour Tigrou ? (Et peut-être pour moi ?)

– Donne-moi l'argent et je te dirai où est Tigrou, a riposté le garçon.

– Pas question, s'est écriée Kristy. Et rappelle-toi que nous sommes sept contre un.

– Et nous pouvons attendre tout l'après-midi. Toute la nuit si nécessaire, a ajouté Jessica.

Le garçon s'est renfrogné.

– D'accord, d'accord...

« Bon, ai-je pensé. Maintenant il va nous dire où est Tigrou. »

– Je n'ai pas votre stupide chat, a continué le garçon. Je me suis dit que je pourrais gagner de l'argent facilement, c'est tout.

– Écoute…, ai-je murmuré .

Mais Carla a posé sa main sur mon bras, comme pour me dire : « Ne lui montre pas qu'il te déstabilise. » J'ai changé de tactique :

– Ce que tu as fait est totalement idiot ! me suis-je exclamé. Ça n'a pas marché, tu vois ? Tu t'es fait prendre, et maintenant tu es comme un imbécile !

– Waouh, a sifflé Kristy, admirative.

Si le garçon avait pu se sauver alors, je pense qu'il l'aurait fait. Mais il a regardé tout autour et a vu que Mallory lui barrait la route. Pas d'issue. Il commençait à avoir peur.

– Quel est ton nom ? a demandé Logan.

– Je… je ne vous le dirai pas. Pourquoi vous voulez le savoir ?

– Sais-tu que ce que tu as fait est un crime ?

Je ne sais absolument pas si c'est la vérité, car Logan peut très facilement arranger les choses à sa manière, mais ça sonnait vrai.

– C'est vrai ?

– Oui. Et dans l'État du Connecticut, c'est passible de vingt-cinq à cinquante ans de prison. Même pour les délinquants mineurs.

Maintenant, je savais que Logan disait n'importe quoi. Il aime utiliser le vocabulaire des séries policières.

– Nous pourrions faire une arrestation de citoyens, a-t-il poursuivi.

Il nous a regardées pour quêter notre approbation et

nous avons acquiescé d'un signe de la tête. Nous étions tous les sept entièrement d'accord sur tout.

– Vous allez le faire ? a paniqué le garçon. Je veux dire m'arrêter ?

Logan nous a jeté un nouveau coup d'œil. Puis s'est attardé sur moi.

J'ai secoué la tête.

– Non. Il n'en vaut pas la peine. (Le garçon a relâché sa respiration qu'il devait retenir depuis au moins cinq minutes.)

– Bon, laisse-le s'en aller et montre-lui l'argent, ai-je dit. Qu'il voie ce qu'il perd.

Logan a souri.

– Ça, c'est sûr.

Il a ouvert l'enveloppe et en a retiré les billets de Monopoly.

– C'est tout ce que tu aurais eu, de toute façon, ai-je commenté.

– Ça ? Des faux billets ?

– Eh oui, pourtant ça y ressemblait, est intervenue Claudia. Décidément, le crime ne paie pas.

Tout le monde a ri, sauf le garçon qui paraissait dégoûté. Nous nous sommes écartés et l'avons laissé s'échapper. Il est parti en courant et a disparu. Quant à nous, nous sommes retournés dans mon quartier.

Notre aventure était terminée. Mais où pouvait bien être Tigrou ?

13

Mercredi

Aujourd'hui, j'ai gardé Myriam et Gabbie Perkins. Elles s'amusent tout le temps. Elles voulaient jouer aux détectives, mais Gabbie avait du mal à prononcer le mot comme il faut. Elle disait «défektif». Vous savez, comme quand il y a un truc qui ne va pas. Un détective défectueux. Bref... Les filles ont organisé leur jeu, invité Simon Newton et tous se sont mis à chercher Tigrou. Et pendant qu'ils cherchaient, une pensée terrifiante me trottait dans la tête. Mary Anne, c'est terrible à écrire dans l'agenda, mais je crois que Tigrou est mort.

C'était horrible, mais Claudia n'était certainement pas la seule à penser cela. Cette idée s'était emparée de moi aussi dès la première nuit où il avait disparu. Elle ne m'avait pas quittée depuis, et c'était comme s'il y avait en permanence un nuage noir au-dessus de ma tête. On ne peut s'empêcher d'envisager le pire, tout en se disant constamment qu'il ne peut pas se produire. Du coup, ce qu'avait écrit Claudia ne me surprenait pas et ne me choquait pas non plus.

C'était mercredi, le lendemain de notre rendez-vous avec ce stupide gamin à Brenner Field. Mes amis et moi essayions de revenir à une vie normale. Je voulais continuer à chercher Tigrou, mais j'avais le sentiment que cela ne servirait à rien. Mieux valait garder les yeux et les oreilles ouverts et laisser les affiches faire leur œuvre. Donc, j'étais à nouveau chez Cissy et Hunter Rinaldi, et Claudia gardait les Perkins.

Myriam et Gabbie sont vraiment des fillettes formidables. C'est vrai. Je l'ai su dès la première fois que je les ai gardées. Elles adorent Laura, leur petite sœur, elles aiment chanter et danser, et ont beaucoup d'imagination. La plupart des enfants se contentent de jouer, à la maison. Vous devriez voir ce qu'elles inventent. L'après-midi où Claudia était là, elles ont joué au détective.

Quand Claudia est arrivée, Mme Perkins lui a rappelé où se trouvait la liste des numéros d'urgence. Puis elle lui a donné quelques instructions, et est partie avec Laura. Claudia s'est assise à la table de la cuisine, où les filles étaient en train de déjeuner. Elle s'est mise à penser la même chose que moi quand je suis chez les Perkins : c'est bizarre d'imaginer que c'est l'ancienne maison de Kristy. L'intérieur a changé, et donne une impression différente.

Je crois que c'est bien. Cela ferait trop bizarre si c'était resté pareil.

Myriam et Gabbie étaient en train de tremper des biscuits dans leur lait.

– Que voulez-vous faire aujourd'hui ? leur a demandé Claudia.

– Ouh, là, là ! s'est exclamée Myriam, il y a tellement de choses à faire.

Claudia a souri.

– Quoi par exemple ?

– Danser ou chanter, ou organiser un jeu.

– Ça a l'air amusant. Que veux-tu faire, toi, petite Gabbie ?

– Hum, laisse-moi réfléchir. (Gabbie a posé son verre de lait.) J'aimerais chanter, Claudia Koshi. (Elle appelle la plupart des gens par leur nom complet.) J'aimerais chanter des chants de Noël.

– Des chants de Noël ! s'est exclamée Claudia. Mais Noël, c'est dans plusieurs mois.

– Ça ne fait rien, a déclaré Myriam.

– Bon…

Myriam et Gabbie ont bondi de la table.

– Nous connaissons *Noël blanc*, dit Myriam. Et *Douce nuit, sainte nuit.*

Claudia était surprise. Elles connaissaient ça ? Et pourquoi pas les chansons plus simples dans le style de *Vive le vent* ? Mais les petites connaissaient beaucoup de chants d'adultes. Et en tout cas, elles en connaissaient deux, mot pour mot. Elles les ont chantées, en les accompagnant de gestes et de mimiques.

Claudia était impressionnée. Elle les a applaudies.

– Bravo ! Bravo !

Les filles ont salué.

– Merci, merci.

– Et maintenant, a enchaîné Myriam, comme si Gabbie et elle donnaient un spectacle, nous allons interpréter une bonne vieille chanson de M. Elvis Presley.

Claudia a été encore plus impressionnée. Apparemment, Myriam et Gabbie connaissaient une chanson de rock en entier – et pas elle. Pire encore, pendant des années Claudia avait cru que le nom du chanteur était Erby Presley. Gabbie et Myriam ont couru dans leurs chambres et sont revenues avec des lunettes noires et des chemises hawaiiennes. Puis elles se sont mises à danser à leur manière tout en chantant.

– Hé ! s'est exclamée Myriam après leur petit show. Gabbie, tu sais à quoi nous pourrions jouer maintenant ?

– À quoi ?

– Aux détectives hawaiiens. Nous sommes habillées pour ça.

– Défektifs hawaiiens ? Qu'est-ce que c'est ?

– Ce sont des gens qui vivent à Hawaii et qui cherchent des choses.

– Quelle sorte de choses ?

– Des choses disparues. Comme Tigrou.

– Oh.

Claudia s'était levée. Elle débarrassait la table de la cuisine. Elle a mis les assiettes et les verres sales dans le lave-vaisselle. Puis elle a nettoyé le plan de travail et la table.

– Claudia ? a demandé soudain Myriam. Est-ce que les vrais détectives recherchent les animaux ?

Claudia n'en avait aucune idée, mais elle a répondu :

– Eh bien, je ne vois pas pourquoi ils ne le feraient pas. Ils recherchent tout le temps des gens. Donc je suis sûre qu'ils le font aussi pour les animaux.

– Oh, super.

– Viens, Claudia Koshi, a ordonné Gabbie, tandis que Myriam conduisait sa sœur à l'extérieur.

Claudia a suivi les filles. Comme elles entraient dans la véranda, elles ont été accueillies par de joyeux aboiements. C'était Shewy, prêt à jouer. Il semblait vouloir dire : « Salut, les filles, me voici, je suis prêt. Par quoi commençons-nous ? »

Gabbie a jeté un regard à Myriam.

– Est-ce que Shewy sera aussi un détective ?

– Oui. Il va nous aider à retrouver C. R., je veux dire Tigrou.

Claudia a souri. C. R. est le chat des Perkins. Claudia supposait que les filles allaient simuler une chasse à Tigrou. C. R. jouerait le rôle de Tigrou.

– Maintenant, Gabbie, a commence Myriam en s'asseyant sur la pelouse avec Claudia, Shewy et sa sœur, nous jouons à un jeu spécial de détective hawaiien. Beaucoup de détectives vivent à Hawaï.

– Pourquoi ?

– Je ne sais pas, c'est comme ça. En tout cas à la télé. Ça n'a pas d'importance. Maintenant, la première chose que font les détectives quand ils sont sur un cas, c'est…

– La balançoire ! s'est écriée Gabbie.

Elle a bondi vers la balançoire.

– Non ! s'est exclamée Myriam. Tu ne veux pas jouer, Gabbie ?

Et Shewy regardait Gabbie d'un air de dire : « Oh, s'il te plaît, s'il te plaît, s'il te plaît, s'il te plaît, s'il te plaît, reste et joue avec moi ! »

– Bon, d'accord, a-t-elle répondu en se rasseyant.

Claudia l'a prise dans ses bras.

– Voilà. Un chat a disparu, a annoncé Myriam. Je veux dire un chaton. Son nom est Tigrou. Notre travail est de le retrouver. Êtes-vous prête pour ce job, détective Gabbie ?

Gabbie était en train de tourmenter une coccinelle dans l'herbe.

– Détective Gabbie ? a répété Myriam. Détective ?

– C'est à toi qu'elle parle, a chuchoté Claudia à Gabbie.

– Ah, oui, c'est vrai.

Parfois on oublie qu'elle n'a que deux ans et demi.

– Hum. Peut-être va-t-il falloir un détective supplémentaire, a commenté Myriam.

Claudia n'avait pas vraiment envie de jouer au détective et s'apprêtait à l'annoncer mais, avant qu'elle ait pu ouvrir la bouche, Myriam a proposé :

– Et si on demandait à Simon de venir en renfort ?

– Mais oui, a approuvé Claudia, bien que ce ne soit pas forcément une bonne idée.

Simon, Myriam et Gabbie sont amis, mais ils se disputent souvent.

Claudia a conduit les filles et Shewy chez Simon, a prévenu Mme Newton, puis elle a pris le petit garçon par la main et tout le monde est revenu chez les Perkins.

Myriam a assemblé son équipe dans le jardin de derrière et a répété :

– Nous avons un chaton qui a disparu. Son nom est Tigrou. Notre travail est de le retrouver. Êtes-vous prêts pour cette tâche, détectives ?

– Oui, ont crié Gabbie et Simon.

– Alors allons-y ! Dispersez-vous !

Les petits ont fouillé le jardin des Perkins. C. R. n'était nulle part en vue.

– Hé, détective Myriam, est-ce que je peux regarder dans la maison ? a demandé Simon.

– Oui, bonne idée !

Claudia se tenait près de la véranda, d'où elle pouvait garder un œil sur Simon et les filles en même temps. Au bout de quelques minutes, il est revenu triomphalement en trimbalant C. R.

– Beau travail ! a crié Myriam. Où l'avez-vous trouvé, détective Simon ?

– Dans la salle de bains ! Endormi !

– Qu'allez-vous faire de lui, maintenant ? a demandé Claudia.

– Le rendre à Mary Anne, a dit Myriam.

– D'accord. Mais Mary Anne n'est pas chez elle en ce moment. Elle fait un baby-sitting.

Myriam semblait pensive.

– Si quelqu'un trouvait réellement Tigrou, et si Mary Anne et son père n'étaient pas chez eux, qu'est-ce qui se passerait ?

– Je pense que la personne attendrait simplement que quelqu'un arrive. Non ? Je veux dire, si C. R. était Tigrou

– Si tu avais trouvé Tigrou – tu attendrais que quelqu'un rentre à la maison, exact ? Tu continuerais d'appeler les Cook, au téléphone, ou de sonner à leur porte. Et quand finalement quelqu'un répondrait, tu rendrais Tigrou.

– Exact, a répondu Myriam.

Simon, Gabbie et elle se sont remis à jouer au détective.

Claudia s'est assise sur le pas de la porte et les a observés. Une idée affreuse l'avait effleurée. Que se passerait-il si Tigrou était mort ? Qu'arriverait-il s'il ne revenait jamais ? Que ferais-je ? Claudia savait que ma mère était morte quand j'étais très jeune. Je ne m'en souviens pas, mais c'est arrivé, et Claudia ne voulait pas d'une autre mort dans ma famille (Tigrou appartient définitivement à la famille).

Elle a réfléchi et réfléchi encore. Personne parmi ses proches n'était mort. Mimi était tombée très malade après son attaque, mais elle s'en était remise, même si elle était un peu perturbée maintenant.

Mais Tigrou avait disparu depuis terriblement longtemps pour un petit chat. Cinq jours entiers.

Claudia avait un mauvais pressentiment dans l'ensemble. Elle se demandait comment je réagirais à l'idée d'avoir un autre chat, c'est-à-dire de remplacer Tigrou.

14

– Aaatchoum ! Aaatchoum !

Devinez où j'étais ? À nouveau chez les Rinaldi. Les allergies du pauvre Hunter ne s'amélioraient pas.

En fait, il me semblait que sa toux empirait.

– Merci d'être venue si vite, Mary Anne, m'a dit Mme Rinaldi. Hunter devait aussi aller chez le dentiste aujourd'hui mais, comme tu le vois, ce n'aurait certainement pas été une bonne idée. L'inspection de ses dents peut attendre une autre fois.

– Oui, mais nous, les chanceux, nous devons y aller aujourd'hui, a soupiré Logan en prenant la main de sa petite sœur. Ah, j'adore le dentiste !

Mme Rinaldi et moi, nous avons ri, mais Cissy a repoussé la main de son frère.

– Maman, je suis vraiment obligée d'aller chez le dentiste aujourd'hui ? Je préférerais rester à la maison.

– Chérie, tu as rarement quitté la maison ces derniers jours. D'ailleurs, nous avons un rendez-vous, et il n'y a aucune raison de le manquer.

– Hunter le manque, lui.

– Hunter a une raison. Il est probable qu'il éternuerait et mordrait le dentiste.

Cissy s'est forcée à sourire.

– Allez, Mary Anne, à toi de jouer, a dit Mme Rinaldi en se dirigeant vers la porte. Nous devrions être de retour dans deux petites heures.

J'ai souri.

– Ne vous inquiétez pas pour nous. Hunter et moi, nous allons bien nous débrouiller.

– Ouais, a affirmé Hunter. Très... bien. Aaa-tchoum ! Aatchoum !

Mme Rinaldi a hoché la tête. Puis Cissy, Logan et elle sont partis.

– Bien, Hunter, aimerais-tu faire quelque chose cet après-midi ?

– Du bélo ? Don, c'est brobablebent bas – ah-tchoum ! – une bodde idée. Dous bourrions bonter à ba chambre et jouer aux Lego. C'est vraibent bien. Ça fait tous les trucs de l'esbace – un bodule ludaire et un véhigule ludaire.

Il m'a fallu un moment pour comprendre ces derniers mots, mais finalement j'ai répété :

– Oh, un module et un véhicule lunaires !

– Egsat, a opiné Hunter.

– Bon. Allons-y.

Hunter m'a conduite en haut dans sa chambre nue. Il a sorti sa boîte de Lego du placard. Nous avons fait le plan de la station spatiale mais, aussitôt, les éternuements de Hunter ont empiré.

« Peut-être éternue-t-il à cause de mon parfum », ai-je pensé.

Je me parfume rarement, mais ce jour-là, à l'école, Claudia m'avait mis un peu de son eau de toilette dans le cou et sur les poignets. Je la sentais encore.

– Je reviens, ai-je dit.

J'ai couru dans la salle de bains, j'ai mis de l'eau sur un mouchoir en papier et j'ai frotté mon cou et mes poignets. Quand je n'ai plus senti du tout le parfum, je suis revenue dans la chambre de Hunter mais, avant même d'entrer, je l'ai entendu éternuer.

– Aaatchoum ! Aaatchoum ! regarde, boilà la borte de la station sbatiale, Barry Adde, a-t-il dit en me voyant.

– Hunter, c'est super, mais... attends une seconde.

J'ai observé sa chambre. Qu'est-ce qui pouvait bien le faire éternuer autant ? J'ai fermé la fenêtre. Puis la porte. J'ai mis mon pull contre le bas de la porte pour empêcher la poussière d'entrer. Puis je me suis dit que Hunter était peut-être allergique à mon pull, alors j'ai ouvert la porte et je l'ai jeté dans le couloir. J'ai réfléchi quelques instants, puis j'ai enlevé mes chaussettes et mes chaussures et je les ai également déposées dans le couloir. Ça devait marcher.

– Aaatchoum ! Aaatchoum !

Pas du tout.

– Hunter, ai-je repris, guelgue chose, je veux dire,

quelque chose te fait éternuer. C'est peut-être ta boîte de Lego. Tu venais juste de la sortir quand tu t'es mis à éternuer. Peut-être qu'il y a de la poussière sur les pièces. Ou peut-être sur la boîte.

– Don, a répliqué Hunter en prenant un mouchoir. De brends bas la beine de le déblacer. Aaatchoum ! Ce d'est bas la boîte de Lego. Je sais ce qui be fait éterduer. Aaatchoum ! Biens. Je bais te bontrer.

Hunter m'a conduite dans la chambre de Cissy. Qu'allait-il me montrer ? Un petit lapin poussiéreux sous son lit ? Non, il a ouvert le placard de Cissy et s'est retourné vers moi.

– Aaaaaaaatchouououoummmm !

Hunter a lâché le plus énorme éternuement que j'aie jamais entendu chez un enfant de cinq ans.

– Regarde dans la boîte, a-t-il articulé tant bien que mal.

Puis il a reculé et je me suis avancée dans le placard. Sur le sol, il y avait une grande boîte en carton. Je me suis penchée. Tout au fond, il y avait... Tigrou !

J'ai sursauté.

– Tigrou ! ai-je crié. Oh, Tigrou !

Je l'ai attrapé doucement, l'ai sorti de la boîte, avec précaution, comme s'il risquait de se casser, et je l'ai bercé dans mes bras. Puis je l'ai collé contre mon visage, et j'ai bientôt senti son ronronnement contre ma joue.

– Tu es resté tout le temps ici ? lui ai-je chuchoté.

Je me suis tournée vers Hunter.

– Il a été là tout le temps ?

Mais, avant que Hunter ait pu répondre, j'ai repris :

– Oh, tu m'as tellement manqué. Réellement. Je pensais que tu étais, hum (j'ai jeté un coup d'œil à Hunter), je pensais que tu étais... blessé. Mais, oh, ça ne fait rien. Tu m'as manqué !

Tigrou m'a reniflée. J'avais l'impression que je ne voudrais jamais le reposer par terre. Hunter était assis sur le lit de Cissy, éternuant pratiquement sans arrêt, un mouchoir de papier en lambeaux à la main.

– Hop ! Tigrou, ça m'embête de faire ça, mais je vais te remettre dans la boîte, l'ai-je prévenu. Et tout à l'heure, tu reviendras à la maison avec moi.

– Il est à toi ? s'est étonné Hunter alors que nous quittions la chambre de Cissy.

– Oui, c'est mon chaton.

Par précaution, j'ai refermé la porte derrière nous. Puis je suis allée dans la salle de bains me laver les mains, les bras et le visage. Je trouvais monstrueux d'abandonner Tigrou, même temporairement, mais il avait l'air d'aller bien, et Hunter, pas vraiment. Après tout, j'étais là pour m'occuper de lui. Et j'avais une foule de questions à lui poser. Nous nous sommes assis tous deux à la table de cuisine. (Je me suis dit que la cuisine était probablement l'endroit le moins poussiéreux du rez-de-chaussée.)

Mais Hunter n'était pas d'une grande aide.

– Depuis combien de temps sais-tu que Tigrou est ici ? lui ai-je demandé.

– Seulebent debuis ce batin. Je l'ai troubé bar accident. Cissy a dit de dire à bersodde qu'elle l'abait. Elle dit qu'ils seraient vâchés à gause de bes allergies. Bais il fallait que je le dise à quelqu'un.

- Tu as bien fait, l'ai-je rassuré. Quelqu'un d'autre sait que Tigrou est ici ?

Hunter a haussé les épaules.

– Je de sais bas.

– Comment Cissy a-t-elle eu Tigrou ?

– Je de sais bas.

– Tu ne savais pas qu'il était à moi ? ai-je insisté.

– Don. Pas du tout jusqu'à ce que du le sortes de la boîte.

– Cissy sait-elle que c'est mon chat ?

Hunter a haussé à nouveau les épaules.

– Logan le sait certainement, lui.

– Bais je de sais bas si Logan est au gourant gu'il est ici.

– Oh. Bien... Hunter, tu sais que je vais être obligée de parler de Tigrou à ta maman, n'est-ce pas ? ai-je ajouté. Même si ça attire des ennuis à Cissy.

Hunter a opiné.

– Je sais.

Il paraissait préoccupé et libéré en même temps.

Le temps m'a paru interminable jusqu'au retour de Mme Rinaldi, Cissy et Logan. C'est toujours le cas, quand on attend impatiemment quelque chose. Mais ils ont fini par arriver. Et ils étaient de très bonne humeur. Personne ne revenait avec le moindre plombage, aussi voulaient-ils fêter ça. Mais ils attendraient le jour où Hunter irait mieux, et où M. Rinaldi pourrait se joindre à eux.

– Tout va bien, Mary Anne ? a demandé Mme Rinaldi.

Je ne voyais pas d'autre solution que de lui dire d'emblée la vérité. Hunter et moi, nous avons échangé un coup d'œil nerveux. Il savait ce qui allait se passer.

– Madame Rinaldi..., ai-je commencé.

Et soudain j'ai réalisé que je ne pouvais pas regarder Logan en face. S'il savait, depuis tout ce temps, au sujet de Tigrou, alors... nous ne pourrions plus être amis. Ce ne serait évidemment plus possible.

– ... Madamc Rinaldi, aujourd'hui, Hunter n'arrêtait pas d'éternuer, alors j'ai cherché ce qui pouvait en être la cause et c'était un petit chat caché dans le placard de Cissy !

Ça n'était pas un mensonge, et ça ne mettait pas en cause le pauvre Hunter. Il avait eu raison de me montrer Tigrou, et je ne voulais pas que Cissy le traite de rapporteur.

– Un petit chat ! s'est écriée Mme Rinaldi.

J'ai observé Logan du coin de l'œil. Il paraissait surpris.

– Oui, un petit chat. Et... et il est à moi. Il a disparu depuis cinq jours. Nous l'avons cherché partout.

– Tigrou est dans le placard de Cissy ? s'est exclamé Logan.

Tout ce qu'a pu faire Mme Rinaldi, c'est de crier : « Quoi ? » et de se diriger vers l'escalier. Logan, Cissy, Hunter et moi l'avons suivie. Dans la chambre de Cissy, elle a couru au placard, en a tiré la boîte et s'est écriée :

– Il y a un chaton !

– Et c'est Tigrou, a ajouté Logan.

« Comme s'il ne le savait pas », ai-je pensé.

Hunter s'est remis à éternuer, alors Mme Rinaldi a dû lui dire de descendre. Puis elle s'est tournée vers sa fille.

– Bien, je pense que nous devons avoir une petite conversation.

Cissy a hoché misérablement la tête, les yeux baissés. Elle s'est assise sur son lit et sa mère s'est assise à côté d'elle. Logan et moi restions debout, incapables de nous regarder.

– Comment Tigrou a-t-il atterri ici ? a demandé sèchement Mme Rinaldi.

– Je... je l'ai seulement trouvé, a répondu Cissy. Et je ne savais pas que c'était Tigrou. Vraiment. Je rentrais à vélo vendredi dernier et il commençait à faire noir. Tu te rappelles ? Il ne faisait pas très beau, ce jour-là. Je n'étais pas loin de chez Mary Anne, et j'ai cru voir quelque chose qui brillait sur le côté de la route. Alors je me suis arrêtée. Et c'était un petit chat. Ce sont ses yeux qui brillaient. J'ai pensé : « Pauvre chaton, personne ne s'occupe de toi. » Alors je l'ai mis dans le panier de mon vélo et je l'ai rapporté à la maison. Je voulais un ami. Et je voulais te montrer, à toi et à papa, que j'étais capable de m'occuper d'un animal. Je suis réellement assez responsable pour ça. Regarde comme je me suis bien occupée de Tigrou.

Cissy s'est agenouillée par terre pour prendre des choses dans le placard.

– Tu vois ? Avec mon argent à moi, j'ai acheté cette nourriture et ce jouet et ces écuelles et je n'ai pas oublié une seule fois de nourrir Tigrou. Ou de changer son eau. C'est mon ami.

Effectivement, je devais admettre que Tigrou semblait avoir été bien traité.

– Mais, ma chérie, a dit Mme Rinaldi, tu sais que nous ne pouvons pas avoir de chat, ce n'est pas un problème de responsabilité de ta part. Hunter est trop allergique.

Cissy a remis les affaires de Tigrou dans le placard. Puis elle s'est tournée vers nous, en se mordillant les ongles.

– J'espérais aussi prouver que Hunter ne serait pas gêné, tant que le chat restait dans ma chambre. Mais… mais je crois que ça n'a pas marché.

Mme Rinaldi a fermé un instant les yeux. Puis elle a repris :

– Cissy, il y a quelque chose qui m'ennuie. Savais-tu que le chaton appartenait à Mary Anne ?

– Pas au début. Je ne le savais vraiment pas. Je pensais qu'il était perdu ou que quelqu'un l'avait abandonné sur le bas-côté de la route. Puis Logan nous a parlé de Tigrou et j'ai compris, mais je pensais que Mary Anne ne s'occupait pas très bien de lui pour le laisser errer si loin. J'ai décidé qu'il serait mieux avec moi.

Mme Rinaldi n'était pas d'accord avec ça, naturellement, aussi elle et Cissy continuèrent de discuter. Je me suis repassé les événements de ces derniers jours. Je me suis rappelée comme Logan s'était montré différent ces temps-ci, comme il avait eu l'air irrité quand nous lui avions demandé de venir à la réunion consacrée à Tigrou, et comment il avait pris l'affaire en main et s'était montré si coopératif quand j'avais reçu la demande de rançon. Elle était tombée vraiment à pic. Ce n'était pas Cissy qui l'avait envoyée. Logan pouvait apporter son aide tant qu'il voulait, passer pour un héros, et protéger le secret de Cissy.

Je n'ai pas pu rester plus longtemps.

– Je dois partir, ai-je murmuré d'une voix éteinte.

J'ai pris Tigrou et je suis sortie dans le couloir.

– Mais je ne t'ai pas encore payée ! a protesté Mme Rinaldi.

– Ce sera pour demain ! lui ai-je crié.

Logan était sur mes talons.

– Mary Anne, qu'est-ce qui ne va pas ? m'a-t-il crié alors que je sortais en trombe de chez lui.

– Tu sais très bien ce qui ne va pas, ai-je répondu, glaciale. Tu savais tout pour Tigrou et tu ne m'as rien dit.

J'ai déposé Tigrou dans le panier de mon vélo et j'ai filé, sans laisser à Logan la moindre possibilité de me répondre.

15

Mercredi après-midi, tard.
Tout s'est passé très vite. Tout le monde a été rapidement au courant pour Tigrou. (Bien sûr, j'ai passé de nombreux coups de fil, en prenant bien soin de ne rien dire du rôle de Logan.)

Alors, à la place d'une réunion, Claudia, Mallory et moi, nous avons parcouru le quartier afin d'enlever le plus grand nombre possible d'affiches. Carla a restitué à chacune sa part de la rançon et a remis le reste dans l'enveloppe de la trésorerie. Puis j'ai passé le plus de temps possible avec Tigrou – à lui parler, le câliner, jouer avec lui. Cette nuit-là, il a dormi avec moi.

Je ne l'ai pas laissé sortir dehors.

JEUDI.

Je n'ai pas parlé à Logan. Au collège, nous nous sommes évités. À midi, il a déjeuné avec ses copains.

– Il y a quelque chose qui ne va pas entre toi et Logan ? m'a demandé Kristy alors que nous étions assises à la table de la cantine.

J'ai opiné.

– Mais tu ne veux pas en parler ? a dit Carla.

J'ai secoué la tête. Je ne voulais pas parler. J'avais peur de me mettre à pleurer. Logan et moi, nous nous étions déjà disputés mais, cette fois, c'était différent. Je ne l'avais jamais soupçonné de quelque chose d'aussi grave. Et je ne m'étais jamais sentie aussi peu sûre de nous deux. Si Logan pouvait agir ainsi, qu'est-ce que cela signifiait pour notre relation ? Je voulais en avoir le cœur net avant la fin de la journée.

J'ai attendu Logan près de son casier.

– Salut, Mary Anne.

– Salut.

Quand son casier a été ouvert, je lui ai dit :

– Je peux te parler ?

– Pas maintenant. J'ai un entraînement de base-ball.

– Plus tard alors ? Je n'ai pas de baby-sitting cet après-midi. Je serai à la maison.

– Il faudra s'asseoir dehors ?

– Oui. (Logan le savait bien.)

Il a soupiré.

– Viens. Il fait beau aujourd'hui, ai-je poursuivi. Et en plus, il faut vraiment que je te parle.

– D'accord. Je viendrai. À plus tard.

Logan a fermé son casier, a tourné les talons et a traversé le hall à grands pas.

« Bien, ai-je pensé, c'est mieux que rien. »

En arrivant à la maison, la première chose que j'ai faite, c'est d'attraper Tigrou.

– Oh, que c'est bon de te retrouver quand je rentre de l'école.

Je l'ai soulevé de telle sorte que nous soyons les yeux dans les yeux.

– Miaou ? a demandé Tigrou.

– Je ne sais pas, lui ai-je répondu. Logan passe ici cet après-midi. J'espère qu'il va tout m'expliquer.

J'ai vérifié qu'il y avait le jus de fruits préféré de Logan dans le réfrigérateur. Et également des glaçons.

À cinq heures, la sonnette a retenti. J'ai couru ouvrir la porte. Logan était sur le seuil, son gant de base-ball dans une main, ses livres sous le bras.

– Assieds-toi. Je reviens tout de suite. Je vais te chercher quelque chose à boire.

En vérité, j'allais chercher mieux que cela. Quand Logan avait sonné, j'avais déjà préparé un plateau. J'avais mis une assiette de biscuits au milieu et deux serviettes à côté. J'y ai déposé les verres, les glaçons et le jus de fruits, et j'ai emporté le plateau vers la porte que j'ai eu quelque difficulté à ouvrir avec mon plateau à la main. Quand le plateau et moi avons été en sécurité à l'extérieur, Logan a paru étonné.

– C'est quoi, tout ça ?

– Rien…

(Quelle réponse stupide ! C'était des biscuits et du jus

de fruits. Et j'avais tout préparé parce que j'espérais me réconcilier avec Logan.)

Il s'est versé un verre de jus de fruits et en a bu à peu près la moitié d'un seul coup. Comment les garçons arrivent-ils à faire ça ? Je veux dire, sans s'asphyxier. Puis il m'a regardée d'un air de dire : « Alors ? »

J'ai pris une profonde inspiration avant de me lancer :

– Logan, réponds juste à une question, d'accord ?

– D'accord.

– Tu savais que Cissy cachait Tigrou dans sa chambre ?

– Non.

– Vraiment ?

– Ça fait deux questions. Et, Mary Anne, je ne mens pas. Pour être honnête, j'ai été blessé que tu me croies capable de faire une chose pareille. Pourquoi as-tu pensé ça, au juste ?

– Parce que… parce que…

« Ne perds pas tes moyens », me suis-je encouragée intérieurement. Parfois, quand des gens m'accusent de quelque chose, ou semblent m'accuser, je m'effondre et me mets à pleurer. Alors j'ai pris à nouveau une profonde inspiration (d'ailleurs, c'est vraiment très relaxant) et j'ai dit lentement :

– À cause de ton comportement, ces derniers temps. Tu me parlais sur un ton cassant, et tu ne t'es pas montré très sympa quand Tigrou a disparu. Je sais que tu as participé aux recherches – les affiches et tout le reste – mais ça avait l'air d'être une corvée pour toi. Alors j'ai pensé que tu savais tout sur Cissy et Tigrou et que tu ne cherchais qu'à protéger Cissy. Après tout, c'est ta sœur.

– Et toi, tu es ma Mary Anne.

Logan a avalé le biscuit qu'il était en train de manger, et a mis ses bras autour de moi.

– Je ne pourrais jamais te faire du mal. Pas volontairement. Je ne pourrais pas te mentir. Tu ne sais pas ça ?

– Si, peut-être. Mais tu m'as fait du mal, ces temps-ci. Tu as changé.

Logan a fixé la pelouse.

– Autant que tu le saches, a-t-il dit. Je suis sur le point d'être renvoyé de l'équipe de base-ball.

– C'est vrai ? Pourquoi ?

Je ne pouvais le croire. Logan avait été la vedette de l'équipe de son école à Louisville.

– L'entraîneur ne m'aime pas. Il attend plus de moi que de n'importe qui d'autre. Et, à cause de ça, je commets des erreurs stupides.

– Oh !

Je me suis rappelée ce que m'avait raconté Carla, et comment elle l'avait vu laisser tomber une balle qu'il avait pourtant bien rattrapée.

– Alors, il y a peu de temps, l'entraîneur a dit que je serais exclu de l'équipe si je ne m'améliorais pas. Et j'ai essayé de mieux faire. Vraiment. Mais il me crie dessus tout le temps et ne réussit qu'à me rendre nerveux. Je pense m'en aller avant d'être renvoyé.

– Oh !

– Ouais. Mais j'imagine que j'ai reporté sur toi mes problèmes de base-ball. Ça n'était pas juste.

– Bon. Je n'aurais jamais dû t'accuser d'être au courant pour Tigrou. Ça n'était pas juste non plus.

– Cissy est une vraie championne des cachotteries, a soupiré Logan. Elle pourrait cacher une baleine dans la maison sans que personne ne s'en aperçoive.

– Pas jusqu'à ce qu'on commence à en sentir l'odeur.

Nous avons ri.

Puis il a ajouté sérieusement :

– J'ai demandé à Cissy de changer complètement si elle veut se faire des amis ici.

– Bon, je peux arranger ça. J'essaierai de lui faire rencontrer Rebecca Ramsey ou Charlotte Johanssen.

– Hé, ce serait super ! Écoute, Mary Anne, je suis désolé dc mon comportement envers toi.

– Et je suis désolée de tout ce que j'ai dit… On n'est plus fâchés ?

– Non… est-ce que les voisins nous regardent ?

– Sans doute. C'est pour ça que nous devons rester dehors.

Logan a fait la moue.

– Alors promettons-nous d'être plus honnêtes l'un envers l'autre, désormais.

– Je te le promets, ai-je répondu solennellement.

– Moi aussi, a répliqué Logan.

VENDREDI.

Jour de réunion du club. À cinq heures trente, nous étions toutes dans la chambre de Claudia. Tigrou était avec moi, roulé en boule sur mes genoux. À peine avions-nous commencé que le téléphone a sonné.

– Premier boulot de la journée ! a annoncé Kristy gaiement, en décrochant.

– Allô, ici le Club des baby-sitters… Oh, salut, Logan Ne quitte pas. Elle est ici.

Kristy m'a tendu le combiné, en ajoutant :

– Si ce n'est pas pour le travail, dépêche-toi.

(D'accord, chef !)

– Salut, Logan. Quoi de neuf ? Oh…

J'ai écouté un bon moment. Quand j'ai eu raccroché, je me suis tournée vers les autres.

– Des nouvelles de Cissy. Logan a pensé que vous aimeriez connaître la suite, puisque vous avez toutes participé à la recherche de Tigrou.

Cinq têtes ont acquiescé.

– Bon, voilà. Évidemment, M. et Mme Rinaldi ne sont pas très contents de ce qu'a fait leur fille, mais ils comprennent pourquoi elle l'a fait. Elle va être punie, elle doit laver les voitures de la famille ou quelque chose comme ça. En même temps, les Rinaldi pensent aussi que Cissy a prouvé qu'elle est suffisamment responsable pour s'occuper d'un animal. Alors demain, ses parents vont l'emmener dans une animalerie et elle pourra choisir un animal sans poils ni plumes, comme une tortue ou un poisson. En plus, mercredi prochain, elle ira chez Charlotte. Elle a besoin d'une amie de son âge. Et qui soit de l'espèce humaine.

– C'est super ! s'est écriée Claudia.

Et les autres ont approuvé.

La réunion a continué. Quand le réveil de Claudia a affiché six heures, Kristy a déclaré :

– Bien, la réunion est terminée.

Tout le monde s'est levé, sauf moi.

– Viens, Mary Anne, m'a appelée Carla.

– Je ne peux pas. Tigrou dort.

Kristy a grogné.

– Tu surprotèges ce chaton.

– Ouais. Tu le traites, oh, un peu comme ton père te traite, a ajouté Claudia.

Je lui ai tiré la langue et tout le monde s'est esclaffé. Puis j'ai déclaré :

– Tout ce que je sais, c'est que Tigrou ne sera pas autorisé à sortir avant seize ans. Et je ne lui permettrai jamais, jamais, de passer le permis de conduire. Ou de se faire percer les oreilles.

– Donne-le à tata Kristy, a proposé mon amie, comme je me levais avec difficulté.

Je lui ai tendu le chaton endormi.

Tigrou a ouvert ses yeux ensommeillés et a ronronné près du visage de Kristy.

– Mmm. Haleine de croquettes pour chat, a-t-elle murmuré.

Nous nous sommes à nouveau mises à rire en allant vers l'escalier.

Haleine de nourriture pour chat ou pas, j'étais folle d'émotion d'avoir retrouvé Tigrou – et Logan.

À propos de l'auteur

Ann M. Martin

Ann Matthews Martin est née le 12 août 1955. Elle a grandi à Princeton, aux États-Unis, avec ses parents et sa jeune sœur, Jane.

Elle a été enseignante, puis éditrice de livres pour enfants, avant de se consacrer à la littérature. Pour écrire, elle s'inspire d'expériences personnelles, mais aussi de sa connaissance du monde de l'enfance et de l'adolescence.

Tous ses personnages, même les membres du Club des baby-sitters, sont des personnages imaginaires (ainsi que la ville de Stonebrook). Mais beaucoup d'entre eux ressemblent à des gens qu'Ann M. Martin connaît.

Ann M. Martin vit actuellement à New York et ses passe-temps favoris sont la lecture et la couture – elle aime particulièrement réaliser des habits pour les enfants.

Sa série *Le Club des baby-sitters*, dont nous avons regroupé ici trois titres, s'est vendue à plusieurs millions d'exemplaires et a été traduite dans plusieurs dizaines de pays.

Retrouvez

LE CLUB DES BABY-SITTERS

dans huit volumes hors série :

Nos plus belles histoires de cœur

Nos passions et nos rêves

Nos plus grands défis

Nos dossiers top-secret

Amies pour toujours

Nos joies et nos peines

Quelle famille !

Nos plus belles vacances

Maquette : Natacha Kotlarevsky

Loi n° 49-956
du 16 juillet 1949
sur les publications
destinées à la jeunesse

ISBN 978-2-07-061218-5
Numéro d'édition : 270791
Numéro d'impression : 122660
Premier dépôt légal : mars 2008
Dépôt légal : avril 2014
Imprimé en France par CPI Firmin Didot